海外漢文古醫籍精選叢書·第二輯

2011—2020年國家古籍整理出版規劃項目

中國中醫科學院「十三五」第一批重點領域科研項目

——我國與「一帶一路」九國醫藥交流史研究（ZZ10-011-1）

蕭永芝◎主編

古方藥説

（日）宇治田泰亮 撰

家傳醫方

（越）佚名氏 輯

醫方軌範

（日）今大路玄淵 傳

北京科学技术出版社

圖書在版編目（CIP）數據

海外漢文古醫籍精選叢書·第二輯·古方藥説　家傳醫方　醫方軌範/蕭永芝主編．—北京：北京科學技術出版社，2018.1
ISBN 978－7－5304－9219－2

Ⅰ．①海…　Ⅱ．①蕭…　Ⅲ．①方書—彙編—日本　Ⅳ．①R289.2

中國版本圖書館 CIP 數據核字（2017）第208363號

海外漢文古醫籍精選叢書·第二輯·古方藥説　家傳醫方　醫方軌範

主　　編：蕭永芝
責任編輯：張　潔　周　珊
責任印製：李　茗
出 版 人：曾慶宇
出版發行：北京科學技術出版社
社　　址：北京西直門南大街16號
郵政編碼：100035
電話傳真：0086-10-66135495（總編室）
0086-10-66113227（發行部）　0086-10-66161952（發行部傳真）
電子信箱：bjkj@bjkjpress.com
網　　址：www.bkydw.cn
經　　銷：新華書店
印　　刷：虎彩印藝股份有限公司
開　　本：787mm×1092mm　1/16
字　　數：482千字
印　　張：41.25
版　　次：2018年1月第1版
印　　次：2018年1月第1次印刷
ISBN 978－7－5304－9219－2/R·2380

定　　價：1100.00元

《海外漢文古醫籍精選叢書·第二輯》編纂委員會

前言

二十多年前，本研究團隊成員蕭永芝剛剛考入中國中醫研究院（現爲中國中醫科學院）攻讀博士學位，師從著名中醫文獻學家馬繼興先生。那時，馬老師經常對弟子們説：「中國的醫書要回歸，海外的醫書要引進。」馬老師的前一個願望，得到日本學者真柳誠先生鼎力支持，后来在鄭金生先生帶領的團隊的努力下，流散海外的重要中國古醫籍得以收集回歸，并通過《海外中醫珍善本古籍叢刊》等幾套叢書公開出版；馬老師關於引進海外古醫籍的願望，則成爲本研究團隊二十多年來不懈努力的方向。

從二〇〇七年開始，中國中醫科學院中國醫史文獻研究所多次立項支持開展對海外古醫籍的研究。二〇一六年，《海外漢文古醫籍精選叢書》被列入二〇一一—二〇二〇年國家古籍整理出版規劃項目，并獲得該年度國家古籍整理出版專項經費資助。二〇一七年初，在北京科學技術出版社的支持下，《海外漢文古醫籍精選叢書·第一輯》面世，收録影印了二十六種海外醫家用漢文撰寫的古醫籍。回想當年，馬老師正當年富力强，雄心勃勃，胸懷衆多願景，還希望做更多的研究；如今，他已年逾九旬，弟子終於戰戰兢兢捧上一份答卷……

二〇一七年，中國中醫科學院將「我國與『一帯一路』九國醫藥交流史研究」列入本院「十三五」第一批重點領域科研項目。在前期工作的基礎上，本團隊再次遴選出二十種海外漢文古醫籍，以影印形式出版《海外漢文古醫籍精選叢書·第二輯》。

本次所精選的圖書含日本醫籍十三種、越南醫籍五種、韓國醫籍二種，内容涉及醫經、醫論、本草、醫方、針灸、兒科、臨床綜合及醫學全書。我們根據實際情況分别爲二十種著作撰寫了三千到萬餘字不等的内容提要，每篇提要從作者與成書、主要内容、特色與價值、版本情況四個方面展開論述。

本次所收醫籍的主要資訊，依次爲書名、卷(編)數、分類、撰著者、成書年代和所用底本，具體如下。

《難經捷徑》，二卷，醫經，(日)曲直瀨玄由撰，寛永十四年(一六三七)以活字本初刊，同年古活字本。

《海上大成懶翁集成先天》，一卷，醫論，(越)黎有卓撰，撰年不詳，鈔本。

《櫟蔭先生遺説》，二卷，醫論，(日)多紀元簡遺作，多紀元堅輯録，撰年不詳，慶應三年(一八六七)森約之鈔本。

《寸楮集》，不分卷，醫論，(日)曲直瀨道三撰，曲直瀨正琳注，撰年不詳，鈔本。

《用藥心法》，一卷，本草，(日)曲直瀨道三傳，津島道救選輯，慶長十二年(一六〇八)成書，鈔本。

《本草綱目鈎衡》，四卷，本草，(日)向井元秀撰，撰年不詳，寛政九年(一七九七)鈔本。

《傷寒論金匱要略藥性辨》，三編(存中、下二編)，本草，(日)大江學撰，明和三年(一七六六)成書，次年刻本。

《古方藥議》，五卷，本草，（日）淺田宗伯撰，文久元年（一八六一）成書，文久三年（一八六三）鈔本。

《秘傳藥性記》，不分卷，本草，（日）味岡三伯撰，元禄元年（一六八八）初刊，同年刻本。

《管蠡備急方》，三卷，醫方，（日）度會常光撰，天文三年（一五三四）成書，鈔本。

《崇蘭館試驗方》，不分卷，醫方，（日）福井楓亭口授，撰年不詳，鈔本。

《古方藥説》，二卷，本草，（日）宇治田泰亮撰，寬政七年（一七九六）刊，同年刻本。

《家傳醫方》，不分卷，醫方，（越）撰者佚名，明命三年（一八二二）成書，同年鈔本。

《醫方軌範》，存卷下，醫方，（日）今大路玄淵傳，撰年不詳，鈔本。

《辨證配劑醫燈》，三卷，臨證綜合，（日）曲直瀨道三撰，元龜二年（一五七一）成書，鈔本。

《雜病提綱》，不分卷，臨證綜合，（朝）撰者佚名，撰年不詳，鈔本。

《穴處治法》，不分卷，針灸，（朝）撰者佚名，撰年不詳，鈔本。

《針灸法總要》，不分卷，針灸，（越）撰者佚名，明命八年（一八二七）成書，嗣德三十三年（一八八〇）鈔本。

《家傳活嬰秘書》，不分卷，兒科，（越）撰者佚名，撰年不詳，成泰二年（一八九〇）鈔本。

《新鐫海上懶翁醫宗心領全帙》，六十六卷（存五十五卷），醫學全書，（越）黎有卓撰，景興三十一年（一七七〇）成書，嗣德三十二年（一八七九）至咸宜元年（一八八五）間刻本。

上述海外古醫籍，絶大多數用漢文撰著，僅有個别醫書雜有少量日文或喃文。以上書籍中明確標明完成時間或可大致推測出撰寫時段的醫書，多成書於十六至十九世紀，大致相當於中國明清時期，其中不乏學術價值較高的名家名著。以「越南醫聖」黎有卓與日本醫學中興之祖曲直瀨道三爲例介紹如下。

黎有卓，自號海上懶翁，是越南歷史上最負盛名、影響最大的醫家，被後世尊爲「越南醫聖」。他在汲取中國醫學精髓的基礎上，結合越南本土醫療實踐，撰成六十六卷規模的鴻篇巨著《海上懶翁醫宗心領》。該書是越南傳統醫學歷史上第一部内容系統完備的綜合性醫學全書，標志着越南傳統醫學的本土化基本完成，在該國醫學史上具有里程碑式的意義。二〇〇三年，真柳誠先生首次在日本向蕭永芝推薦《海上懶翁醫宗心領》一書；二〇〇四年，蕭永芝回國後隨即向馬繼興先生報告此事，馬老師師徒幾人當即前往中國國家圖書館考察該書；此後，本團隊在研究過程中發現，中國醫史文獻研究所已故老專家趙璞珊先生曾在二十世紀八十年代就撰文介紹過該書；二〇〇八年，真柳誠先生再次建議出版該書。中外幾代學者對《海上懶翁醫宗心領》的重視，也從一個角度説明了該書的價值和重要性。因此，在《海外漢文古醫籍精選叢書·第一輯》中，本團隊先期影印了黎有卓《海上懶翁醫宗心領》早期流傳的四册鈔本，冠以《懶翁醫書》之名出版；本次則將刻本《新鐫海上懶翁醫宗心領全帙》現存的五十五卷全部影印出版，希望能够反映出越南傳統醫學的精華及其學術淵源。此外，本叢書收録的鈔本《海上大成懶翁集成先天》，亦爲黎有卓醫書早期的手稿或傳抄之本。

曲直瀨道三（正盛），日本中世紀末期著名醫家、醫學教育家，對日本醫學産生過深遠的影響，被醫爲日本醫學中興之祖。道三早年師從曾入明學醫的名家田代三喜，受其師影響創立了日本漢方醫界的後世方派。爲改變當時日本醫者單純依賴《太平惠民和劑局方》診病處方的被動局面，道三提出「察證辨治」，即診察每位患者的病證，然後有針對性地予以配劑施治。道三一生著述頗豐，其《辨證配劑醫燈》一書，載述臨床各科常見病證的病因病機、診斷察證、辨治預後及注意事項。全書貫串着診察辨證的思想，是後世方派系統實用的臨證處方秘典。曲直瀨家族是日本著名的醫學世家，世代名賢輩出，亦有衆多醫著流傳。例如，曲直瀨玄由祖述《黄帝内經》，博采諸家注本之言，參以己見，全文注解并闡發《難經》之旨，撰成《難經捷徑》一書，是日本現存較早的《難經》注解性著作，具有較高的研究價值。曲直瀨正琳輯録并注釋道三親傳之心法秘訣，書成之後定名爲《寸楮集》。該書作爲後世方派的秘傳經驗合集，充分體現了道三察證辨治、重視脉診的學術特色。曲直瀨玄鑑被後陽成天皇賜予「今大路」的家號，之後曲直瀨家子孫均改姓今大路。如今大路玄淵，爲曲直瀨（今大路）家第六代道三，他將家族精心甄選并經歷代親試的效驗良方彙編爲《醫方軌範》一書，所收醫方涵括臨床各科，具有較高的臨床實用價值。此外，曲直瀨道三還創辦了日本歷史上第一所醫學校啓迪院，培養了衆多門生弟子，其中部分弟子成爲日本醫界的中流砥柱。如門人津島道救選編道三的臨床用藥、辨治經驗，彙爲《用藥心法》一書。該書凝聚了道三畢生臨證用藥經驗之精華，處處體現出道三察病辨治的核心思想。曲直瀨道三的養子玄朔培養了弟子饗庭東庵。饗庭東庵及其徒味岡三伯是後世方别派的代表醫家。味岡三伯將本草學理論與臨床實踐相結合，融入自己對疾病及用藥的感悟，選取該流派臨床常用效驗之藥，分别述其和名、炮製、性味、功效、主治、禁忌及所涉方劑等，編撰《秘傳藥性記》一書，系統條理，重點突出，便捷實用，體現了中國醫藥理論及其實踐對日本本土醫藥學發展的影響。

上述六部醫籍均傳承了曲直瀨道三獨特的學術理念與臨證實用經驗秘訣，展示了道三深厚的醫學造詣及其醫學思想在日本的傳承發展。幾部著作之間既有獨特的價值韵味，又有着千絲萬縷的内在聯繫，從不同角度反映了曲直瀨道三及其子孫、弟子的學術特色。讀者可綜合比較閲讀，以便更好地理解并挖掘日本漢方醫學後世方派的學術精髓。

曲直瀨道三主要活躍於十六世紀中後期，以其爲鼻祖的後世方派注重吸收中國宋金元明醫學精華，尤其推崇李東垣、朱丹溪兩位醫家的醫學思想。十七世紀中葉，日本著名醫家名古屋玄醫提出醫學復古論，倡導回歸張仲景《傷寒論》《金匱要略》的古醫學，之後又有後藤艮山、香川修德、吉益東洞等名醫及弟子繼其衣鉢。這些醫家自稱爲古方派。在漢代盛行的仲景古方，經他們的闡釋發揮，被賦予了新的生命。本叢書收録的《傷寒論金匱要略藥性辨》《古方藥説》二書，均是爲日本醫者更好地運用仲景醫方而作。《傷寒論金匱要略藥性辨》對仲景醫方所用的藥物逐一辨正，注重鑒别藥材的真僞優劣與相似藥材的辨别應用，側重於闡釋藥物的藥性、功用、主治與臨床應用。《古方藥説》的作者宇治田泰亮，曾師從古方派吉益東洞的弟子中西惟忠與當時的本草大家小野蘭山，兼通傷寒、本草。該書詳細論述了仲景方中部分藥物的名稱、形態、産地、真贋優劣、炮製加工及替代用品。除古方派醫家在研究仲景方中的藥物外，折衷派醫家也對仲景方中的藥物多有研究，如折衷派代表人物淺田宗伯。其書《古方藥議》收録部分仲景醫方用藥，分「釋品」與「釋性」兩項記述藥物，結合仲景原方藥物組成及藥味加減，闡釋藥物的性味、功用，重視藥物的配伍，處處體現出方中有藥、藥中有方的思想。三部醫籍雖分屬古方派和折衷派的本草著作，側重點各有不同，但也存在許多共通之處。例如，三書記載藥物的次序，均依從相關醫方在《傷寒論》《金匱要略》出現的先後順序。讀者若能綜合參閲上述三書，既可加深對日本江户時代古方派用藥特點以及當時藥材種植、采收、炮製與流通情況的了解，又可對仲景醫方用藥有更深刻的認識，臨證運用時也會更加得心應手。

江户時代中期，日本傳承舊學的本草學術漸廢，諸家新説盛行；中國明代李時珍撰著的《本草綱目》也已傳入日本。《本草綱目鈎衡》即是一部運用傳統文獻考據方法研究《本草綱目》的本草學專著。該書對李時珍所載部分藥物逐一進行考證、詮釋和校勘，徵引文獻廣博，尤其推崇中國宋代唐慎微的《經史證類備急本草》，糾正了《本草綱目》中存在的部分錯誤。

除前文所述今大路玄淵所傳《醫方軌範》外，本叢書還收録日本《管蠡備急方》《崇蘭館試驗方》與越南《家傳醫方》三部方書。其中，《管蠡備急方》博引中國明以前歷代諸家方書，經由日本醫學世家度會家族歷代驗證，精選并收録臨證各科效驗良方。全書按疾病分門，因病立門，門下首述醫論，次列方藥，醫者臨證可按病索方，簡明實用。《崇蘭館試驗方》所載之方，多爲日本名醫福井楓亭口授的家傳臨證試驗良方。該書以日語假名讀音爲序記載方劑，所録醫方來源廣泛，總以《傷寒論》《金匱要略》《備急千金要方》《外臺秘要》《太平聖惠方》《太平惠民和劑局方》爲主，兼采中國清以前歷代重要醫書，反映了楓亭既重視經方，又兼用時方的學術特點。此外，越南醫籍《家傳醫方》一書，主要輯録中國明代李梴《醫學入門》和龔廷賢《萬病回春》二書的相關内容，通過取捨化裁，歸納記述了數十種臨床常見病證的對應治方，便捷實用，富有特色。

醫家臨證除采用方藥療病之外，還常應用針灸療法。本叢書收録李氏朝鮮《穴處治法》與越南《針灸法總要》兩部針灸專著。《穴處治法》主要記述經穴、別穴、針灸治療、折量法、針灸擇日等五項内容，其中經穴内容主要引自中國明代李梴《醫學入門》，後四項内容則主要摘自李氏朝鮮時期太醫許任《針灸經驗方》。全書編排巧妙，内容豐富，簡明實用。《針灸法總要》彙聚中國明代徐鳳《針灸大全》、李梴《醫學入門》和龔廷賢《壽世保元》等著作中的針灸醫學精華，主要記載針灸禁忌、五輸穴、靈龜八法主治病證、十四經脉循行流注及其重點腧穴定位，經絡起止，明堂尺寸法、八脉交會穴、奇穴治法等。儘管兩部針灸專著分别出自不同國家醫者之手，但均引用了中國《醫學入門》一書，都收録了十四經穴、骨度分寸定位法、針灸禁忌等内容，皆側重應用特定穴、奇穴，可謂異曲同工，殊途同歸。

周邊國家在學習中國醫學的過程中，漸漸形成了本土化特徵，或衍生出本國的醫學特色。如《家傳活嬰秘書》是一部獨具越南本土特色、自成體系的兒科專著。該書係越南「四民醫館」的家傳經驗秘笈。書中首先論述兒科諸病的見症分型與辨證方法；其次設「置藥治病列湯於下」，載述各種疾病對應的藥方及變方；再次是「治嬰各症方藥」，記載小兒常用治方；从次爲「論外湯症」，詳論以他藥煎湯送服丸、散劑的方法；最後列出兒科常用藥物的漢喃對照。如此環環相扣，自成一體，精審巧妙。其中，「論外湯症」一章，多以一味或數味藥煎湯送服丸、散劑，煎湯之藥隨症狀不同而變化，故隨煎湯之藥的變化，有效地擴充了單種丸、散劑的應用範圍。又如李氏朝鮮《雜病提綱》一書，依次記載雜病提綱、疾病分類、疾病治方，書中内容雖大多源於《醫學入門》《東醫寶鑑》，但經過作者巧妙編排，全書層次分明，内容系統，具有較高的臨床參考價值。再如，部分方書中開始出現一些未見載於中國醫籍的方劑，福井楓亭《崇蘭館試驗方》中收録的若干日本「和方」和福井「家傳方」等，即爲日本醫家自創之方。

前來中國拜師學醫，閱讀中國醫著，師承通曉中國醫學的本國醫家，閱讀本國名醫整理彙編中國醫學的相關著作，是海外醫者學習中國醫藥學的四種主要途徑。然而，前兩種途徑實施起來相對困難，故日本、朝鮮、越南三國名醫大多旁徵博引，取捨化裁中國醫籍以教化後學。以日本江户時代考證派名家多紀元簡遺作《櫟蔭先生遺説》爲例。該書係由元簡之子多紀元堅輯録而成，各篇之間獨立成文，主要論及痙病、麻疹、痔疾、脚氣、小兒吐乳、青腿牙疳，以及藥論、書論、醫論、醫事考證，同時收録元簡治療經驗、見聞心得。全書内容豐富，涉及醫學的方方面面，較好地體現了元簡精於考證、引録廣博、醫術精湛、治驗頗豐的學術特點。書中標注的參考引用著作近九十種，其中援引中國秦漢至清代歷代醫籍五十餘種，中國歷代非醫學文獻近三十種，旁及日本本土醫書五種、朝鮮醫籍二種。書中所引醫學文獻涵括醫經、傷寒、金匱、方書、本草、診法、兒科、外科、針灸、醫論、醫話等衆多類別。此外，該書引文中還提及二十餘位人物，其中絶大多數爲醫家。海外醫家將中國醫學重新化裁編排撰著成書後，部分著作還回流中國，引起中國醫家的重視。如中國清代曾多次刊刻發行，一九四九年以後又多次校注出版，在國内流傳較廣的《勉學堂針灸集成》一書，主要摘録了朝鮮太醫許任《針灸經驗方》全文與朝鮮名醫許浚《東醫寶鑑》的針灸相關内容。該書與本次收載的《穴處治法》一書關係密切，其間的淵源值得進一步考證。

但海外醫者對中國醫學的學習，更加强調其臨床實用性，往往首先汲取適於臨床運用的方法而捨弃醫理闡發的内容。日、韓、越均有一批對中國醫學研究得非常透徹的名醫大家，他們爲方便本國醫者學習和運用中國醫學，汲取中國醫學中最爲精華的部分，將中國醫學化繁爲簡，由博返約，促使其簡約化、本土化。如曲直瀨道三一派借鑒佛經中的經疏形式，巧妙運用綫段、圖表來提煉、歸納中醫藥的關鍵要素，或梳理錯綜複雜的醫理邏輯，用簡潔直觀的方式表達深奥的中國醫藥知識，極大地方便了日本民衆學習應用中國醫學。周邊國家還根據本國國情有選擇地學習吸收中國醫書的内容。如越南地處東南亞中南半島東部，大部分地區爲熱帶季風氣候，濕熱邪盛，國民患病以陽證爲主，故越南方書《家傳醫方》所載病證多爲陽證，陰證較爲少見。

本叢書收録的二十種海外醫籍，雖然有十五種爲鈔本，但其文獻研究價值與臨床實用價值不可小覷。從醫書分類角度而言，本叢書囊括醫經、醫論、本草、醫方、針灸、兒科、臨證綜合及醫學全書。從醫學流派與作者而言，涵蓋日本江户時代後世方派、古方派、考證派和折衷派幾大主流醫學流派，作者則涵括日本、越南兩國衆多名醫大家。書中所收本草著作，既有對張仲景古方用藥的闡釋發微，又有對李時珍《本草綱目》的考證。收録方書，多爲家族世代相傳的效驗良方。傳統醫藥學的理、法、方、藥在本叢書中均有很好的體現。但海外醫籍更加注重著作内容的實用性、簡約化，且具有不同國家的本土特色。

中、日、韓、越四國地理相近、交流頻繁，長期持續不斷的醫學交流，使得彼此的醫學思想、理論、學術和醫療技藝相互交叉貫通，血肉相連，共同爲人類的醫療衛生保健事業做出了巨大貢獻。本次所精選的二十種海外漢文傳統醫籍，獨具特色且國内罕見，能够在一定程度上呈现出中國醫學在海外傳承發展的不同側面，展現出日、韓、越傳統醫學各自的特色，較好地體現了中、日、越、韓之間的醫學發展、傳承流變、共性特色和交流互動。且本次所選之書内容豐富，涵蓋面較廣，具有較高的學術研究價值、文獻參考價值與臨床實用價值，將有助於研究中國醫學對周邊國家傳統醫學的深遠影響，能爲國内廣大中醫藥工作者拓寬思路、開闊視野創造良好的條件。

總之，本研究團隊以「一帶一路」沿綫國家的傳統醫學文獻爲切入點，繼續挖掘具有代表性的海外傳統醫學古籍，再次遴選，影印出版《海外漢文古醫籍精選叢書·第二輯》。希望本叢書能夠吸引更多國内學者關注中外醫學交流的源流與本質，以促進中醫藥的全面發展。本研究團隊也希望不負恩師之望，繼續努力將更多的海外醫籍精品介紹給國内的中醫藥工作者。

蕭永芝　韓素傑

目録

古方藥説……一
家傳醫方……二三九
醫方軌範……五二九

海外漢文古醫籍精選叢書·第二輯

古方藥説

(日)宇治田泰亮　撰

内容提要

《古方藥説》二卷，日本寬政七年(一七九六)刊行。本書由宇治田泰亮纂集，是研究張仲景《傷寒論》《金匱要略》方中藥物的專著，乃古方派重要本草著作之一。全書載藥共二百二十一味，上卷爲《傷寒論》方中藥物，下卷係《金匱要略》方中藥物。每味藥物側重論述藥物的産地、形態、名稱、加工炮製等問題，重點在於鑒别藥物品種的真僞優劣，并説明可代用之品。

一 作者與成書

《古方藥説》扉葉署名「蘭山小野先生鑑定/宇治田郁泰亮著」，上、下兩卷首葉均題署「蘭山小野先生鑑定　門人久留米宇治田郁泰亮著」，可見本書作者爲宇治田郁(泰亮)，經著名本草學家小野蘭山鑒定。

作者宇治田泰亮生卒年不詳，歷代文獻對其生平也少有記載。據本書之首中西惟忠「古方藥説弁言」所云：「泰亮世以醫仕久留米矣，名郁，字曰泰亮，族宇治田氏，嘗游於京師，七年於今。」又，書末山梨和章「古方藥説跋」載：「築後久留米藩侍醫宇治田氏，嘗入蘭山先生之門學本草，博通物産之種品，於是攬張氏之意，以著《古方藥説》。」綜合中西惟忠、山梨和章兩人之説可知，宇治田泰亮名郁，泰亮爲其字，世以醫仕於築後久留米（今日本福岡縣久留米市），爲久留米藩侍醫，曾遊學京都，拜於小野蘭山門下，學習本草之學，故博通物産之種品。又據小曾户洋《日本漢方典籍辭典》所載，泰亮「曾進京師學醫於中西惟忠」。❶

中西惟忠，字子文，號深齋，入吉益東洞門下學習古方，研究《傷寒論》三十年，著有《傷寒名數解》《傷寒論弁正》，是日本江户後期漢方醫學古方派的代表醫家之一，對仲景《傷寒論》研究頗深。

小野蘭山，本姓左伯，小野氏，名職博，字以文，號蘭山，通稱喜内，生於京都。蘭山爲日本江户時期本草學的代表人物，以他爲中心形成的「蘭山學派」，是江户中後期本草學的主流學派。蘭山在江户醫學館講授本草學，同時奉幕府之命赴各地采藥、考察，對江户時期的本草學發展産生過重要的影響。其門生衆多，培養了如山本亡羊、岩崎灌園之流的著名本草學家。蘭山的本草學研究具有鮮明的名物學、博物學特色，側重於藥物的名稱、生態、形狀、特點以及鑒别等方面。

宇治田泰亮師從傷寒和本草名家的學習經歷，奠定了本書的纂集基礎。正如他在「古方藥説凡例」中所言：「古醫書雖有《靈》《素》，而方法之所傳，惟張仲景《傷寒論》《金匱要略》二書耳。方家不可一日無此二書也，但義理淵深，且多錯誤，不易通曉，故諸家多加注釋，而至其藥物之真贋優劣未有論説，非考索本草，其詳不可得，而諸説紛紛難適從，覽者病焉。今乃抄撮吾師蘭山先生講究本草之一二，以載於各藥之下，庶使學者免動手即錯，開口皆非之譏矣。」故作者從其師小野蘭山講授的本草

❶（日）小曾户洋著，郭秀梅譯．日本漢方典籍辭典［M］．北京：學苑出版社，二〇〇八：五一．

内容中，選取《傷寒論》《金匱要略》所載藥物予以辨釋，撰成之後經其師小野蘭山鑒定，於寬政七年(一七九六)刊刻行世。

二 主要内容

《古方藥説》二卷，遴選仲景《傷寒論》《金匱要略》二書中的藥物二百二十一味，辨識中、日兩國諸州所産藥物之「形狀異同、小大短長、色味厚薄精粗、硬實軟虛，擇其宜用與不宜用之分，一一折衷之於蘭山先生」。對每味藥物的論述，詳於名稱、形態、産地、加工炮製，略於臨床用藥的内容，目的在於辨别藥物品種的真僞優劣，闡述替代用品。

本書卷上爲《傷寒論》之方藥，所述藥物九十二味，依次爲：桂枝、芍藥、甘草、生薑、大棗、麻黄、石膏、乾薑、大黄、芒硝、附子、葛根、半夏、黄芩、黄連、杏仁、五味子、細辛、蕘花、栝樓根、茯苓、厚朴、人參、白术、猪苓、澤瀉、梔子、豆豉、枳實、柴胡、栝樓實、牡蠣、膠飴、桃仁、龍骨、鉛丹、蜀漆、水蛭、虻蟲、葶藶、白蜜、甘遂、文蛤、桔梗、巴豆、貝母、芫花、大戟、赤石脂、禹餘糧、旋覆花、代赭石、瓜蒂、赤小豆、知母、粳米、生地黄、阿膠、麥門冬、麻子仁、清酒、滑石、土瓜根、大猪膽、醋、茵陳蒿、吴茱萸、黄蘗、連翹、生梓白皮、潦水、鷄子黄、猪膚、白粉、葱白、人尿、薤白、烏梅、蜀椒、當歸、通草、升麻、葳蕤、天門冬、白頭翁、秦皮、中裩、清漿水、商陸根、海藻、竹葉、羊膽。

卷下爲《金匱要略》方之藥，所論藥物一百二十九味，依次爲：薏苡仁、防己、黄芪、百合、泉水、雄黄、鱉甲、烏扇、鼠婦、石韋、牡丹、瞿麥、紫威、䗪蟲、蜂巢、赤硝、蜣螂、煅竈下灰、雲母、雲實、菊花、防風、礬石、川芎、寒水石、白石脂、紫石英、井花水、鹽、川烏、獨活、乾地黄、山茱萸、薯蕷、天雄、曲、豆黄卷、白蘞、酸棗仁、乾漆、蠐螬、獺肝、紫菀、款冬花、皂莢、棗膏、小麥、紫參、東流水、白前、澤漆、葦莖、瓜瓣、生葛、甘李根白皮、白酒、橘皮、烏頭、生狼牙、真朱、羊肉、木防已、椒目、蒲灰、亂髮、白魚、戎鹽、硝石、大麥、豉、猪膏、美清酒、柏葉、艾、馬通汁、竈中黄土、竹茹、訶梨勒、敗醬、瓜子、王不留行、蒴藋細葉、桑東南根白皮、川椒、鷄屎白、蜘蛛、粉、苦參、葵子、醋漿水、白薇、柏實、飴糖、乾蘇葉、新絳、紅藍花、蛇床子、臘月猪脂、大腹檳榔、白石英、鍾乳、鬼臼、太一餘糧、雄鷄冠、鷄肝、大豆、菖蒲屑、桂屑、左魚髮、韭根、緋帛、久用炊單布、敗蒲席、人乳汁、雄鼠屎、蘆根、泔、牛肚、朴硝、馬鞭草、冬瓜、人糞汁、地漿、蒜、黍穰、犀角、金、銀、薺苨。

書中結合中國歷代本草著作的記載，論述藥物的名稱、形態等；對部分藥物的討論，時常引經據典，訂正前人訛誤之説。如桂枝條，綜合《本草衍義》《本草約言》《本草綱目》等各家之説，再考小野蘭山之論，辨釋菌桂、牡桂、桂心之品種和用藥情况。

三　特色與價值

中日歷代研究張仲景用藥的著作，中國有清代黄元御《長沙藥解》《玉楸藥解》、周岩《本草思辨録》等，日本有吉益東洞《藥徵》《藥徵續編》、淺田宗伯《古方藥議》、大江學《傷寒論金匱要略藥性辨》等，多爲名家名著，内容常側重於藥物的臨床效用。

《古方藥説》作者宇治田泰亮認爲，醫家當了解藥物的品種。他在本書凡例中説：「凡藥品之真贋優劣及可代用者，固醫家所當辨別。藥劣則雖以方證對者，施之於人而不能速其效也，况於用贋物者乎？故曰名實既爽，寒温多謬。用之庶民，其欺已甚；施之君父，逆莫大焉。又不知代用者，乃缺臨應也。譬如五味子以韓産者爲優，倭産者爲劣；黄芩華、韓産者及本邦蒔韓種者爲真，以博落回（罌粟科植物）稱倭黄芩者爲贋，代阿膠以黄明膠之屬是也。其他不遑枚舉矣。」

全書收藥二百二十一味，藥物之先後順序，依《傷寒論》《金匱要略》原方次序排列，以便於臨床倉促之際檢索運用。本書的特色在於每味藥物從産地、形態、名稱、加工炮製等方面，分析諸家本草的記載，結合漢、和、韓不同産地藥物的形態、色澤特徵，闡明藥物品種的真僞優劣，澄清物種的混淆亂用，追溯藥物本原，説明可代用之品。如卷上甘草條載：「市肆所貨，皆是華産。凡用之，取肆呼南京甘草，緊實斷文、皮赤肉鮮黄者爲良；其呼福州，肥大輕虚味薄者及細靭而淡黄者次之。若遇闕，姑可用耳。又肉色黑褐者勿用。」又如卷上黄芩條云：「此邦不産，今移植朝鮮之種，易貿，苗長二三尺，葉似千屈菜而兩兩相值。夏莖端開紫花，正可愛賞。其根市人呼爲真黄芩，乏時可以代用矣。又坊間以呼失失（此處疑衍一「失」字）也。氣忽索者，稱爲倭寇黄芩，剉細混貨，甚非也，是即本草所謂博落回。」南宋著名史學家鄭樵在《通志二十略·昆蟲草木略第一》序中强調了本草識真的重要性，其云：「惟本草一家，人命所係。凡學之者，務在識真，不比他書，只求説也。」❶而《古方藥説》尤其注重辨別藥物的真僞優劣，故在中藥鑒定方面具有較高的參考價值。

與起於十七世紀中葉的日本古方派，尊奉中國醫聖張仲景的學術思想，以《傷寒論》《金匱要略》

---

❶（宋）鄭樵撰，王樹民點校．通志二十略［M］．北京：中華書局，一九九五：一九八一．

及其方劑的研究、運用爲中心，提倡方證相對，擅長用仲景原方以治諸病，由此奠定了日本漢方醫學崇尚古典經方、重視實證治療的基礎。正是在這種尊張尚古和經驗實證的背景下，日本醫家編撰了一些專門研究仲景醫書載方藥物的專門著作。這些著作的研究對象均是《傷寒論》《金匱要略》中出現的藥物，意在幫助日本人學習和掌握仲景醫方所涉藥物的漢和對照、名實相對、形態特徵、基原考證、采收加工、真贋鑒别、品質優劣、臨床運用等。諸書所論各有側重，但往往殊途同歸，目的都在於幫助日本人識藥、辨藥、選藥、用藥，以便更好地掌握和運用張仲景的醫方。例如，吉益東洞《藥徵》《藥徵續編》，共收藥一百四十二種，每種藥物先標明效用，後設考證、互考、辨誤、品考四項，選録《傷寒論》方證，以此爲藥物效用的依據；辨别方證之僞訛；闡論作者有别於其他本草著作的個人見解；論述藥物的産地及品質優劣、真僞鑒别等問題。淺田宗伯《古方藥議》，分爲釋品和釋性兩部分，參照對比中國本草諸書的記載及漢和出産的藥物，從藥名、産地、形狀、色澤、氣味等方面，辨别藥物的優劣和實際藥用的有效品種；列述藥性及主治，結合仲景的方藥組成及加減，闡釋藥品的性味、功能。大江學《傷寒論金匱要略藥性辨》一書，廣徵博引，内容側重於藥物異名、日本俗名、藥鋪用名、基原植物、産地、采收、炮製、鑒别、各地藥材的優劣比較等，特别重視對功用主治的闡釋、相似藥材的辨别以及臨床應用的注意事項等。宇治田泰亮《古方藥説》一書，則詳細論述了仲景所用藥物名稱、形態、産地、真贋優劣、炮製加工及替代用品等問題。可見，《古方藥説》是在日本古方派興起之後出現的一部從本草學角度研究仲景醫書的重要著作之一。

四　版本情況

《古方藥説》現今流傳於世的傳本有刻本和鈔本兩種形式。現存兩種鈔本，其一爲弘化二年（一八四五）太田道貞筆寫，藏於日本東北大學圖書館狩野文庫；另一種鈔本筆寫年代不詳，藏於杏雨書屋。刻本爲寬政七年（一七九六）所刊，分藏於日本國立國會圖書館白井文庫、九州大學圖書館、京都大學圖書館富士川文庫、東京大學圖書館、東京大學圖書館鶚軒文庫、日本大學圖書館富士川文庫、市立刈谷圖書館、杏雨書屋、乾乾齋文庫、楂蒡書屋、無窮會神習文庫、村野文庫等處。❶

本次影印采用的底本爲日本國立國會圖書館白井文庫所藏寬政七年（一七九六）刻本。此本藏書號「特1—622」。二卷二册，四眼裝幀。兩册書皮題簽分别爲「古方藥説　乾」「古方藥説　坤」。扉葉鎸刻「蘭山小野先生鑑定／宇治田郁泰亮著　不許翻刻／萬里必究／古方藥説全部二册／皇都書肆　再昌軒／橘枝堂／發行」。書首有「古方藥説弁言」一則，爲「平安中西惟忠子文撰」；另有「古方藥説凡例」三條；上、下兩卷皆有子目，每卷正文首葉在書名之下均署「蘭山小野先生鑑定，門人久留米宇治田郁泰亮著」。四周雙邊，版心白口，上單魚尾。書口上部刻書名「古方藥説」，下口鎸「靜修園藏」字樣，中部記弁言、凡例、目次、卷數、葉數、跋等。正文每半葉九行，每行十八字。文中有墨書日語送假名（日語中用來指示前面漢字詞性或讀音的假名）和返點（用一、二、上、下、レ標明漢字語

❶ （日）國書研究室.國書總目録[M].東京：岩波書店，一九七七：（第三卷）五五一.

序)，偶有朱筆日語注音。正文之後附「古方藥説跋」一篇，係「平安山梨和章」所作。書末鐫有刊刻牌記「寬政乙卯初秋刻成/每部有印記/四方雲顧君/子須認此爲真」，最後爲京師(京都)、浪華(大阪)、東都(東京)幾家書肆的署名及所在地址。

綜上所述，《古方藥説》爲古方派醫家從本草學角度研究《傷寒論》《金匱要略》的一部較有特色的著作，對仲景醫方用藥品種、真僞優劣的論述詳明可靠，而識藥、辨藥乃醫家臨證用藥之要務，故本書堪稱研究漢、和、韓産藥物品種的珍貴資料，在中藥鑒定方面也具有較高的參考借鑒價值。

何慧玲　蕭永芝

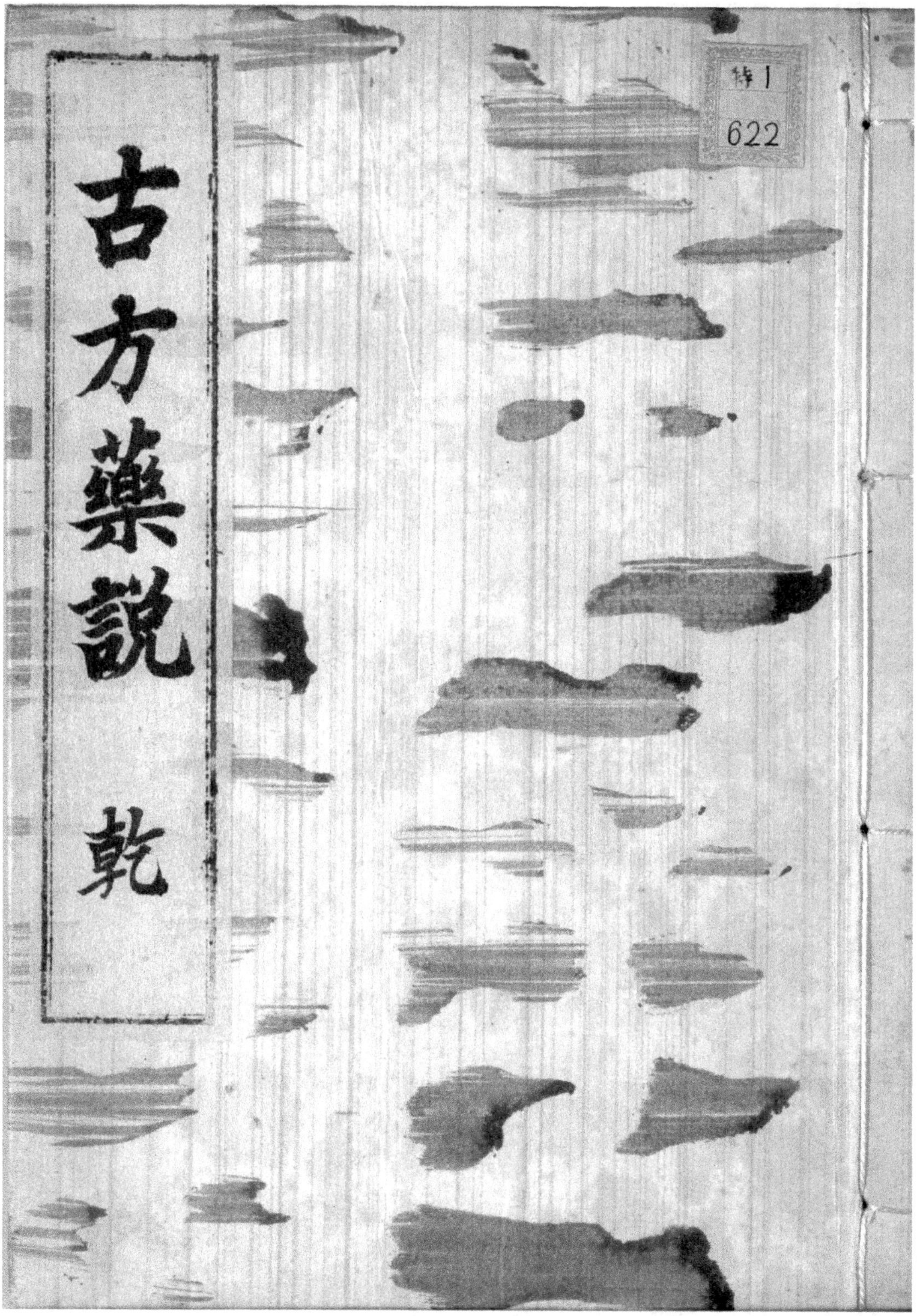
古方藥說
乾
特1
622

27.4.4

特1
622

蘭山小野先生鑑定

宇治田郁泰亮著

不許翻刻
千里必究

古方藥説

全部二冊

皇都書肆

再昌軒
橘枝堂
發行

古方藥說弁言

醫方之不可無準則也莫據張仲景氏若焉仲景氏論傷寒之六法建三陽三陰之病位發百千之變轉機繫之以脈證是處方之

廉不從而隨焉。故脈證者，處方之準則也。不循準則，將何以據？故醫之臨衛也，莫先乎審脈證焉。凡藥之於種品，不爲弗多端矣。大抵因壤土之肥瘠，弗同其氣味、氣味為通仲景氏之所用、而後病可得而治矣、若不通仲景氏之所用、隨得其脈證、疾何以瘳矣、故藥之於種品、豈可不善擇矣哉、今閱此篇、採傷寒

論及金匱要畧所載之品十百種藥品辨中華産本邦諸州所產之等差形状異同小大短長色味厚薄精粗硬實新舊擇其宜用與不宜用之分一一折

中之於蘭山先生輯其詳悉於各品之下無有遺脱者也要在于稽遵仲景氏之所用吾於其必有驗與否于今所疾之脈證焉則用藥之一準則棒可以鉄而

古方藥説　弁言　三　静脩園藏

謂善擇矣。命曰古方藥說。此其採而輯之者誰歟？是筑之後州。學河田熹亮之力也。東亮世以醫仕久留米侯。名郁，字曰熹亮。族子河田氏，嘗游京師，七年于今、今有此方、令策成而將還、携來請一言、余也不倫、且老且多病、豈其孫龍請已頻、於是不得已强病叙因、嘆不無善夫、今子之勤書學々自勉焉之至于此而又將禅益乎人之遠千里之外、流百年之後也、況而益也、觀國之光者、如並于此甚、勉焉哉子、遂為之樟、并以此言云、平安中西惟忠子文撰、

古方藥說

凡例

一古醫書雖有靈素而方法之所傳惟張仲景傷寒論金匱要略二書耳方家不可一日無此二書也但義理淵深且多錯誤不易通曉故諸家多加註釋而至其藥物之眞贋優劣未有論說非考索本艸其詳不可得而諸說紛紛難適從覽者病焉今乃抄撮吾師蘭山先生講究本艸之一二以載于各藥之下庶

使學者免動手即錯開口皆非之譏矣若夫
諸品之氣味良毒之詳者不贅于此
一凡藥品之先後隨本方次列之欲使倉卒之
際便於檢用也
一凡藥品之眞贋優劣及可代用者固醫家所
當辨別藥劣則雖以方證對者施之於人而
不能速其効也況於用贋物者乎故曰名實
既爽寒溫多謬用之庶民其欺已甚施之君
父逆莫大焉又不知代用者乃缺臨應也譬

如五味子以韓産者爲優倭産者爲劣黃芩華韓産及本邦蒔韓種者爲眞以博落廻稱倭黃芩者爲贋代阿膠以黃明膠之屬是也其他不遑枚擧矣

古方藥議　凡例　一　青脩[illegible]

古方藥説卷之上

傷寒論方藥目次

桂枝　芍藥 三丁
甘艸 五丁　生薑
大棗　麻黃
石膏　乾薑 八丁
大黃　芒消
附子　葛根 十一丁
半夏　黃芩

黃連　杏仁

五味子　細辛 十四丁

蕘花　栝蔞根

茯苓 十五丁　厚朴

人參　白朮

猪苓　澤瀉

梔子 十六丁　香豉

枳實　柴胡

栝蔞實　牡蠣

膠飴　　桃仁
龍骨　　鉛丹 廿五丁
蜀漆　　水蛭
䗪蟲　　葶藶
白蜜　　甘遂
文蛤　　桔梗
巴豆　　貝母
芫花　　大戟 卅丁
赤石脂　禹餘糧

旋復花　代赭石
瓜蔕　赤小豆
知母　粳米
生地黃　阿膠
麥門冬廿五丁　麻子仁
清酒　滑石
土瓜根　大猪膽
醋　茵蔯蒿
呉茱萸　黃蘗

連軺　生梓白皮四十丁
潦水　雞子黃
猪膚　白粉
葱白　人尿
薤白　烏梅
蜀椒　當歸
通艸　升麻
萎蕤四十五丁　天門冬
白頭翁　秦皮

中䖟　清漿水

商陸根　海藻

竹葉　羊膽四十八丁

古方藥說卷之上

蘭山小野先生鑒定　門人久留米宇治田郁泰亮著

傷寒論方藥

桂枝

即桂之枝也寇宗奭曰桂枝者取枝上皮又程若水曰桂枝梗小條非身幹粗厚之處二家之所說信得其要也若夫本艸約言謂在上薄者曰薄桂其在嫩枝之最薄者曰桂枝不啻爲煩又害於治療抑嫩枝之最薄者氣味亦薄試取

邦俗呼爲他他氣桂枝者嘗之則不俟贊辨而彰彰矣其氣味薄者實不能奏功嗚呼桂枝衆藥之長也不可不擇焉或謂五苓散葛根湯方內皆單書桂是李時珍所謂肉桂而非桂枝也余以爲非王氏註葛根湯方曰本艸云輕可去實麻黃葛根之屬是也此以中風表實故加二物于桂枝湯中又五苓散方註云桂枝之辛甘以和肌表又撿宋板桂字下有枝字則是桂枝而非肉桂明也又若桂枝去桂加茯苓白朮湯

則去方中之桂枝而唯曰去桂乃知論中之桂與桂枝通爲一物矣予按本艸有牡桂箘桂之二條而隨其殊狀命名甚多諸家所說幾不可考蘭山先生曰牡桂箘桂原是一物以枝幹異名蓋牡桂即幹皮所謂肉桂也箘桂即枝皮所謂桂枝也如此分別則自明白矣又有肉桂桂心官桂之別本艸約言云在下最厚者爲肉桂而本艸衍義以肉桂爲桂一名者非也李時珍曰官桂乃上等供官之桂也而王好古官作觀

以爲州名及倪朱謨以牡桂爲官桂者并非也唯以李時珍所説爲穩當韓保昇曰削去上皮名桂心又陳藏器曰桂心即是削除皮上甲錯取其近裏而有味者而雷斅云去上粗皮并内薄皮取心中味辛者用李時珍云其去内外皮即爲桂心然其内皮是氣味之所存而去其氣味之所在用之何効之有如二子所説恐謬也凡用桂枝不拘大小取味辛甘而香氣烈者爲佳味不辛甘或澀而淡薄者并不堪入藥用如

古華舶所來貨俗呼東京肉桂及交趾肉桂者
信爲絕品也而今坊間藏之甚少其呼交趾肉
桂者卽箘桂也裏面紫色卷成筒少嚼之則辛
香滿口又有蠻舶載來者其皮厚色黃脉理橫
斜疑是根皮也今有華人所來貨俗呼爲廣南
桂者市人揀其厚者呼肉桂以粗薄者名曰和
禮桂枝曰肥賴桂枝曰華賴桂枝曰他他氣桂
枝各有所別也向華中送桂種植之駿州官園
今花肆亦多有之又其他諸州生者并少辛辣

僅供香食耳又自古市人稱松浦桂心者非眞桂心卽本艸綱目所載天竺桂是也邦俗又呼爲也福肉桂味淡薄不堪用

芍藥

種類甚多揚州芍藥譜秘傳花鏡等詳載之此邦亦多有京師及諸州競尚俱有美種佳花巧立名目人欲其花肥大必加糞壤其根亦肥大雖然香味不佳大畧宜取單葉而不加糞者以入藥今華產多來又本邦自城州出之去粗皮

曝乾者俗名生乾芍藥其形柔皺外面淡紅内肉淡白氣味全存入藥最良又刮去外皮蒸乾者呼爲蒸芍藥一名唐様芍藥又稱眞芍藥形色氣味與船上者同卽是方家所言白芍藥也有一種山生單瓣者謂之山芍藥俗呼忽索浮他莫自信州及和州宇陀出坊間呼爲信濃芍藥及宇陀芍藥外面黑内白色氣味亦異不堪入藥刮去其黑皮者名曰白芍藥徧貨四方是非眞白芍藥也芍藥甘艸湯方内芍藥上加白

字他所更無按醫宗金鑑亦無白字由是觀之疑是後人之所添也何者其花雖有千狀萬態之殊而至于根則只是一樣無赤白之分若李時珍謂根之赤白隨花之紅白恐謬也正字通云或言根曝乾爲赤芍刮去根皮蒸乾爲白芍余嘗觀船來赤芍藥果然而以刮去根皮者與曝乾者其色異强分赤白豈不近拘泥乎又有市人取其根經久及浸水腐壞爲赤色者假充赤芍藥者勿入藥用

甘艸

市肆所貨皆是華産凡用之取肆呼南京甘艸緊實斷文皮赤肉鮮黄者爲良其呼福州肥大輕虛味薄者及細皺而淡黄者次之若遇闕姑可用耳又肉色黒褐者勿用今畿内及諸州多植之葉如紫藤葉而短小糙濇根上有横梁下之直根乃甘艸也

生薑

京師人呼爲失也烏革擇之以尋常母薑鮮者

爲良不用長崎大薑其嫩根紫赤色者子薑也一名紫薑京師人惟此呼爲拔失革蜜非也蓋拔失革蜜子母之通稱矣李時珍曰薑辛而不葷去邪辟惡生啖熟食醋醬糟鹽蜜煎調和無不宜之可蔬可和可果可藥其利博矣信蔬中之佳品哉

大棗

南北州郡皆出棗惟朝鮮之種特佳其形大而長寸餘味甘美而肉厚核長而鋭俗呼朝鮮奈

慈迷即是大棗市人蒸尋常棗爲蒸大棗但可充果食不堪入藥用本邦所産種類僅數種中國其品甚繁爾雅所載之外郭義恭廣志有二十餘種又栁貫打棗譜擧七十三種按李時珍云賈思勰齊民要術云凡棗全赤時日日撼而收曝則紅皺若半赤收者肉未充滿乾即色黃赤收者味亦不佳食經作乾棗法須治淨地鋪蒳箔之類承棗日晒夜露擇去胮爛曝乾收之

●麻黄

華船所來貨皆陳久未見新近者而有駿發之功復奇哉諸方後有麻黃去上沫之語又陶弘景云用之折去節根水煮十餘沸以竹片掠去上沫令人煩今邦俗不去浮上白沫而服者間亦有之而無少煩者何也蓋以陳久故爾宜矣爲六陳之一也本邦不產麻黃今藥鋪以呼伊奴篤忽索者爲眞麻黃非也伊奴篤忽索河旁沙洲上最多其莖柔薄頗似擶續艸長及五尺以上其根色黑不似麻黃根長大黃赤色如杉

根著也

石膏

以海船載來不拘塊大小作層如壓扁米糕形細文短密如束針正如凝成白蠟狀鬆軟易碎者爲良此乃李時珍所説之軟石膏也此邦出豊後肥後尾奥等州其狀與華石膏同又有稍異者而碎之則形色如一不可辨矣其明絜色帶微青而文長細密如束絲者名理石市肆混貨原是與軟石膏一物二種也按本艸石膏有

軟硬二種而諸家紛辨不決李時珍云自陶弘景蘇恭大明雷斅蘇頌閻孝忠皆以硬者爲石膏軟者爲寒水石至朱震亨始斷然以軟者爲石膏而後人遵用有驗千古之惑始分明矣蓋昔人所謂寒水石者即軟石膏也所謂硬石膏今長石也長石邦俗呼爲浮索慈伊失諸州山中有之作塊生地中雨後時時自出直理起稜如馬齒明亮如石英（水精也）其色素白或淡褐擊之則堅硬不作粉燒之易散今之醫家不取用姑佚

後之試效已

乾薑

坊間謂城州來者爲眞乾薑非也卽是本艸所載乾生薑若遇闕乃可代用又有三州所出俗稱三河乾薑者多用石灰衣之蓋乾薑以白淨爲良故也然石灰不益人宜洗淨而用也凡市肆所貨者其制不精宜自造之其法採母薑結實者置長流水六七日乃刮去皮晒乾收用

大黃

古方藥說　卷上

以華船載來文理如錦質色深紫味至苦濇塊大有穿眼俗呼慈奈氣大黃又呼塘大黃者爲最今發植華種於我邦諸州而易繁殖其葉似土大黃而濶大並根下葉最甚莖高六七尺取其根巨如攏而有紫地錦文者切作攢片以繩穿眼乾或切作竪片如牛舌形呼爲眞大黃又僞呼唐大黃功効頗劣若收藏經久者則亦瀉泄駿快推陳去熱幾同華大黃都屬試屢効又市人以土大黃呼倭大黃不堪入藥但治疥瘡

有効耳土大黄溪澗多有之苗葉花實似羊蹄而大

芒消

是錬成者其苗初生鹵地狀如末鹽其色黃白彼人刮掃采之云本邦諸州雖多斥鹵之地未審所産冬月用華舶所載來俗呼爲汎樣芒消者以沸湯淋汁去塵土猥雜入蘿蔔數枚同煮熟去蘿蔔傾入盆中經宿結成如氷謂之盆消李時珍所說朴消是也消邊生細芒如毛爲芒

消面上生牙狀如白石英作六稜又似馬牙而瑩徹可愛謂之馬牙消又曰英消更取盆消再鍊如前法則復生馬牙細芒諸消皆蘇脆易碎風吹之則水氣消盡自成輕飄白粉謂之風化消俱是一物但因形異而名不同耳

附子

以華產肉白而肥大藥鋪呼爲十六掛（邦俗謂稱物爲掛此稱十六枚爲一斤也）者爲勝若稱二十四五枚爲一斤者次之觀今舶上者其狀雖有大小而皆是底平尖

正此以鹽水浸軟入模匣印成一樣者也切之黑色者勿用用時須每個去皮切作四片水浸頻頻換水以鹹味少爲度剉成骰子塊日乾矣今藥家薩州出者呼爲眞附子其根瘦且長此爲次附子苗國俗呼篤里華福篤春生苗其葉似芫蔚而滑澤其花碧瓣長苞類僧鞋黃蕊圓簇如桑椹實成小莢内有黑子近道及人家所生附子至小不堪入藥用若移植奥州及蝦夷之種而加糞則附子肥大其狀與華産同須采

得鹽水浸以柴灰裹之數易使乾以入藥又有華種惟花色淡按本艸初唯種去年之附子至成熟後子母之類甚多諸家紛紛殊欠分明蘭山先生曰初種之母根爲烏頭以其如烏鳥之頭故名其尖分兩岐如烏之口者名烏喙至秋成熟傍生子如芋卵者名附子獨生長二三寸無子者名天雄附子之傍又小出者名側子其瑣細而漏籃者名曰漏籃子雄喙烏附側之粃皺者爲木鼈子二者不入藥用

葛根

葛國俗呼忽思所在有之春生苗引藤蔓長二三丈葉似鵲豆而大有毛七月開花紅紫色似荳花累累相綴其莢如黃豆莢亦有毛其子扁扁如枇豆根如手臂大外紫内白掘采日乾者俗呼生乾葛根其色淡褐入藥爲勝水漬晒乾者呼爲索頼失葛根色白氣味薄此爲次

半夏

國俗呼革頼思肥失也忽二月生苗一莖或二

三莖長三五寸莖端三葉如慈姑葉花頗似天南星而狹長一種大半夏生山中其根最肥大而未出市中今貨賣者皆是圓小卽蘇頌所謂羊眼半夏是也須擇肉白不腐者

黃芩

自海西來者爲優邦俗呼爲唐黃芩其色黃黑味苦北芩亦來俗呼朝鮮黃芩色鮮黃多脂味苦此爲次宿芩乃舊芩多中空卽方家所謂片芩故又有腐腸妬婦諸名子芩乃新根細實而

堅謂之條芩㹠尾芩鼠尾芩此唯以新舊分名耳此邦本不産今移植朝鮮之種易茂苗長二三尺葉似千屈菜而兩兩相值夏莖端開紫花正可愛賞其根市人呼爲眞黃芩之時可以代用矣又坊間以呼失失也氣忽索者稱倭黃芩剉細混貨甚非也是卽本艸所謂博落廻有毒愼勿用其苗茹蓖麻莖中空折之有黃赤汁諸州山谷多有之

黃連

本邦所產極多而其葉有若菊葉若芹葉或大葉或細葉之類又有一種蔓生葉如五加葉者其根至細今市人以加州出者爲上奧州羽州爲次丹州若州江州爲下但取其根肥大緊實而黃色鮮明或連珠或如鷹雞爪形者良緊小亦可用其色淺而輕虛或帶青色或黃黑者雖形肥大不堪用又市人取輕小者纏以鬱金末剉細混貨呼爲谷失賴邊黃連勿入藥用

杏仁

以市肆所貨飽滿而不扁者爲好今姦徒混充梅桃仁須擇去焉杏仁比桃仁小而短梅仁類杏仁稍短而尖味酸桃仁比杏仁大而長此爲異也

五味子

李時珍本艸綱目云五味今有南北之分南産者色紅北産者色黑入滋補藥必用北産者北乃指朝鮮方家稱遼五味北五味者是也今觀朝鮮來者肥大黑色皮皺起經久滋潤有白醭

塩霜一重五味全具華和俱貴之其種在宮園
及花肆春中生苗赤莖長丈餘須以架引之葉
似杏而大三四月開白花類小蓮花狀七月成
實叢生莖端大如蘡子生青熟赤收貯成黑色
華地所產者乃南五味本邦產亦同俗呼索年
革思頼其顆小而曝乾仍赤野人用酒蒸熟令
黑色偽充北五味然無液五味亦不具多出尾
州名護屋故市間呼名護屋五味子又呼小五
味子近有一種俗呼麻慈福索者西南諸州皆

生苗葉花實似北五味氣味亦佳藥舗呼爲大五味子足以補闕也

細辛

舶上來者乃眞也根極細而柔軟黄白色味極辛爵之習習有椒味今此邦東西諸郡并出之藥舗呼爲眞細辛根苗色味與舶來者同有一種呼土細辛者自近江州出故又名近江細辛葉如馬蹄根似細辛而粗黄白色味亦辛而有少臭卽是本艸所謂杜衡也乏之時僅可以代用

耳博物志云杜衡亂細辛自古已然矣當以根苗辨之又有雙葉者國俗呼華貌撲福肥根苗頗似細辛而二葉相對有毒不可混也

蕘花

今南國處處有之春生苗高四五尺葉似水蠟樹對節生秋發花似芫花而小黃有一種白花者自北地出矣

栝蔞根

詳於後栝蔞實條下

茯苓

本邦處在有之西州最多此皆出松樹下附根或離根而生無苗葉花實作塊如拳大者至數斤其抱松根者名伏神神中木曰神木亦各有所用也凡擇茯苓刮去黑皮而色白堅實者爲良卽方家所謂白茯苓是也雖赤者重實可用藥家刮去黑皮者呼爲麻而茯苓切作小方片者呼皿氣茯苓切作大方片者呼和和皿氣茯苓切作方條者呼地烏和禮茯苓切成骰子形

者曰華忽石伊茯苓余撿方中不言赤白而後世醫家分之以異主治蓋據陶弘景始言赤瀉白補也但張元素曰上古無此説正與論意合矣

厚朴

須要華船所貨肉厚色紫油潤味苦辛者其肉薄而色淺及市人稱和厚朴者不堪用也本土不産厚朴今稱和厚朴者是本艸所謂浮爛羅勒即商州厚朴也邦俗通呼浮烏那氣皮厚酷

似厚朴而味酸中國亦僞充厚朴云

人參

以韓産者爲絕品他所不及撰之取根有横紋而潤實色黄味甘微帶苦自有餘味者爲良輕虛者乃春參勿用本艸原始云凡用宜擇秋參勿用春參春參輕匏因汁升萠芽抽梗秋參重實得汁降結暈成膠又陳嘉謨云春參無力雖用一兩不如秋參一錢凡掘采未經制者坊間呼生人參其最好者呼大人參一稱獻上人參

而見今之稱生人參者亦皆有制故撰之則有法又多挾鉛於肉中以假重又有市人呼單參者造作尤甚其根雖大皆集細鬚合而成之解離其細鬚呼爲比氣拔奈失人參其參碎呼爲尼忽和禮人參今乏尼忽和禮人參故以參鬚充之又有儼具人形者謂之孩兒參李時珍云有神此爲極難得也今韓種移植于我邦官園廣爲世用俗呼御種人參苗葉與本土所産者同而根不異韓産其下種者初生寸許一椏三

葉三年後生三椏各五葉後至七八葉椏心攏
一莖三四月有淡緑花細小如芥花藍鬚白色
後結實初青熟赤甚愛觀本土者和州芳野紀
州熊野及諸州生但其味苦微帶甘以和州出
多故呼芳野人參又呼直根人參一種竹節參
苗葉與直根參同但以其根横生如竹鞭多鬚
味酷苦有青艸之氣爲異皆是花鏡所謂土參
也僅去積滯耳不足以補諸虚也其鬚俗呼肥
計人參一名小人參味苦微帶甘又有藥家呼

卜忽人參者即是湯參彼俗以人參完漬取汁晒乾復售者不堪用近有稱廣東人參者氣味頗似韓參治產後崩血及諸亡血方家以爲人參非也蓋廣州不產人參廣東新語載蘇長公詩謂粵無人參又併觀古者華舶所載來三七與今所謂廣東人參無少異則是三七而非人參明矣本邦在昔未出人參之時有姦徒取似人參之艸根以僞充焉故至今他艸冒參名者不可枚舉譬如呼防葵爲御逸人參鹹草稱海

峯人參之類是也方家不可不審

白术

以華産色白而重實者爲勝勿用虛軟者此邦本生武州總州今京師亡其種藥鋪以蒼术嫩根爲白术謂之嫩根白术以其老根爲蒼术貨之四方者謬也不可以老嫩强分蒼白矣今觀華蒼白术之種亦自別也華白术葉長大五七相排成一葉莖如蒿幹狀長三四尺莖端開花紅紫色似小薊花根作椏而少膏華蒼术頗似

倭生者莖高三二尺葉狹長差互初多白毛其近根葉有三五叉皆邊有細刺秋開白花其根如老薑之狀多脂郁以上古單稱朮不分蒼白若夫素問有朮澤瀉湯而不言蒼白又本經單言朮是也但此方内朮上有白字按方有執條辨曰朮上不當有白字說在本艸鈔朮條下此書編始於叔和叔和有脉經朮上皆無白字足以徵也又按本艸李時珍曰古方二朮通用白宋以來始言蒼朮苦辛氣烈白朮苦甘氣和各

自施用蘇頌曰古方所用朮者皆白朮也寇宗奭曰古方及本經止言朮不分蒼白二種亦宜兩審王好古曰本艸無蒼白朮之名近世多用白朮由是觀之則朮上有白字後人之所加也可知已

猪苓

船上載來者乃眞也其塊黑似猪屎故名之入藥以肉白而實者爲良此邦今出自羽州奥州播州與船上者同按本艸陶弘景曰是楓樹苓

此邦不產楓樹而其所生處多是堺堤則不知因何餘氣所結也

澤瀉

以華人所來貨色白而肥大者爲好勿用經久朽蠹者此邦亦有之以奥州出者爲上丹州薩州次之此艸生淺水春發苗葉短如匕頭俗呼爲索失和貌他葉近道者葉長根小即本艸原始所謂水澤瀉是也

梔子

邦俗呼忽地奈失入藥取山谷生者謂之山梔子以七稜至九稜圓小皮薄色赤者為良如家園栽者形大皮厚而長雷斅炮炙論謂之伏危子只入染家用入藥無力一種矮樹梔子謂之玉樓春邦俗呼為谷忽地奈失高不盈尺其花千瓣不結實

香豉

豉有淡鹹之分入藥取淡豉氣香也鹹豉但充食品耳今藥鋪所貯其制不精壞爛惡臭不可

近之猫狗亦不食所以造者當留意矣其法大黑豆不拘多少蒸過香熟爲度取出攤置扁籮乘温熱放在無風處四圍上下青穰緊護之數日候豆上生黄衣已遍取出晒一日以水拌乾濕得所著甕中築實桑葉厚蓋泥封晒七日取出曝一時又以水拌而復入甕如此七次再蒸攤去火氣仍入甕收用

枳實

枳乃木名實乃其子故曰枳實張子聽集註曰

實乃結實之通稱無分大小宋開寶本草以小者爲實大者爲殻而後人卽謂殻緩而實速殻高而實下此皆不明經旨以訛傳訛耳李時珍本草綱目曰枳實枳殻氣味功用俱同上世亦無分別魏晉以來始分實殻之用夢溪筆談曰六朝以前醫方唯有枳實無枳殻故本草亦只有枳實後人用枳之小嫩者爲枳實大者爲枳殻主療各有所宜遂別出枳殻一條以附枳實之後兩條主療亦相出入併按此數說則方中

言枳實者便是枳之子也當以大小通用也若夫寇宗奭謂小則其性酷而速大則其性詳而緩故張仲景治傷寒倉卒之病承氣湯中用枳實恐非也又曰取其疏通决泄破結實之義李時珍非之言亦未必然矣觀今之華船載來者不啻混實殼又多僞雜藥舖以如鵞眼大者爲茶實様枳實稍大如金橘者爲枳實既大如柑橘者爲枳殼也凡擇舶來者以色黑皮厚而有穰十二三爲眞其皮至厚穰少者朱欒也其皮

綠色有細毛者即枸橘國俗呼華頼他地者是也并不堪用項有西土所出市稱華種枳殼者皮厚穰少即本草所謂臭橙也又有呼麻而枳實者自薩州出幾逼眞矣其他以柚青橘之類僞充之不可不擇也

柴胡

今海船所來貨者乃眞也本邦亦多有市肆以西州產者呼鎌倉柴胡又有呼三嶋柴胡者茲宜擇用根實如鼠尾者又世醫用市呼河原柴

胡者此艸多生于沙洲上葉如胡蘿蔔背白花黄卽本艸原始所載翻白艸一名雞腿根而非柴胡之類不堪用或云除邪熱余未試用

括蔞實

古方完用後世乃分子瓤各爲用也此邦所在有之俗呼氣革頼思烏里春生苗蔓延狀如土瓜而葉薄澤作叉無毛夏開白花結實如拳生青熟黄内有扁子大如絲瓜子殻色褐仁多脂其根長數尺秋末掘采結實有粉切之有花文

者爲眞

牡蠣

今諸州海旁多有之皆附石生磈礧相連嶄巖如山國俗呼伊速革氣寧波府志所謂梅花蠣是也一種生海中大如馬蹄者曰海牡蠣又曰草鞋蠣俗呼爲和氣革氣入藥最佳不必拘左顧右顧者

膠飴

用糯米飯和麥蘗熬煎而成濕軟如厚蜜作琥

珀色者是也邦俗呼矢而挨迷又呼矢也烏石毋方家用之其色白而堅硬成塊者謂之餳又曰硬糖俗呼革他挨迷

桃仁

桃品甚多易於栽種惟山中毛桃小而多毛其仁充滿多脂用之佳蓋外不足者内有餘也然此品難得宜用尋常單葉者今市肆賣者多雜他核之仁

龍骨

以華船所來貨色白舐之着舌者為佳微黃者次之黒者下又有龍齒儼具齒形此邦不産龍骨有市人以所出於小豆嶋之骨角丸之者疑是大魚骨不堪用也夫龍骨本艸諸家所說不一定李氏亦似欠分明衆甚疑之按本艸彙言曰龍骨一品本經謂死龍之骨陶氏謂蛻化之骨後之臆度者辯訟紛紛總之未嘗親見此輩退之所以有獲麟解也竊以龍為神物或飛或潛或大或小靈奇變化莫可色相是必無死理

卽曰肉血生養終須尸蛻然外有爪牙鱗鬣鬚角之形內有節骨府藏吞吐之具其骨雖經蛻化寧非血肉所滋自當有髓有節有竅有絡一經火燒酒淬中之津氣油液當必滲逗雖積久土化性或常存今火燒則頑硬無烟口嚼則冷淡無味搗研則堅銳不糜輾萬匝方細纔以齒叩之仍磣磣如石之屑號曰龍骨朱甚惑之間嘗過晉蜀山谷爲訪所產龍骨之處岩石稜峭谿徑墳衍則有礧礧如龍鱗隱隱若爪牙者隨

地掘之盡皆龍骨豈眞龍之骨有若此之多而又皆盡積於梁益諸山也要皆石燕石蟹之倫蒸氣成形石化而非龍化耳當以此說爲正矣

鉛丹

化鉛而成又謂之黃丹國俗誤單呼丹丹乃朱砂之名勿訛混也今自泉州堺攝州浪華來以坊間呼長吉丹勝吉丹者爲上光明丹次之菊丹又次之

蜀漆

乃常山苗也前自中華送蜀漆其苗與本邦所産呼忽索氣者同即蘇頌所言海州出者是也故名爲海州常山其葉如小桐八月開花白色紅萼花卸萼上含碧實今觀華舶所載來常山細實黃色即弘景所謂雞骨常山又蘇恭謂似茗葉狹長者皆是也根狀與國俗呼谷忽索氣者同故當使常山以谷忽索氣使蜀漆以忽索氣爲良

水蛭

國俗呼肥而有數種唯取水中小者用之卽儒門事親所謂金絲水蛭者是也六七月采曝乾

蝱蟲

向華舶所載來者乃眞也大如蜜蜂頭綠色嘴銳而利如鋒鑽此邦亦有之俗呼爲挨和挨福偶飛來家園中今出紀州熊野及丹波州者以松針橫貫數十箇此卽蘇恭所說之木蝱俗呼爲和浮烏失挨伊形如大蠅嚙牛馬亦猛凡此類同體以療血爲本雖小有異同代用不爲嫌

也

葶藶

有甜苦二種前從海西載來者苦葶藶也今新來者皆是所謂甜葶藶乃薺與菥蓂也不能破氣下水別錄云味苦雷斅云苦入頂古人多用苦而甜者不用也蘭山先生曰如本經云味辛及蘇頌所說則當從師說以俗呼伊奴奈慈奈者充之所在有之冬生苗至春高五六寸葉似雞兒腸而有毛黃花成穗結扁角大如米粒中

有細子小於罌粟味微辛予嘗試其功頗勝於薺又李時珍所説甜葶藶即是狗芥艸國俗呼爲矢魯伊奴奈爲奈葉似薺而小開白花如碎米薺結長角

白蜜

白是上等稱以色白甘美者爲良今有以白糖僞造者亦稱白蜜不可以名同混也凡眞蜜有山蜜石蜜木蜜家蜜之數種僞蜜亦不少焉此邦處處有之市人但以紀州熊野出者爲貴而

間有夾雜亂眞者不必拘州土矣藥鋪來經煎煉者名曰生蜜已煎煮者曰煉蜜又有併蜂兒煮絞者此曰絞蜜非所宜也用時稍稍慢煉掠去浮沫至滴水成珠不散乃止謂之煉蜜

甘遂

舶上載來者乃眞也皮赤肉白作連珠狀須擇新近者年久者蛀孔縱横氣味既脱不堪用也此邦亦有生諸州山中其根瘦小色黑鬚多世人呼爲花屋甘遂不堪藥用

文蛤

國俗呼按麻忽里雖其形有大小花斑亦不等而功用皆同按醫宗金鑑曰或云文蛤即今呉人所食花蛤性寒味鹹利水勝熱然屢試而不効嘗考五倍子亦名文蛤按法製之名百藥煎大能生津止渴故嘗用之屢試屢驗也此亦一說也當自試而考其績矣

桔梗

人家庭際種植以愛花花戸培養歳見奇花其

花有淡紫碧者深紫碧者白者黃者白花紫點者紫碧花白斑者重葉者千瓣者等數十品各異其俗名入藥以山生單瓣紫碧花根不去粗皮者為佳藥舖呼為山出桔梗者是也世醫唯尚根白故掘采者米泔漬或流水浸數日爛去其皮而後晒乾市之多出三原市人謂之三原桔梗其出竹原者謂之竹原桔梗其制如此則苦味既脫何以奏其功乎須考察古人名曰苦梗又稱苦桔梗之意矣去苦味者宜糖拌蜜浸

爲果飣不入藥用

巴豆

自海西所載來者唯一品耳其形似海松子用時須去心膜否則使人吐也

貝母

有大小二種前華船所來貨者是小貝母方家所謂川貝母也入藥最良今載來者皆是大貝母即本艸彙箋所謂象山貝母也花有莖種者葉似卷丹三月開黃白花斜懸如鈴按本艸

蘇頌所説卽俗呼華華由里者是也畿内山中
多有之

芫花

京師人家栽蒔愛花謂之福矢貌篤氣花肆呼
爲矢計母矢者非也蓋矢計母矢紫荊樹倭音
也此物載本艸綱目毒艸部而其莖幹不全類
艸木高三五尺春發紫縹花四瓣狀如丁香未
全開時收采日乾花落葉生市人又以鼠麴艸
花僞充之鼠麴絕無氣味古人不取芫花自落

而況於鼠麹無氣味者乎不可不擇矣

大戟

在昔華船所載來者有二種一種紫大戟皮紫赤色而肉柔如綿此爲上一種綿大戟皮赤黒色而肉亦軟如綿此二種味辛苦綿者最戟咽喉今華人不來貨偶於船上白鮮皮中得之土大戟生江州獅飛及伊吹山俗呼他革他他烏他伊又有華種似獅飛生者其根皮黒赤色而肉脆易折又有西南海濱崖石上生者俗呼爲伊

援大戟八月生紅芽漸長作叢高一二尺莖紫赤折之有白漿葉狹長密攢莖而上根苗頗似草蔄茹而根皮微赤色而肉脆此紫大戟類也亦足以補闕矣近有一種薩州出者藥鋪謂之紫大戟皮赤黑色而柔軟稍似紫大戟而無肉不知是何物皮又有以野苧麻根僞充之者俱勿用先師以俗呼那烏而矢一名氣慈年那地地者爲大戟蘭山先生改從爲草蔄茹之說此艸多生伏見小倉堤

赤石脂

以古船上所載來者爲佳品其狀緻滑如脂舐之粘舌以爪微研之則見光澤此乃眞也若今載來者其質枯白微帶紅無緻滑之狀疑是山土也不堪用此邦諸州多有之佐渡山中所生最好與古所載來者同今有國禁不出誠可恨哉又生羽州攝州大抵與佐渡產者同近道諸山者乾則色淡尤爲劣然勝於今載來者

禹餘糧

船上所載來者惟一種其形如卵而大小圓扁不等外有硬殼或重重甲錯碎之中有細粉如麪者以其色白爵之不礙者爲佳正黄淡黄淡青者俱可用黒色者尤劣此邦諸州産與舶來者同而未出市間也

旋復花

國俗呼和忽而麻生近道下濕之地人家園圃亦蒔之春生苗葉似墨斗艸稍長大莖長二三尺六七月開黄花大如錢中心亦黄野外穭生

者皆單瓣又有千葉者其種自異非壤瘠使然
也

代赭石

以今舶上所載來其塊大小不齊其色赤滑微
帶紫擊碎有乳形者爲良坊間謂之疏様代赭
石卽蘇頌所謂丁頭代赭是也此邦尾州濃州
生而未出市肆其易碎無乳形者爲劣

瓜蒂

卽甜瓜蒂也甜瓜京畿及諸州多種蒔之俗呼

爲眞桑瓜蓋以濃州眞桑村出者爲佳品故得名也濃州之瓜濶二寸許長四寸餘熟則皮色正黃而有光味尤美卽是蒜同瓜又越州生者方俗呼爲鼠眞桑與濃州之瓜相似俱出他土栽之則形味頓變猶橘踰淮而北變爲枳之類也其蔕越州爲優他産爲劣

赤小豆

以緊小而赤黯色稱豬肝赤俗呼浮谷里革思氣者爲良其稍粗大而鮮紅稱赤大豆者或淡

紅者并不治病僅供食用耳

知母

取舶上所載來形似菖陽而黄白無潤者爲良
今出近道者皆是漢種也而形瘠有潤此爲次
藥家謂之眞知母亦可權用此艸春宿根生苗
如韭葉而長夏抽數莖高二三尺開淡紫花秋
結實又有市人以紫羅傘根僞充之者不可不
擇也

粳米

即是世人所常食之米大抵入解熱藥以晚粳爲良粳有早中晚三收各處所産種類甚多性味不能無少異而亦不甚相遠也故臨急取所常食者可也

生地黄

新掘鮮者也其乾者爲乾地黄世醫呼乾地黄爲生地黄竟失乾字意矣船上所載來者乾地黄一品耳此邦諸州多出以城州和州者爲佳其根肥大多汁其苗春布地葉如芥葉上有皺

毛葉中攢莖梢開筒子花半淡黄半淡紫根長四五寸大如手指皮赤黄色如細羊蹄根十月收採矣藏生地黄之法冬月擇取鮮者以乾細砂土盛之淨地而埋藏其中可以經久若夫不謹埋藏之法則全腐壞

阿膠

舶上所載來有數種藥舖有呼硯樣阿膠大筭子樣阿膠梳樣阿膠絲卷樣阿膠者皆以形似名之又有呼三枚掛者以三枚為一斤硯樣者

徑三寸長六寸許四圍欵起雲龍爲飾其中有
文曰崇禎拾伍年仲冬月吉旦東平州東阿知
縣呉汝宗督造張秋鎮工匠俞洪泰煎煉而有
眞贋數等其質堅脆易碎光黑如瑿漆者爲眞
其質柔軟不可碎拈黏似墨者爲僞又別有書
青龍三年云云俞洪泰煎煉者此亦假蓋青龍
魏年號俞洪泰明人也此類可推知矣大筭子
様以下質色亦各不同取其質堅黃透如琥珀
色者爲佳此非阿膠即黃明膠也夫阿膠以烏

驢烏牛皮得阿井水煎成其井官禁眞膠極難得故方家代用黃明膠此用牛皮煎煉但水非阿井所汲耳其功用亦與阿膠彷彿苟阿膠難得則須權用性味皆平補宜于虛熱若僞者用豬馬騾駝皮煎成襍以鞍靴敗皮之類其氣濁臭不堪入藥用牛皮亦制作不精則止可膠諸物而況於以他獸皮及敗皮制者乎此邦所造亦以諸獸皮及敗皮而制作不精止可用膠諸物矣若取眞牛皮以精制之則當代用大筭子

樣之類也

麥門冬

此邦所産有大小三四種功用相同出藝州者少潤紀州者圓大白色多脂液此爲好又舶上來者皆陳久少潤不若此邦新掘鮮者也

麻子仁

麻子邦俗呼和那密仁是實中仁也今方家有用胡麻仁者可謂大謬矣寇宗奭曰仲景麻仁丸即是大麻子中仁也又曰麻仁極難去殼取

帛包置沸湯中浸至冷出之垂井中一夜勿令着水次日日中曝乾就新瓦上挼去殼簸揚取仁粒粒皆全大麻農家種之績其皮以爲布者有雌有雄雄者不結子名枲麻國俗呼爲拔奈挨索雌者結子名莩麻國俗呼爲密挨索花曰麻勃陶云麻勃方藥少用術家合人參服之逆知未來事此乃足以欺愚夫蓋麻勃有毒服之狂走不止陶氏謬言收入本艸恐誤后人故記之

古方藥議　卷上

清酒

酒之清者對濁而言也中國酒有黍秫粳糯粟麴蜜蒲萄等色唯米酒入藥寇宗奭曰今入藥佐使專用糯米所造爲正此邦所造多用粳功力和厚勝餘酒蓋粳生此邦者爲優生中國者爲劣故造酒用糯也大和本艸云向井元升曰南都諸白爲上品中華及諸蕃之酒其芳潔性味不及本邦諸白諸白者可爲世界第一之上品又華人程劍南來長崎作詩曰瓊陽美酒獨

擅名二子之所稱者即粳米酒也故用此邦所造無灰而清者爲佳

滑石

華商所來貨者有數種須要其狀光白如凝脂而軟滑者黄色若青白若青赤若青蒼若青黑者不入藥用止熨油汚衣此邦以肥後州越前州出者爲良又生備州八木山者俗誤呼燒山石質堅色白光滑或用作器刻圖書軟於青田石先醒齋筆記曰堅白者良據此說則八木山

石亦可用

土瓜根

即王瓜根葛萆薢俱同名此苗生田野及人家垣墻間蔓延葉似苦蔞而厚有叉鈌背面有毛刺濇而不光夏開白花秋結實大如鷄子生青熟赤其中子如螳螂頭俗呼爲他麻思索阿州人呼爲毋思肥矢也烏皆以似此邦結書之形故名之民間炒煮啖之其根大者如桃小者如拳深入土中頗似苦蔞根橫切之無花紋爲異

野人作粉混充天花粉不可辨別也

大猪膽

猪國俗呼福他取其膽大者入藥用此物華夷畜家以充常食本邦自古但西肥人畜之耳其膽未出市間偶有僞充俗呼琥珀様熊膽者其狀大同小異須辨別之猪膽不問形大小皆皮厚暖時柔軟琥珀様熊膽皮稍薄夏月亦堅脆點一粟許於新水中運轉迅疾猪膽運動至遲夏月不運轉此餘多試法矣或代猪膽以野猪

膽曰功用不相違屢試屢效野猪此邦俗呼伊那矢矢諸州山中甚多野人每獵之采膽鬻市市人誤爲猪膽

醋

一名苦酒俗呼思按本艸醋有數種此邦市間唯爲米醋可入藥用山野偶有糟糠敗酒及諸菓等醋止可敢不入藥用

茵蔯

俗呼爲年思密欲貌氣山野多有與青蒿相似

市肆混雜貨之按二物氣味全不同不可不辨青蒿葉皆面俱青夏開黄花大如麻子茵蔯嫩葉白色稍葉如細絲而深青秋開白花大如芥子過冬莖梢枯尋復發葉其發葉因陳幹故名茵蔯陳藏器曰後加蒿字青蒿至秋苗根俱枯當以是別之則不致混誤也

呉茱萸

取華産粒緊小者佳今此邦南北有之此與華産則粒粗大但不如緊小者耳又有華種植于官

圓粒小於倭產

黃蘗

此邦北地有之俗呼氣拔他木曾山中出者皮厚而深黃入藥爲最市肆呼爲美濃皮蓋經美濃州來故名之出他州者肉薄而色淡卽本草原始所謂山黃栢是也

連軺

卽連翹根也此邦連翹有二種一種枝條軟弱長者丈餘附物而下垂葉如楡葉邊有鋸齒春

開黄花可愛著子至少俗呼爲慈而連翹一種
枝幹高起者結實甚多至其花葉與慈而連翹
同實似椿實之未開者兩片相合作房古人莖
葉花實并用今方家惟取實耳

生梓白皮

取梓樹白皮以生用也按本艸梓楸二物諸注
混淆蘭山先生曰當以鄭夾漈説爲正通志略
云梓與楸相似爾雅註以爲一物誤矣陸璣謂
楸之疏理白色而生子者爲梓齊民要術云白

色有角者爲梓無子爲楸是皆不辨楸梓也梓與楸自異生子不生角梓木此邦處處有之春生新芽紫赤色遠望如花故俗呼挨革迷革矣抜四月開淡黃花結實大如豆粒殼有軟刺不似楸結角如裙帶豆也以是辨別則自明白而不致混誤矣

潦水

李氏綱目云降注雨水謂之潦又淫雨爲潦韓退之詩云潢潦無根源朝灌夕已除是矣

雞子黃

雞子卽雞卵也按本艸黃雌者爲上烏雌者次之宜擇新生黃白不混中黃凝如珠者莫用經久敗壞及鰕子者用時去白留黃也又去黃取白謂之雞子白

猪膚

按本艸王好古以爲猪皮呉綬以爲燖猪時刮下黑膚汪機曰二說不同今攷禮運疏云革膚内厚皮也膚革外淺皮也此正燖猪時附皮薄

黑之膚則吳綬說爲是合於先哲所云淺膚之義也又黃檗山華僧曼公辨本艸豬膚謂豬厚皮去肥白油者非也但從汪機所辨爲至當矣豬此邦三都之間不畜以充庖故缺臨用或以豬膏代之豬膏自長崎來市肆呼爲麻母迭伊革

白粉

此非甘艸粉蜜湯中粉也按湯液本艸註粉錫云仲景豬膚湯用白粉非此白粉即白米粉也

又張子聰集註云粉爲中土之穀而四散熬香者稼穡作甘其臭香分溫六服者溫煖經脉而分布上下四旁土氣充盛則三焦之氣外行肌腠而内通經脉矣

葱白

卽葱莖白也葱有數種一種年氣莖葉粗大味甘氣猛烈以爲葱中佳品西州人謂之和浮年氣入藥最良按本艸載冬葱漢葱不載年氣而鎭江府志收之名曰青葱蘇恭曰食用入藥凍

葱最善即國俗呼葷計氣者是也試之不若青葱之好

人尿

即小便也本艸彙言曰日華子曰取童便必擇無病童子先飲米湯數盞去其濁穢後轉清白無臊臭者取用自溺亦可服予按其臨厥逆無脉之症豈可得俟童子飲米湯去其濁穢而後通者乎是猶渴而鑿井矣且患者自溺亦非所宜也但須童男者佳

薤白

去青留白故曰薤白薤葉中空似冬葱而有稜臭如葱八月莖頭開紫花其形如韭花根如山蒜肥壤蒔之數顆相附而生郷俗呼爲頼慈計烏

烏梅

采青梅或半黄梅於竈突上以烟熏之者也

蜀椒

此蜀地所産者故曰蜀椒自古華商不來貨椒

樹此邦所在有之大率形狀相似但當以葉大無針刺實大於他椒氣香味烈俗稱朝倉山椒者代之他州出者實小味短僅可以補闕矣

當歸

此邦所在有之但以城州和州所産尾多肥潤氣香味辛而甘者爲最即陶氏所謂馬尾當歸是也産他土者尾粗堅枯味辛即李氏所謂鑱頭歸也欽少時亦用之今有市人禦蛀完漬滾湯而曝乾者氣味大脱勿用

通艸

木通也國俗呼挨計比革思頼藤蔓長大故以草稱木通今近道處處有之莖有細孔相貫吹之口氣便通一枝五葉四月開花淡紫色其藤經久者結實形如野木瓜而長食之味甘美俗呼爲肉袋子木通市所貨者乃眞也其色白者爲良黄褐或黑者爲雨暘所侵勿用今有市人稱華頼木通者華商所鬻也莖徑一二寸有車輻紋吹之氣亦通色淡黄嚼之味苦不知是何

物也按本草新編云木通即蒲萄根也味苦澀氣微寒入膀胱經逐水氣利小便亦佐使之藥不可不用而又不可多用多用則泄人元氣又物理小識曰川木通色白止通小便僞者蒲萄藤也由是考之則華商所鬻者恐是蒲萄根耶不若用此邦通草爲眞也

升麻

近道諸山皆出有大小數種惟以藥家稱眞升麻形大而黑肉色青緑者爲良華産亦來俱入

藥用又有以他艸假充之者不可不擇也

萎蕤

俗呼爲挨麻篤谷魯此邦畿内及奥越諸州山中皆有之一莖斜上葉長播而偏生三月毎節開花白色縁瓣夏結實狀似垂珠其根横行如菖陽而長其色黄白性柔雖曝猶脂潤今奥州出者混入黄精方家不察也須擇其根無節赤人呼爲地黄㨾黄精者即是眞也

天門冬

此邦生紀州及四國九州春作藤蔓初莖有逆刺葉形尖細如俗呼氣矢革忽矢者而滑大夏開細白花七八月結實熟白中有黑子根色黄白大如人指圓長而尖一科數十枚蒸熟去皮心收用

白頭翁

此邦諸州山野甚多春生苗布地其葉似防風而有毛三月抽數莖高尺許開花下埀莖梢狀如貝母花瓣外有白毛裏之漸仰始見紫赤尋

便辦落但存紫蕊蕊漸變白披下正如人被白髮故名曰白頭翁邦俗呼為和氣奈忽索皆狀老翁之意也七八月採根水洗曝乾用

秦皮

俗呼篤年里谷此邦北地甚多入藥以其皮味苦浸水便碧色書紙亦青色者為眞漬水微碧色少苦者次之水不碧味不苦者贋

中襯

俗呼奈禮氣奴此邦與中華不同制又男女異

其制但取褻衣近隱處燒灰用之佳不必拘制異

清漿水

卽漿水清者漿水俗呼拔也思其法炊粟米飯乘熱投冷水中以缸浸五六日纔酸便用如過酸則不中用其至敗壞者害人詳見李氏綱目又本經逢原曰以水空煎候熟極者煑藥名清漿水取其下趨不至上涌此亦一說也

商陸根

國俗呼也麻谷浮烏處處山林有之葉大如烟草葉而短無毛夏開白花結實生青熟黑根如蘿蔔而大蘇恭曰有赤白二種白者入藥用赤者見鬼神甚有毒此邦西土有赤者野人患水腫不辨赤白煮食之此不知有毒故也方家須擇根白者

海藻

有數種但取馬尾藻及大葉藻入藥用馬尾藻俗呼浮他詁頼諸州海中多生其形如短馬尾

細黑色又有黃黑色者葉短細實大如米粒大

葉藻俗呼貌拔形如菖蒲葉淡黑色凡使洗淨

鹹味焙乾用

竹葉

竹有數種晉戴凱之竹譜宋僧贊寧筍譜多載

之孟詵謂竹葉篁苦淡甘之外皆不堪入藥不

宜人以淡竹為上甘竹次之淡竹俗呼拔地忽

甘竹亦淡竹之屬篁竹俗呼華矢魯他計即淡

竹之皮白如粉者苦竹俗呼麻他計淡篁苦三

竹人家園庭多植之

羊膽

羊中國畜以充常食種類甚多凡用之取去勢者謂之羯羊弘景云入藥以青色羖羊為勝次則烏羊此邦但西肥畜之以貨華夷人其膽不出市肆也

古方藥說卷之上

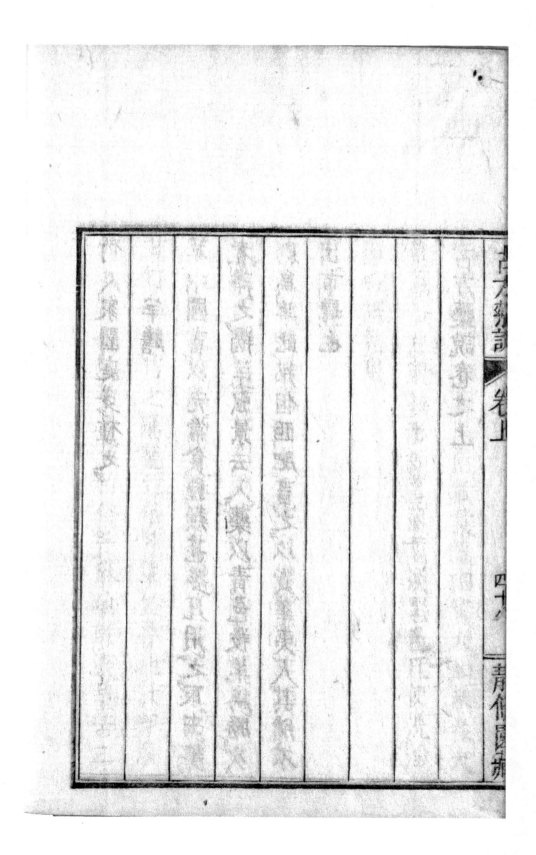

特1
622

特1
622

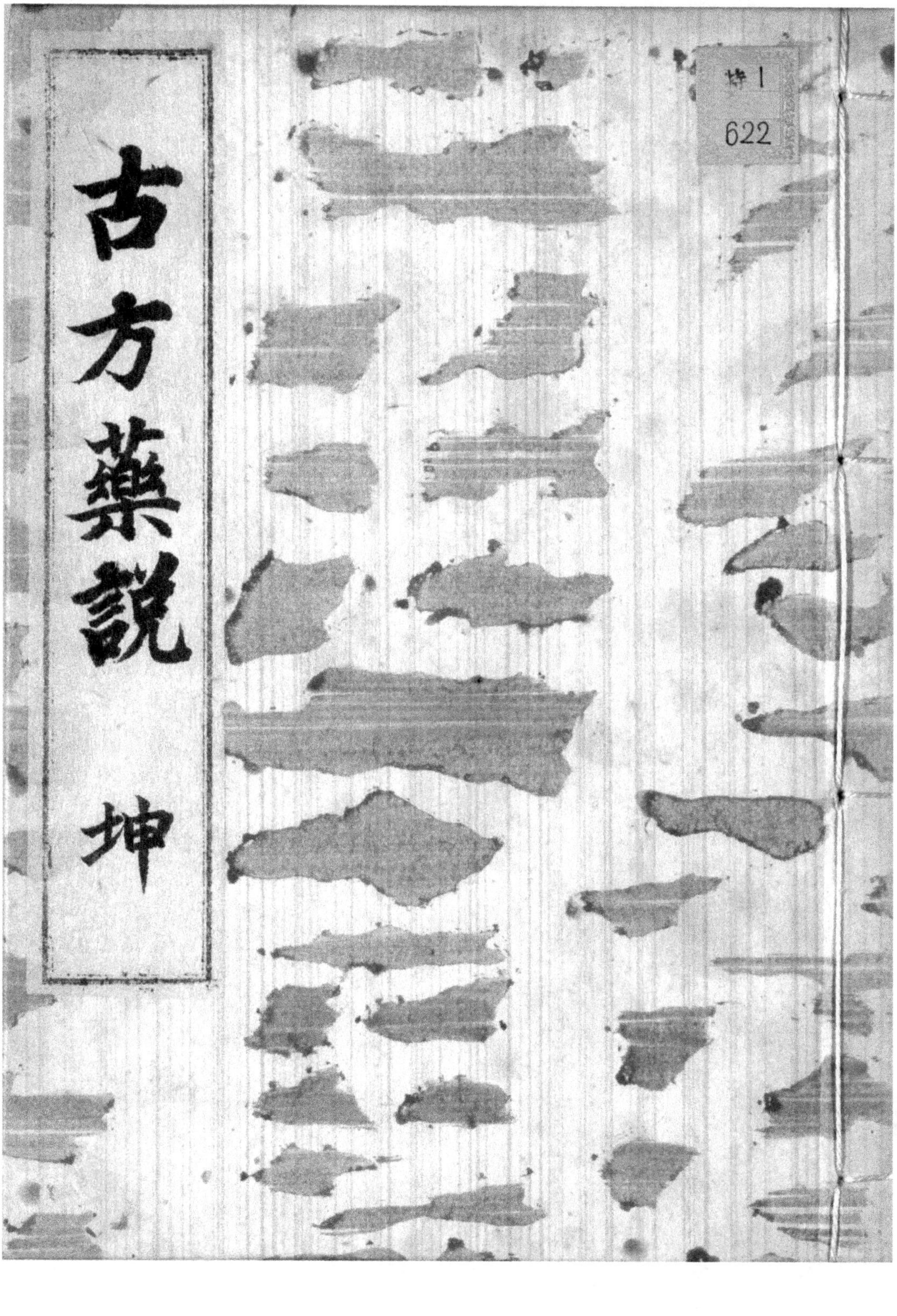
古方藥說
坤
特1
622

27.4.4

古方藥説
坤
持1
622

古方藥説卷之下

金匱要略方藥目次

薏苡仁　防已
黄耆　百合
泉水　雄黄
鼈甲　烏扇
鼠婦五丁　石韋
牡丹　瞿麥
紫葳　䗪蟲

蜂窠　赤消

蜣蜋　鍛竈下灰

雲母　雲實

菊花　防風

礬石　芎藭十丁

寒水石　白石脂

紫石英　井花水

鹽　川烏

獨活　乾地黃

山茱萸　薯蕷
天雄　麴
豆黄卷 十五丁　白歛
酸棗仁　乾漆
蠐螬　獺肝
紫菀　欵冬花
皂莢　棗膏
小麥　紫參
東流水　白前

澤漆　葶藶

瓜瓣　生葛

甘李根白皮　白酒

橘皮廿丁　烏頭

生狼牙　眞朱

羊肉　木防已

椒目　蒲灰

亂髮　白魚

戎鹽　消石

大麥　豉
猪膏　美清酒
柏葉　艾
馬通汁　竈中黄土
竹茹　訶梨勒
敗醬 七五丁　瓜子
王不留行　蒴藋細葉
桑東南根白皮　川椒
雞屎白　蜘蛛

粉　苦參

葵子　醋漿水

白薇廿八　柏實

飴糖　乾蘇葉

新絳　紅藍花

蛇牀子　臘月豬脂

大腹檳榔　白石英卅丁

鍾乳　鬼臼

太一餘糧　雄雞冠

雞肝　大豆

菖蒲屑　桂屑

左角髪　韭根

緋帛　久用炊單布

敗蒲席　人乳汁

雄鼠屎　蘆根

泔　牛肚

朴消　馬鞭艸

冬瓜　人糞汁 卌五丁

地漿　蒜
黍穰　犀角
金　銀
薺苨 卅六丁

古方藥說卷之下

蘭山小野先生鑒定　門人久留米宇治田郁泰亮著

金匱要略方藥

薏苡仁

以華種實狹長而殼薄可指破西州人呼四國麥者爲優城州人呼篤烏母氣者次之今藥鋪所貨多是川穀自海西所載來者亦同也川穀諸州田野生苗葉頗似薏苡實圓而殼堅厚俗呼矢由思他麻兒童以絲穿作念珠爲戲又一

種扁大而皮至厚硬謂之贑米即雷斅所云穢米俗呼爲和尼矢由思他麻與薏苡自別

防已

國俗呼慈思頼福地苗葉似女青而有毛莖梗柔軟可以縛物破之文作車輻解狀與木通近似氣吹亦貫兩頭按本艸有漢木二防已之分諸注作紛紛陳藏器言漢木二防已即是根苗爲名又陳嘉謨曰漢防已是根破之紋作車輻解黄實馨香木防已是苗皮皺上有丁足子青

白虗軟宗此辨認庻不差誤若夫本艸彙言謂以漢中者爲勝故方書多稱漢防已非也以二陳所説爲當矣有一種俗呼和浮慈思頼福地者根苗相似而粗大蘭山先生曰凡使漢防已取此根爲優使木防已以慈思頼福地苗爲良

黄耆

取華舶所來貨肉理中黄外白味甘美而柔韌如綿者爲良謂之綿黄耆味苦木強不柔韌者爲劣此邦諸州山谷亦有之其苗一根作叢直

上三四尺葉似苦參而有毛七月開花黄白色形如小豆花實作莢子長數分根及二尺以來者爲良今花肆多植之謂之廣嶋種又誤爲漢種其苗無毛軟弱如藤蔓者生城州鞍馬貴船諸山其根堅硬味甘微帶苦蘇頌所云木耆者是矣若遇闕可以補焉出加州白山和州金剛山者亦同

百合

邦俗呼薩索由里一莖直上葉如竹葉而厚澤

互生五月莖端開粉紅花六出長莖連莖傾側花後結實似馬兜鈴根如葫蒜衆瓣合成味甘美可入藥用種類最多人家庭砌栽之供清翫一種細葉紅花者山丹也俗呼肥迷由里又一種巻丹俗呼和尼由里紅花帶黃上有黒斑點葉間結黒子其根似百合而味微苦市人以爲百合者非也僅可以充蔬茹不堪入藥用

泉水

源水也按爾雅濫泉正出正出從下上出也沃

泉垂出垂出下出也汎泉穴出穴出仄出也

雄黃

取古華船所來貨形塊如朱砂明徹不夾石色如雞冠光明曄曄者爲勝市人謂之雞冠石郎雞冠雄黃也今新來者多是色黃氣臭郎是臭黃又有帶青黑而堅者此乃熏黃並不堪用雄黃本邦亦有而未出市肆也

鼈甲

鼈古俗呼革拔革迷今呼篤曾革迷又野人謂

之思慈浮毋處在川澤多有大率與龜相類雷斅曰凡使要緑色九肋多裙重七兩者爲上世俗呼瑇瑁甲爲龜甲者誤也性氣不相類不可不辨

烏扇

即射干也一名烏翣俗呼爲檜扇人家多植之按本艸有相似者二種諸家各執一説松岡先生曰達按綱目丹溪有紫花射干之説本邦醫製醫學入門一粒金丹者以射干無紫花者用

鳶尾根或葉其誤皆起自丹溪丹溪固不知射干時珍亦不知射干莖長鳶尾莖短漫言生於肥地者莖長生於瘠地者莖短此大不然丹溪東壁以其鄉不產射干未見射干認鳶尾以爲射干有是説耳射干花黃赤絕無紫花者其丹溪東壁之所指稱紫花射干者鳶尾也俗呼伊遲波津是也夫射干不論地之肥瘠其莖幹及四五尺如鳶尾則雖生於肥地莖幹緣短無及四五尺者丹溪東壁因不見眞射干妄認鳶尾

爲射干或爲從地之肥瘠莖幹有大小之異皆像想臆度之見耳庸醫無卓識特見深信丹溪之説爲雷同耳凡此類相似者數種宜逐一自點檢分別之射干卽檜扇鳶尾卽伊遲波津又似鳶尾白花有黃紫斑者名蝴蝶花俗呼曰志也我者也此據本艸彙言以辨之其説甚明矣

鼠婦

國俗呼和遂母矢越人呼爲横蚤多在人家敗履底及土坑中其形如豆瓣灰色皆有横紋多

足詩云蛜蝛在室是矣

石韋

國俗呼肥篤慈抜蔓延於背陰石隙葉如金星艸而厚大背有黄毛淩冬不凋一種葉如杏葉者名杏葉石韋功用又相同凡用采葉去黄毛及梗

牡丹

諸花中以牡丹爲第一故稱花王其種甚多按宋歐陽修洛陽牡丹記宋陸游天彭牡丹記明

郗道元彙苑詳注清陳淏子秘傳花鏡等詳載之凡撰根皮取人家所種紅白單瓣而不加糞壤者爲佳蘇頌曰近世人多貴重欲其花之詭異皆秋冬移接培以壤土至春盛開其狀百變故其根性殊失本眞藥中不可用此絕無力也今自和州城州出者堪用市人或以梗皮僞充之者不堪用

瞿麥

國俗呼奈迭矢谷山野多生其苗高尺餘細莖

多節葉似地膚而長窄莖端開淡紫花大於錢結實成長房内有小扁子熟色黑採入藥用有一種人家所栽呼石竹者亦其類也

紫葳

一名凌霄國俗呼那烏石母華思賴生諸州山野蔓生附木而上歲久延引至巔葉如紫藤葉而有齒其花黃赤形如牽牛花而大頭開五瓣至夏乃盛醫家采花收貯入藥用根及葉亦有用也

䗪蟲

凡用取華舶所來貨形扁如鼈背有横紋蹙起圓如棊子者爲眞市人以蜚蠊去翅者爲倭䗪蟲或以龍虱僞充之龍虱多生止水中形似金龜子而長大有甲翅播州人呼爲篤母革迷母矢弁不可入藥用

蜂窠

此大黄蜂窠也大黄蜂俗呼也麻拔地其窠小者如瓠大者如巨鐘色淡黄有層疊雲頭文多

在山寺屋間其懸叢木深林中得風露者爲好
故曰露蜂房

赤消

蘭山先生曰未詳按別錄曰朴消赤者殺人則
知非朴消赤者之謂矣又活人書云赤消消石
出於赤山此據弘景所引皇甫士安言消石三
月采于赤山之文以消石爲赤消爾然李時珍
曰陶氏所說是造成假消石也與焰消之消石
不同皆非眞也乃知活人書之言亦妄矣

蟯蜋

古俗呼忽速母失深目高鼻似金龜子而身黑有光糞坑中多有夜見燭光則來有一種小者身黑而無光夜伏晝飛不入藥用

鍛竈下灰

此鍛鐵竈中灰也陶弘景曰兼得鐵力故也

雲母

邦俗呼氣賴賴此邦處處在有之生山石間作層片片可拆古時紅毛舶上來者其片絕大人以

飾燈籠玲瓏可愛矣入藥以光瑩如氷絕白輕透者爲良其餘雜色不中用

雲實

畿內山野甚多俗名革拔賴福矢苗高四五尺或丈餘有刺其葉似皂莢葉大三四月開黃花纍纍滿枝頭角長二寸許似鵲豆內有子正如蓖麻有黃黑斑紋

菊花

本邦菊品甚多其花有千瓣單瓣有心無心黃

白紅紫間色深淺大小之異其味有甘苦辛之辨惟以味甘色黃蕋如蜂窠俗呼料理菊者入藥用花葉亦可供菜料又有白花味甘者今市人所貨者多是非眞不可不擇

防風

取中國所產潤實而不蛀者爲良以其蘆頭有細毛如敗筆故市人呼爲筆防風本邦近植中國之種間亦爲貨須入藥用其葉似白頭翁厚澤三手後攢一莖秋開細白花攢聚於枝端頗

似芹花根長及三尺以來又有市人呼伊吹防風一名眞筆防風削防風濱防風者皆是假也不堪用

礬石

國俗通呼明礬又呼他鳥思今從薩州來又有華舶載來者煎煉之法雖華和各異而形色相同入藥及染人所用甚多凡使以光明如白石英味酸濇者爲好又方藥家煅乾汁者曰枯礬不煅者爲生礬

芎藭

自蜀川中出曰川芎他産不稱川芎各以地名呼之而今俗以川芎爲艸名猶以全蝎爲蟲名也今華舶載來者作雀腦狀即李時珍所謂雀腦芎是也本邦亦多産和州出者與華産同其形重實氣烈味辛而甘色黄白豐州出者帶黒奥州出者形大並爲次二三月生苗作叢莖高尺許秋開碎白花頗似當歸有一種大葉者根節如馬銜即李瀕湖所謂馬銜芎藭是也市人

采之假充藁本名曰川芎樣藁本

寒水石

此鹽之精也生于積鹽之下其液滲入土中經年結而成撥本草李時珍曰古方所用寒水石是凝水石唐宋以來諸方所用寒水石即今之石膏也近人又以長石方解石爲寒水石不可不辨之又云寒水石有二一是軟石膏一是凝水石惟陶弘景所注是凝水之寒水石與本文相合蘇恭蘇頌寇宗奭閻孝忠四家之所説皆

是軟石膏之寒水石王隱君所說則是方解石諸家遂以石膏方解石指爲寒水石唐宋以來相承其誤遂以二石爲用而鹽精之寒水絕不知用此千載之誤也石膏之誤近于千歲朱震亨氏始明凝水石之誤非時珍深索終于絕響矣由是觀之則此書所用寒水石卽凝水石也今邦俗亦以方解石爲寒水石其訛始于王隱君引及于此邦不可不審

白石脂

石脂有五色方家唯用赤白二石脂好者出羽州赤白相混坋間不別出白石脂凡撰之取以指甲抓之脂膩而色白如凝成白蠟狀者爲佳

紫石英

國俗呼毋頼索氣思伊石烏此邦處處有之其形不拘大小皆具六稜如削成凡用之明淨深紫者爲良淡紫次之白徹者曰白石英國俗呼矢曾思伊石烏

井華水

平旦第一汲者也按本艸原始曰汲在早晨蓋緑天一眞氣浮結水面而未開故謂之井華水

鹽

有數種阿州播州造者即海鹽也取海鹵煎煉而成筑州勢州造者乃鹻鹽刮取鹻土煎煉而成此二者廣濟民用五味之中惟此不可缺也又此邦井鹽崖鹽亦有之池鹽未知所産也

川烏

即川烏頭也烏頭有兩種出彰明者即附子之

母謂之川烏頭一種野生於他處者曰艸烏頭川烏海船不載來須取人家所種附子之母用之

獨活

按本艸汪機曰本經獨活一名羌活本非二物後人見其形色氣味不同故爲異論然物多不齊一種之中自有不同仲景治少陰所用獨活必緊實者東垣治太陽所用羌活必輕虛者正如黄芩取枯飄者名片芩治太陰條實者名子

芩治陽明之義同也況古方但用獨活無羌活今方倶用不知病宜兩用耶抑未之考耶李時珍曰獨活以羌中來者爲良故有羌活胡王使者諸名乃一物二種也正如川芎撫芎白朮蒼朮之義入用微有不同後人以爲二物者非矣又本艸彙言所説亦同蘭山先生曰二活本是兩種而言爲一種者非矣獨活俗呼矢矢烏篤生洛北山中市人誤呼眞羌活與海船所載來俗呼爲馬皮樣羌活者相同卽是獨活須入藥

用有一種呼烏篤他頼矢者生城州清瀧溪側苗葉殆似獨活其根紫色甚似蠶頭鞭節之狀與古華舶所載來市人呼本手羌活者相似須代用又有一種俗呼烏篤者即本艸所載土當歸是也人采嫩苗食之以爲蔬中佳品根長尺餘肉白氣赤芳香味微苦市人取其嫩根爲羌活其宿根爲獨活又以俗呼揆奈烏篤者爲羌活並不堪用

乾地黃

已詳于生地黄條下

山茱萸

今京洛人家園圃種蒔之皆是漢種也樹高丈餘葉揞而尖䑛兩兩相對春開細黄花叢簇於枝節尤可愛也其子形似桃葉珊瑚子至秋熟深紅色又有朝鮮之種並入藥用

薯蕷

以山中自生者爲貴故有山藥山藷諸名邦俗謂之矢年母石鳥刮之白色者佳青黒或黄者

不堪用今圃人所藝者即救荒本艸所謂家山藥是也俗呼奈革伊貌但可備蔬茹耳李時珍云供饌則家種者爲良而不若山生味最甘美也

天雄

已詳于附子條下

麴

本邦造麴多是粳與麥以造酒醬之類其法用粳米或大麥不拘多少淘淨蒸熟取出攤扁箱

重疊入熇室候黄衣上遍取出者是也造法雖
與本艸所説稍異而其性不太相遠宜代用

豆黄卷

國俗呼怨曾麻迷那貌也矢用黒大豆不拘多
少以井水浸二三日候生芽長四五寸晒乾用
亦可供菜料

白歛

用海舶載來皮赤黒肉白味苦者爲良味甘者
係倭僞勿用今華種移植于我邦其苗作藤生

其根一株下有五六個狀如雞子而長

酸棗仁

自海西載來者乃眞也今州郡植華種極易茂苗葉花實幾似大棗其實圓小而味酸其核圓而仁稍扁其大棗仁大而長此爲異也

乾漆

漆國俗呼烏而矢此邦諸州出勝於華地產者凡用之取漆桶中自然乾枯如蜂窠燒成漆氣者爲眞自古本邦醫家呼石炭爲乾漆其性不

相類慎勿用

蠐螬

邦俗呼地母矢生圊圃土内及積糞腐艸中其狀如蠶而大身白頭赤以背滾行夏月蛻而為蟬

獺

獺即水獺也俗呼革華烏速江湖多有之狀似狐而小水居食魚蘇頌曰諸畜肝葉皆有定數惟獺肝一月一葉十二月十二葉又有退葉余

數支解觀之不必然矣

紫菀

人家園庭種之春布地生苗其葉似土木香而稍小夏秋抽莖開淡青紫花頗似雞兒腸其根紫色而柔軟收得入藥

款冬花

國俗呼福氣那他烏南北有之但羽州生者其苗最大以充方物入藥以凌冰雪微見花者爲良冬春間人亦採以爲蔬清香極可口

皂莢

國俗呼索伊革夭樹高大葉如槐葉而小枝間多刺方家所謂皂角刺是也夏開黄白花結莢長及尺餘而瘦薄枯燥一種猪牙皂莢短小似猪牙自海西來并堪入藥用

棗膏

用大棗煮熟榨出者是也餘詳于大棗下

小麥

磨礱作麪日用者是也本邦南北皆蒔之其種

幾半百不暇枚舉焉後世醫人多取浮小麥入
藥用

紫參

國俗呼接而篤頼那和天台及貴船山谷多有
之葉茄小羊蹄二月開白花似蓼花根皮紫黑
肉紅白曝乾用之

東流水

按李氏食物本艸云從西來謂之東流水大抵
與千里水畧同

白前

邦俗呼思思迷那和谷訃生江州伊吹山一根叢生葉如忍冬而大四月開白花似白微根亦相似有一種蔓生葉如女青俗呼伊欲革思頼近道山野生

澤漆

此邦俗呼爲篤烏他伊忽索秋生苗至春高尺許莖端分五枝大率似大戟而葉短小莖如馬齒莧折之出白漿

葦莖

葦蘆也國俗呼挨矢多生水澤中大率如竹花似荻其葉抱莖生采莖入藥

瓜瓣

或云甜瓜子今攷編注及論注即是冬瓜子此爲得矣冬瓜長者及二三尺西土多栽之圓者如南瓜東北多有方俗呼革貌鳥里蘇頌曰入藥須霜後取置之經年破出核洗燥乃擂取仁用之亦可煮食

生葛

卽葛根生者也餘詳于葛根條下

甘李根白皮

卽李根白皮也李邦俗呼思貌貌春開白花小於桃花葉短小而有齒結實大於金橘生青熟紫赤又有黃色者並甘美堪食此邦多生其地而種類不過數品耳按本經逢原曰藥性論云入藥用苦李根皮而仲景治奔豚氣貫豚丸用甘李根白皮時珍疑爲二種不知仲景言甘是

言李之甘藥性言苦是言根之苦俱宜用紫李根則入厥陰血分若黃李根則入陽明氣分矣

白酒

古來釋白酒者不一而足或曰濁酒或曰清酒或曰薄酒而各有所取焉雖然李氏綱目有解白酒酸之方汪氏備要作酒一字乃知白酒即酒也故蘭山先生常言方家謂酒爲白酒猶水曰白水湯曰白湯矣何可泥白字以費辨乎千金外臺改作白截漿截者釋米汁也即酒之未

熟者而非以粟飯所造之酸漿亦非以米飯所作之苦酒也則今用之者當以薄酒代之夫酒之薄者其色不黃故張路玉曰白酒熟穀之液色白上通於胸中使佐藥力上行極而下耳至若彼李東璧食物本艸所載白酒王子律藥性纂要所載杭州白酒其他太膳白酒夏士原白酒等則自有造法皆非方家所用之白酒也

橘皮

本邦橘類甚多但以遠州白輪出者爲佳品俗

謂之白輪華烏矢即橘録所載黄橘是也又有俗單呼華烏矢者乃橘之下品所謂包橘也又有西土人呼唐蜜柑者即朱橘也其餘不暇枚舉矣入藥以朱橘黄橘爲上之時包橘亦可用青時採者爲青皮熟時採者爲陳皮自古市人所賣者多是柑皮也夫柑橘雖相類而性味不同宜審辨焉李時珍曰橘皮性温柑皮性冷不可不知今華商所來貨者亦有眞有僞須要紋細而薄内多筋脉味辛而苦者其柑皮紋麁而

厚內多白膜味辛而甘

烏頭

草烏頭也即山中自生者餘詳于川烏條下

生狼牙

按醫宗金鑑云狼牙非狼之牙乃狼牙草也此用狼牙草生者此邦未聞有之華商亦不來貨今市人以他伊谷毋索烏克之者非也

眞朱

丹砂也按別錄曰作末名眞朱蘇恭非之云經

言末之名眞朱者誤矣豈有一物以全末殊名乎此說爲得也原從辰州出曰辰砂他産不稱辰砂各以地名呼之而今邦俗通稱辰砂猶以川芎爲艸名也入藥以華船所載來形塊大者如拇指小者如豆粒光明瑩徹碎之作墻壁研之鮮紅者爲良其末砂多雜石末鐵屑不水飛不堪用

羊肉

羊已詳于羊膽條下

木防巳

已詳于防己條下

椒目

椒實中有黒子如人之瞳子者是也餘詳于蜀
椒下

蒲灰

論注曰即蒲席灰也蒲本艸所載香蒲是也俗
呼革麻生池澤中葉長三五尺似莞而褊大夏
抽數梗梗端有花作蠟燭狀其花上黄粉名蒲

黄至秋收葉以爲席蘇恭曰席薦皆人所卧以得人氣爲佳不論薦席也

亂髮

梳頭所脱落者也

白魚

蟲名即衣魚俗呼矢密生卷帙箱笥中全身光白如銀鱗類亦有白魚即鰷魚俗呼尼谷伊生江州湖中形似鯉魚而淡白頭尾黄赤色古方白魚散所用者是衣魚也而世醫用鰷魚者非

是矣

戎鹽

青鹽也以華舶所貨方塊堅白微帶青者為佳

有一種赤者自蠻舶上來

消石

即焰消也此邦州郡多有之採苗煎煉則生細

芒馬牙與朴消同而得火即焰起凡使之以明

淨味辛甘者為上味鹹者次之

大麥

形似小麥而大故名之此邦所產其種甚多有一種俗呼拔他華母氣者天生皮肉相離作飯最良即陳藏器所謂青稞麥是也

豉

即淡豉也已詳于香豉條下

豬膏

詳于後臘月豬脂條下

美清酒

言上好清酒餘詳于清酒條下

柏葉

側柏葉也柏有數種入藥惟取葉扁而如側手者爲眞即俗呼谷那迭華矢拔者是也

艾

國俗謂苗爲欲貌氣呼熟艾爲貌忽索今人以自江州出者爲貴謂之伊吹貌忽索蘭山先生曰此非眞艾即詩疏所謂蔞蒿是也俗呼奴麻欲貌氣苗葉長大白茸夥於眞艾入藥惟取生山野及鹵地苗葉短者爲好

馬通汁

按論注曰馬通乃馬屎絞汁也如干屎以水和絞之

竈中黃土

此乃竈心對釜臍下黃土也

竹茹

取淡苦篁竹爲良按本艸彙言曰取大竹削去面上青色皮取向裏黃皮是也

訶梨勒

一名訶子今自海西載來子形似巵子黄黑色有六稜者爲眞稜多稜少者曰雜路勒乏時亦可用

敗醬

邦俗呼和密奈邊矢近道多有之人家亦栽之葉似俗呼他麻拔拔氣者叢生六七月抽莖高二三尺梢上開細黄花成簇其根紫色俱有敗豆醬氣又有一種白花者俗稱和篤谷邊矢并採根入藥用

瓜子

按論注編注並云即冬瓜子也與瓜瓣同今市家所貨者乃眞也餘詳于瓜瓣條下

王不留行

今處處栽蒔種苗高一二尺葉似瞿麥而寬大四月開細花淡紅色結莢似天泡草鈴兒而小殼有五稜殼内有實實中有圓黑子大如菘子今自海西載來者以麪搖類混丸之須擇焉

蒴藋細葉

邦俗呼忽索他慈原野陰地多生花葉幾似接骨樹六月結實初青如綠豆顆每朶如杯面大九月方鮮紅入藥采細葉陰乾用之

桑東南根白皮

桑有數種資用尤多凡使采向東南畔根刮去黃薄皮一重取向裏白皮

川椒

卽蜀椒也按本艸李時珍云川則巴蜀之總稱因岷沱黑白四大水分東西南北爲四川也餘

詳于蜀椒條下

雞屎白

按直解云白者雄雞所便也

蜘蛛

有數十種但以身小尻大夏秋晝伏夜出簷角或籬邊空中設一圓網者爲良俗呼麻而忽貌者是也

粉

卽粉錫也一名白粉一名鉛粉又名胡粉出乃

用鉛化造者其法詳于李氏綱目今以藥鋪呼篤烏那慈地者爲眞勿用婦人附面稱和矢魯肥者以有夾雜也按本經逢原云甘艸粉蜜湯治蚘病吐涎心痛專取胡粉殺蟲甘艸安胃蜜以誘入蟲口也又按直解論注并以鉛粉注焉或云米粉恐誤也

苦參

俗呼忽頼頼又稱苦辛山野處處有之莖高三四尺葉如黄耆花黄白色夏結角如蘿蔔子莢

根黃白色味至苦惡取曬切用

葵子

即冬葵子也國俗呼革母挨福肥瀕海水旁俱有莖高三五尺葉似錦葵而五尖春夏秋開花白色帶淡黃紫實大如小指頭形圓而扁實中子小於錦葵子按本草古人種葵以充日用蔬茹故爲五菜之主而今種之者甚鮮不復食之

醋漿水

即漿水也已詳于清漿水條下

白薇

俗呼福奈話頼近道處處有之苗高一二尺葉類梔而小面背有毛夏開紫花結角

柏實

即側柏實也入藥取實中之仁餘詳于柏葉下

飴糖

飴即軟糖也硬者少用餘詳于膠飴條下

乾蘇葉

即紫蘇葉乾者也有二種一種葉面青背紫者

俗呼革他迷母矢速一種面背俱深紫色邊有深鋸齒而縱皺如剪成之狀謂之花紫蘇俗呼爲地里迷母矢速香色子葉俱好

新絳

按直解云絳者紅藍花所染用少許以引入血分也又編注云新染絳絹引入血海此乃用俗呼貌密者佳也

紅藍花

一名紅花國俗呼忽禮奈伊圍人多種之秋生

苗至夏高三二尺葉如小薊莖端開花如蒼朮花而紅黄色花下有彙刺乘露采花奥羽之人如法制之揑成薄餅貨之四方俗呼爲餞花又有散花不爲餅者凡使須采入滌用色鮮者揺碎用其陳久者市人呼爲忽思里紅花不堪入藥用

蛇牀子

邦俗呼濱人參多生斥鹵之地葉布地似水芹秋月開碎白花亦如芹其子如黍粒而兩片相

合有細稜與古舶上來者同今市人以也福矢頼密僞充之也福矢頼密花葉如胡蘿蔔而小實亦相似有毛刺喜粘人衣即爾雅所謂竊衣是也氣味與蛇牀子不相類

臘月豬脂

按禮記內則疏凝者爲脂釋者爲膏又李時珍云凡凝者爲肪爲脂釋者爲膏爲油臘月煉淨收用餘詳于豬膽條下

大腹檳榔

圖經所謂大腹子者是矣今華賈所來貨者多
是大腹子即檳榔中一種也藥舖悉呼爲檳榔
醫家亦不細分也夫檳榔作雞心之形而味微
甘大腹子扁大而味澀按李氏綱目云大腹子
與檳榔皆可通用此檳榔稍劣耳

白石英

已詳于紫石英條下

鍾乳

國俗呼慈頼頼伊矣多生深洞幽穴中此類凡

五種鍾乳孔公孽殷孽石花石牀也而諸家各執一説惟李時珍蘇恭所説甚詳明可從也李氏云以薑石通石二名推之則似附石生而粗者爲殷孽接殷孽而生以漸空通者爲孔公孽接孔公孽而生者爲鍾乳當從蘇恭之説爲優蓋殷孽如人之乳根孔公孽如乳房鍾乳如乳頭也蘇氏云石牀一名逆石一名石筍生鍾乳堂中采無時鍾乳水滴下凝積生如筍狀久漸與上乳相接爲柱也陶謂孔公孽爲乳牀非也

殷孽孔公孽在上石花在下性體雖同上下有別又云石花生乳穴堂中乳水滴石上散如霜雪者三月九月采之凡擇鍾乳須要清白而光透空通似鵝翎管者爲上

鬼臼

一名羞天花俗呼慈里革年革索蘭山先生曰故東北州郡有之今亡其種此艸一根生一莖莖端長葉七出或八出如鬼督郵其花紫色狀如鈴鐸正垂葉下常爲葉所蔽未嘗見日似有

羞狀故稱羞天花蘇恭謂根肉皮鬚並似射干今俗用多是射干而江南別送一物非眞者則難得其眞倭華一轍無由以他艸代用也右一種俗呼也忽而麻艸者一莖獨上高一二尺二三葉互生其葉一蔕五出每出三尖有齒莖梢成穗開細白花市人采根以充鬼臼者非也花在葉上不得稱羞天花此乃正字通所謂獨脚蓮之屬也

太一餘糧

按李時珍本艸綱目太一餘糧及禹餘糧乃一類而以精粗異名爾其殼若甕方圓不定黄黑色外多粘綴碎石殼中有黄粉又有凝結如石者撼之則鳴如鈴鐸故國俗稱鈴石入藥用其粉

雄雞冠

按本艸三年者良

雞肝

按本艸雄雞者良

大豆

即黑大豆也國俗呼忽魯麻迷李時珍云大豆有黑白黄褐青斑數色黑者名烏豆可入藥其緊小者爲雄豆用之尤佳

菖蒲肩

菖蒲國俗稱石菖多生于溪澗中葉長尺許有劍脊瘦根密節絡砂石凡入藥取多節者爲佳別錄曰一寸九節者良本艸原始曰不必泥于九節但忌鐵

桂屑

即桂枝屑

左角髮

左額隅髮也

韭根

國俗呼尼賴葉如小葉麥門冬夏抽莖於叢葉中莖端開小白花至秋結小黑子以其畦栽之則久生不須歲種故爾雅翼謂之懶人菜

緋帛

按論注曰緋帛紅花之餘即紅藍花所染也

久用炊單布

炊單布甑中炊飯所用之單布也鄉俗謂之矢氣奴那須取久用者用之

敗蒲席

即舊敗蒲席也餘詳于蒲灰條下

人乳汁

按李氏綱目凡入藥並取首生男兒無病婦人之乳白而稠者佳若色黄赤清而腥穢如涎者

並不可用

雄鼠屎

按直解云屎尖者是雄

蘆根

蘆葦也已詳于葦莖條下

泔

淅米汁也

牛肚

肚胃也按本艸黃牛水牛俱良水牛乃今所駕

力車之大牛俗呼忽而麻烏矢者

朴消

已詳于芒消條下

馬鞭艸

村落原野生方莖高二三尺葉類菊葉對生秋抽三四穗開細花淡紫色結實比車前穗最細長採苗葉日乾用

冬瓜

已詳于瓜瓣條下

人糞汁

按本草汪機曰用棕皮綿紙上鋪黃土澆糞汁淋土上濾取清汁入新甕内椀覆定埋土中一年取出清若泉水全無穢氣年久者彌佳又有竹筒滲等法而臨急取缸中者聽使

地漿

按李氏綱目陶弘景曰此掘黄土地作坎深三尺以新汲水沃入攪濁少頃取清用之故曰地漿亦曰土漿國俗呼爲慈地那慈忽里密慈

蒜

即葫也大蒜也邦俗呼尼母尼忽今處處園圃種之葉似水仙而短尖夏開花結實苗有大小二種其根最熏臭形圓而扁數瓣相合以韓裹之初種一瓣至明年則復其本矣按別錄謂大蒜爲葫小蒜爲蒜而諸方中所謂蒜者乃大蒜也夫載物名多不齊學者宜勿膠柱而誤用焉

黍穰

全書黍作黎非矣黍乃稷之粘者俗呼貌地氣

肥其苗葉似粟而低小與稷同采得入藥

犀角

華賈所來貨有黑白二種入藥以黑而有稜文者爲勝市人謂之烏犀角白者呼爲白犀角今姦商往往以他獸角假之假者稜文細密也宜細審焉李珣曰凡犀角鎊成當以薄紙裹于懷中蒸燥乘熱擣之應手如粉故歸田錄云翡翠屑金人氣粉犀

金

本邦出金甚多方家惟取無夾雜者佳也而未經鍛錬者不堪用

銀

貨易日用者也入藥須要無夾雜者夫金銀雖眞美惡最多辨之非兑銀舖主則爲難得矣

薺苨

本邦所產有二種一種春生苗莖高二三尺葉如排草香而差互六月着花如沙參根如人參而虛鬆邦俗呼爲速拔奈是薺苨也一種苗高

五六尺葉稍圓花實如沙參而大根重實俗呼圓葉人參卽救荒本艸所謂杏葉沙參李時珍亦指爲薺苨者也

古方藥說卷之下終

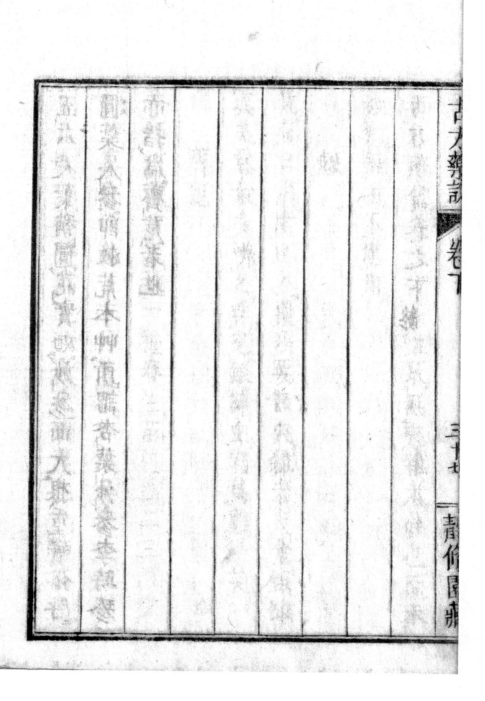

古方藥說跋

醫者意也若不以意則醫不醫矣漢張氏之爲醫也其事簡其意粤乃以爲百世之師焉爾來以至于今世言醫者甚多亦皆不能

出於長沙之範圍矣
本邦近世言醫者分古方
後世二派而補瀉苦甘之
偏好五行陰陽之取舍其
精論可聽而其治効得失
不至相半何乎蓋不原於

其意而亦跡於撰藥之所致也筑後久留米藩侍醫宇治田氏嘗入蘭山先生之門學本草博通物產之種品於是攬張氏之意以著古方藥說其書雖僅舉

古方之主藥而物種之辨藥品之撰關係大體者則亦可覩其際矣嗚呼宇治田氏之醫迹可謂存於其原者歟余得因宇治田氏別物種之渾淆以免瞎盲

之謗故左祖其精說書微意於其卷末余固不文金根無辭雖然有見感則必有其言是以不復自揆其拙劣云

平安　山梨和章

寬政乙卯初秋刻成

每部有印記四方雲顧君子須認此爲眞

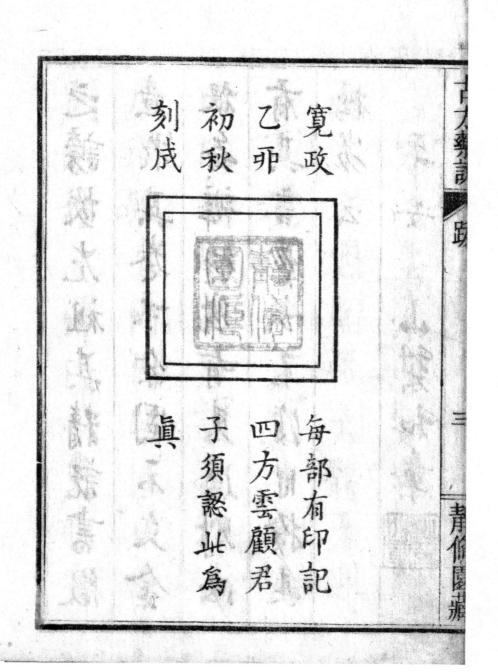

書肆

京師

二條通鉄屋町西ヱ入町 吉田四郎右衛門

寺町通二條下ル町 吉田新兵衛

二條通冨小路西ヱ入町 野田藤八

二條通衣棚角 風月庄左衛門

柳馬場通御池上ル町 竹久勝助

浪華

心齋橋北久太郎町 河内屋太助

東都

日本橋一丁目 須原屋茂兵衛

特1
622

[redacted]

海外漢文古醫籍精選叢書·第二輯

家傳醫方

(越)佚名氏　輯

内容提要

《家傳醫方》是越南的一部臨床醫著，成書於明命三年（一八二二）。此書歸納、整合了五十八種外感、内傷病證及相應的實用治方。書中的大部分内容來源於中國明代李梴《醫學入門》（卷三、卷四、卷五、卷六、卷七）和龔廷賢《萬病回春》（卷五、卷八）。此書追求便捷實用，結構完整系統，對臨證處方用藥具有一定的參考借鑒價值。

一　作者與成書

《家傳醫方》書首有一段涉及男女歡愛的詩文，節録改編自中國明代吴敬所編輯的中篇傳奇小説《國色天香・龍會蘭池録》，内容與醫學無關。書末附有二文，所述内容亦與醫無涉。在書末二文中可見「范春」「張文□」「悦」「恩」「和」「澤」等人名，「范春」之名還出現兩次，但難以判斷諸公與本書的關係。除此之外，書中亦未見其他與作者相關的信息。因此，目前尚難以確定本書作者。在前述書末之文中，有「明命三年歲次壬午六月丁未癸卯朔越十五日丁巳既望」的時間記載，據此基本可以確定此書撰成於越南明命三年（一八二二）。

十六、十七世紀，中國明代出現了一批普及性的醫學著作。這些醫著大多簡約條理，不乏歌訣體裁的內容，易誦易記，通俗曉暢，便捷適用。成書之後迅速流傳到中國周邊國家，在當時的日本、朝鮮和越南都產生了極大的影響。其中最具代表性、傳播最廣的著作就是龔廷賢的《萬病回春》和李梴的《醫學入門》。

《萬病回春》是一部涉及內、外、婦、兒諸科的綜合性醫著，由明代龔廷賢編撰，初刊於萬曆十六年（一五八八）。該書自序言：「自軒岐出而《內經》作，世之譚醫者宗焉。倉、越而下，如劉、張、朱、李，各擅專門，非不稱上乘也。第其書浩翰淵微，未易窺測，且執滯者不能迎刃以中其肯綮，往往投之非症，反以重其膏肓……頻年以來，經歷愈多，施濟愈驗。凡疾者療之，沉痾頓起，如草等之逢春，生意忻忻向榮……於是從苦心十祀，祖軒、岐，宗倉、越，法劉、張、朱、李及歷代名家，茹其英華，參以己意，詳審精密，集成此書，名曰《萬病回春》。」❶可知，龔廷賢認爲，因中醫經典內容精微深奧，醫者如執於文字而不能得其精要，往往不能輕病，反而重病，故纂其精，懲其弊，另著醫書。若依此療病，能使沉痾頓起，如草木逢春，故命書名爲《萬病回春》。

《醫學入門》爲中醫門徑之作，由明人李梴整理編撰，刊於萬曆三年（一五七五）。「此書以《醫經小學》爲藍本，用歌賦形式書正文，以注文補充闡述，內容有醫學略論、醫家傳略、經絡、臟腑……外感病、內傷病、內科雜病等。」❷李梴在「醫學入門引」中云：「身病多矣，遍百藥而不竟痊，必所嘗湯液而

---

❶ 龔廷賢．萬病回春[M]．日本早稻田大學圖書館藏刊年不詳刻本，(卷首)十—十三．

❷ 余瀛鰲，李經緯．中醫文獻辭典[M]．北京：中醫古籍出版社，二〇〇〇：三三五．

猶未達其所以。倏爾閉户四禩，寓目古今方論，掄其要，括其詞，發其隱而類編之，分注之，令人可讀而悟於心，臨症應手而不苦於折肱。沉潛之下，因以洞察纖疴，曲全生意，於霜雪之餘，正以祈三春之敷榮也。」❶李梴因病嘗百藥而不得痊愈，故閉門研習古今方論，求醫學之根本，追求臨證效驗，歸納整理了前人理論及治療方法，其書對中醫的入門普及與傳播運用具有重要意義。

《萬病回春》《醫學入門》不僅在中國產生過較大的影響，在越南也深受醫家重視，《家傳醫方》一書就是在上述二書影響下編撰而成的越南醫著。此書主要擷取《醫學入門》《萬病回春》二書中的相關内容，分類歸納數十種常見病證的臨證治方，同時删減原書關於病機、脉論的内容，僅保留部分病證解要和選方用藥，相較李梴、龔廷賢之書，更加注重臨床證治而非理論闡發。

二 主要内容

《家傳醫方》全書不分卷次，内容涉及外感、内傷雜病計五十八類病證，包括寒熱證、心悸、金瘡等，載録相關實用醫方五百八十餘首。正文按病證分門，對每一類病證的論述包括病狀、病解、臨證治方與方藥組成三個部分，結構清晰，布局合理，便於瀏覽檢閱。

正文以病門爲綱，大致按病證分類，囊括驚悸怔忡健忘、自汗盗汗、火病、燥結、發熱、惡寒、嘈雜、厥、頭痛、頭眩、大頭病、面病、眼病、耳病、鼻病、口病、舌病、唇病、齒病、頸項病、咽喉病、失音、腰痛、

❶ （明）李梴．醫學入門［M］．日本早稻田大學圖書館藏清嘉慶丙子（一八一六）重鐫本，（卷首）一．

脅痛、背痛、臂痛、心痛、腹痛、霍亂、脚氣(附足病)、痛風、淋、濁、夢遺遺精、男人陰瘡、女人陰瘡、脱肛、小便不通、小便不禁、小便出血、大便出血、吐血、痢、瀉、腫滿、疝氣、斑疹、血風(附赤白癜、癬疥、丹毒、癩風)、楊梅、癰疔瘡(附諸惡瘡)、火瘡、杖瘡(附墜壓、折傷、跤跌)、金瘡(附射箭金尖刺傷)、毒藥、犯房、不眠、蟲獸傷、瘧等。

病門之下首爲病解，包括病證的定義、病因，但與其出處的《醫學入門》《萬病回春》原文有所不同。如「驚悸怔忡健忘門」載：「惕惕不自定曰驚悸，如人將捕曰怔忡。驚悸則由思慮過度及大驚恐，以致心虚停痰。或聞大聲見異物，臨危觸事，便覺驚悸……怔忡因驚悸久日即成，由痰火者，宜温膽湯……」但相應的《醫學入門》卷之四下原文爲：「驚悸惕惕不自定，如人將捕曰怔忡。思慮過度及因大驚大恐，以致心虚停痰，或耳聞大聲，目見異物，臨危觸事，便覺驚悸，甚則心跳欲厥，脉弦濡者，虚也……怔忡因驚悸久而成，痰在下，火在上故也……」❶二者相較，在驚悸與怔忡症狀的描述方面大致相同。但是，細讀兩書原文可知，二者的行文方式略有差别。又如「背痛門」所載：「背痛者，由痰氣所聚也，如背心一點痛，宜三合湯……」相較其來源的《萬病回春》卷五原文「脉，《經》云洪而大，脉促上緊者，肩背痛；沉而滑者，痰痛方見後豁痰湯。背痛者，痰氣之所聚也。參合湯，治背心一點痛……」❷可見，《家傳醫方》捨棄了《萬病回春》論脉的内容。書中亦有無病解而直接給出治方的。例如，「犯房門」下僅載七方，且七首方均無病證解要。如，其中二方爲：「竹皮逍遥散，青竹皮、人參、知母、黄連、甘草、滑石、生地、薤白、柴胡、犀角。薑、棗

❶ (明)李梴. 醫學入門[M]. 日本早稻田大學圖書館藏清嘉慶丙子(一八一六)重鐫本，(卷四下)百一.
❷ (明)龔廷賢. 萬病回春[M]. 日本早稻田大學圖書館藏萬曆三十三年(一六〇五)刻本，(卷五)六十五.

煎……雙和散，黃芪、川芎、當歸、熟地各一錢，官桂、甘草各七分，白芍二錢。薑、棗煎服……」此處并未見對「犯房」病證的詳解。

其後，整理歸納醫方和主治病證。相關内容多來源於《醫學入門》（卷三、卷六、卷七），亦有出自《萬病回春》（卷五、卷八）和其他醫著的。部分在前述臨證醫方中提及，有些則是本書作者最新納入；一些常用或其他病門已經述及的治方，僅載其方名，或後記「兼見某某門」字樣。

不過，作者整理歸納的相關醫方，與《醫學入門》《萬病回春》的原文略有出入。如「燥結門」載：「搜風順氣丸……每十丸，早晨臨卧，茶酒米飲任下……」與《醫學入門》卷六上「搜風順氣丸……每廿丸……常服百病皆除……孕婦忌服……」❶相較，用藥劑量有異，且删除了宜忌和總結性語句。又如「背痛門」云：「三合湯，半夏、陳皮、茯苓、甘草、烏藥、枳殼、僵蠶、川芎、白芷、麻黃、桔梗、乾薑、紫蘇、香附、蒼术、薑活，煎服。治背心一點痛。」而《萬病回春》卷五載「參合湯，治背心一點痛。陳皮、半夏薑汁炒、茯苓去皮、烏藥、枳殼麩炒、僵蠶炒、川芎、白芷、麻黃、桔梗去蘆、乾薑減半、紫蘇、香附、蒼术米泔浸、羌活各等分、甘草減半。」❷二者相較，前者删除了藥味、炮製、用量等内容。

中國周邊國家對中醫學的學習，常常是首先汲取適於臨床運用的方法而捨棄醫理闡發的内容，越南也不例外。如《家傳醫方》就常删除中醫原著的病機闡釋和脉論，對引用醫籍中每種病證所列諸多治方也有所删减，僅保留作者認爲最適於越南臨床運用的代表醫方。

❶（明）李梴．醫學入門[M]．日本早稻田大學圖書館藏清嘉慶丙子（一八一六）重鐫本，（卷六上）一—二．

❷（明）龔廷賢．萬病回春[M]．日本早稻田大學圖書館藏萬曆三十三年（一六〇五）刻本，（卷五）六十五．

總之，本書係依據《醫學入門》《萬病回春》整理歸納并有所取捨化裁的臨證醫籍，摘録内外多學科雜病及相關治方，結構清晰，方便閱讀和學習，對於越南讀者學習掌握和運用中國醫學知識具有一定的指導意義。

三　特色與價值

《家傳醫方》主要輯録《醫學入門》《萬病回春》二書中的相關内容，通過取捨化裁整理成書。全書將寒熱證、心悸、金瘡等病證分爲五十八種，涉及内科、外科、五官科、傷科、婦科和兒科等，載録相關治方五百八十餘首，簡明便驗，富有特色。

作者在整理與摘録《醫學入門》《萬病回春》時，保留了兩書的病證名、部分病證解、部分臨證醫方和用藥。其中，有關病證分析與治療用方（只出方名，不載藥物組成及加工服用方法）的内容，多來源於中國明代李梴《醫學入門》（卷四）和龔廷賢《萬病回春》（卷八）；有關主治醫方（有藥物組成）及適應病證（只出病狀，不談病解）方面的内容，多出自《醫學入門》（卷三、卷五、卷六、卷七）。需要指出的是，本書并未收載兩書的基礎理論部分，也幾乎未收録有關病機闡釋和舌脉診察的内容。從《家傳醫方》全書内容來看，書中一般將處方用藥、主治病證録於病門之後，但部分方名後僅標明「兼見某某門」字樣，省略了該方的藥物組成及服用方法。可見，著者并非原樣照搬《醫學入門》《萬病回春》二書，而是經過認真思考，以便於臨床運用爲原則，結合越南當地的實際需要，對二書中的相關内容進行了適當的取捨。

本書在摘録内容的選擇上，體現出中越醫學交流與越南傳承中醫過程中的一些特點。例如書中收録的常見病證并非面面俱到，其中以陽證、表虚證爲多，而陰證、裏實證較少。究其原因，主要是由於越南與中國的地理、自然環境存在差異，導致病理因素、感病之因不同。越南地處東南亞中南半島東部，大部分地區爲熱帶季風氣候，濕熱邪盛，故患病以陽證、表證爲多。

全書偏重於臨證治療，但辨證與論治相結合，將辨證寓於臨證辨治之中。如「發熱門」云：「内傷勞役發熱，倦怠無力，不惡寒者，宜補中益氣湯。」其中，「不惡寒」提示該補中益氣湯證爲純内傷而無外感之證；若兼表證而發熱，則治法有變。此與《醫學入門》原文「内傷勞役發熱，脉虚而弱，倦怠無力，不惡寒，乃胃中真陽下陷，内生虚熱，宜補中益氣湯」相較，捨棄了原書的脉診和病證分析，偏重於臨證治療，但同時又保留了主要症狀。可見，本書的臨床診治依據主要是症狀，對脉診有所删減，在傳承《醫學入門》與《萬病回春》時，更加注意提取作者看重的關鍵要素。

本書輯録的内容涉及多種辨證論治方法，如八綱辨證、六經辨證、臟腑辨證等。如「火病門」載：「實火因外感邪鬱在表者，宜九味羌活湯；半表半裏者，小柴胡湯；已入裏者，用大承氣湯」，體現了八綱辨證之辨表裏。又如「頭痛門」曰：「太陽病則惡風寒，脉浮緊，加藁活；陽明症則自汗發熱惡寒，宜升麻、葛根、白芷；少陽症則寒熱往來，脉弦，宜加柴胡、黄芩；三陽症則胸膈宿痰，病久不止，令人喪明，宜川芎茶調散探吐；太陰症則體重臟痛，脉沉，必有痰，加蒼朮、南星；少陰症則寒厥，脉沉細，加附子、細辛；厥陰症吐沫、厥冷，脉浮緩，加吴萸……」運用了六經辨證之法。再如「發熱門」言：「是故肝症則發熱，在肉下骨上，寅卯時甚……心症發熱在血脉，日中則甚……脾症發熱在肌肉，遇夜尤甚……肺症發熱在皮毛，日西則甚……腎症發熱在骨，亥子時甚，兩手足心如火……」反映出臟腑辨證的運用，如此等等。

本書較好地運用了中醫引經用藥、臨證加減、疾病鑒别等方面的知識。如「痛風門」載：「在上痛加薑活、威靈仙，在下痛加牛膝、防已、木通、黄柏，手臂痛加桂枝」，運用了引經用藥的理論；將四物湯加減用於燥結、嘈雜、霍亂、便血等病證，體現了靈活的臨證加減；「浮淺爲疥，深沉爲癬」等，强調的是疾病的鑒别。諸如此類，不勝枚舉。

注重内外同治，使用多種治療方法。如「鼻病門」載：「鼻内有硬物者，宜單南星飲，外用石菖蒲、皂角爲末，以錦包塞鼻，仰卧……」對於鼻内有硬物的治療，既用南星飲内服，還配合石菖蒲、皂角外用等，方法多樣，擇優組合，内外兼療。

可見，《家傳醫方》是一部主要繼承、摘録中國明代《醫學入門》和《萬病回春》臨證精華的醫著。全書共輯録五十八種病證及五百八十餘首相關治方，着重摘取李梴、龔廷賢臨證處方用藥的内容，而删减條文注解、理論闡釋、病機分析、舌脉診察等方面的論述。此書結構清晰、層次分明，整理歸納了常見病證的處方用藥，較好地滿足了臨床醫生的施治需求，是一部結合當地實際、便於臨證實用的越南醫著。

四 版本情况

《家傳醫方》成書於一八二二年，僅有一部鈔本行世，現藏於越南國家圖書館，本次影印即以此本爲底本。

此本藏書號「R.311」，不分卷，一册，四眼裝幀。扉葉有朱筆「家傳醫方」四字，書前無序。首葉節録《國色天香·龍會蘭池録》中的詩文，與醫學無關。書末附有二文，其一爲「宋山縣平和社歸臣張文□肅呈」，由「居士范春　題筆」；其二的題寫者未詳。全書無框廓及界格欄綫，無版心、魚尾。每葉行數、字數不定，書口上部標有各門的病證名。正文用「、」句讀，用「○」標識藥名，以「—」標識方名和病名。書中存在少量筆寫訛誤，亦有少許越南俗寫的草書文字。

綜上所述，《家傳醫方》係越南醫家摘録改編《醫學入門》《萬病回春》而成。全書正文以病證分門，録有病證解要和治方用藥；書中所整理、摘録的内容，偏重於原書臨證處方用藥的實用性，并未摘録基礎理論和脉學方面的内容；對醫方也優中選優，遴選出最適於越南臨床治療者。本次整理影印此書，意在使讀者了解中越傳統醫學交流情況及中國醫學對越南的影響，希望對中越醫學交流歷史和臨床施治的研究有所裨益。

曲璐　蕭永芝

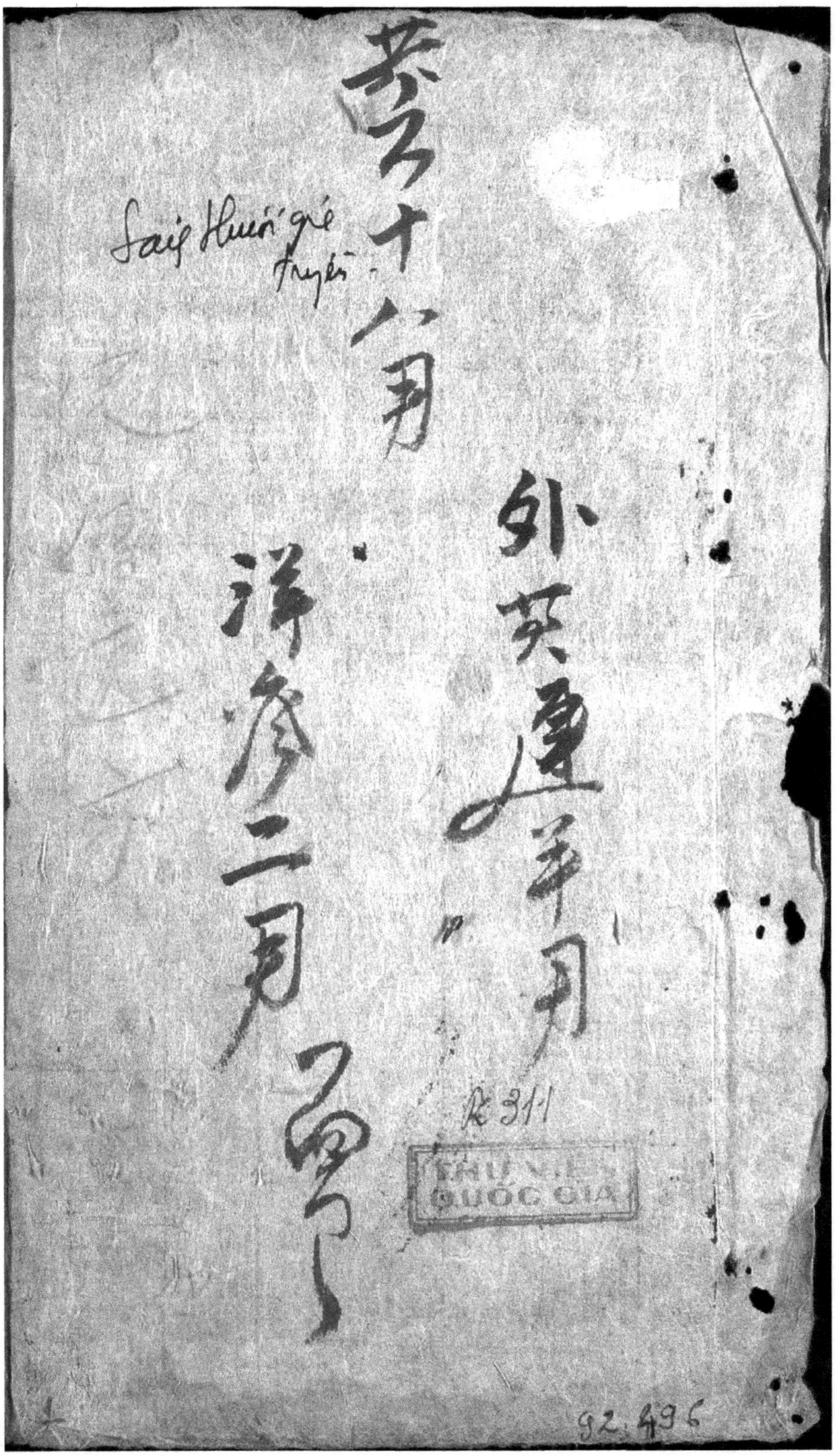
THƯ VIỆN
QUỐC GIA

昔有一男遭好乱落遍邊江湖適遇宅女避乱共言宅園男因作詩以挑其情 詩云
胡馬嘶風闹北幽边好好君却落在崖前嗐泊相元来本里收我何处何天天古今無主新知已数曲浅残腊溪边
少女從石肝膓牢不二々破因而部也首以止其人詩云
冒鵧鸜鵒遍山边鶊目作小步不前廟面無人已捧日江湖有我去直墓天狐行防阻因迷元鶗入叢中只為鸚四首鄉山千里作小無奈淚漣々

驚悸

驚悸怔忡健忘

悸之不自安曰驚悸，如人將捕曰怔忡。驚悸皆由思慮過度，及大驚恐，以致心停痰，或耳大聲，見異物，臨危觸事便覺驚悸。血虛者四物湯、伏神湯；氣血俱虛者人參養榮湯、養心湯。驚悸時作時止者痰也，宜二陳湯加菖黃連、遠志、竹茹、姜汁。怔忡因驚悸久曰即成，由痰火者宜溫膽湯加黃連、山梔、當歸、貝母；氣鬱者四七湯加伏神、遠志、竹茹、竹茹、姜汁。停飲胸中不寧者，宜二陳湯加伏神、檳榔、麥門、沉香。

或朱雀丸怔忡久不和健忘也定志丸老年人神虚者遗忘惊悸

固本丸 养心汤 茯苓 茯神 半夏 当归 川芎

各味五分 丹仲四分 远志 桂肉 柏子仁 五味 酸枣 人参各三分 姜枣煎

治形体憔悴思虑多少睡惊悸不宁

加减固本丸 丹参 天门 熟地 人参 远志 茯神各三

五分 菖蒲五分 麦门 白茯各四分 甘草 为末蜜丸每五十丸安心

茯苓尾汤 茯下 治中风后健忘 茯神 茯苓 麦冬 和匀

朱雀丸 茯神二两 沉香五钱 为末蜜丸如小豆每十丸人参汤

汗

人參煎湯下。治心神不安，恍惚驚悸。

定志丸　遠志　菖蒲各二兩　茯苓三兩　人參一兩　右為末，加琥珀、辰砂為衣，蜜丸如梧桐子大，辰砂為衣，每一十丸，米湯下。治痰迷心竅，心氣不足，驚悸恍惚，怔忡健忘。

溫胆丸　半夏　枳實各二兩　陳皮一兩　茯苓五錢　甘草四錢　竹茹一兩　姜棗煎。治傷寒痰飲，虛煩不眠，心胆虛怯，怔忡，及小兒驚痰病癇初。

四七湯　二陳湯並見痰門　四物湯　人參養榮湯　茯神湯並見驚悸

自汗盜汗

至若睡醒相久侵之出汗者曰自汗睡而出汗醒而漸收曰盜汗

自汗由蓋陽氣不足衛外而然有火熱者宜補中益氣湯有痰

不者古黃陰湯主瘦症自汗發眩咳逆者宜用川芎白朮陳

皮半夏紫蘇葉伏苓因飲食驚慮恐虛者補多汗自歛者

是濕也熱宜羽防湯玉屏風散胃熱者和平湯盜汗和由

心火熱脉失宜多服文蛤湯陰虛火動者宜四物湯加

知柏脾濕者四製白朮散肝熱者用龍膽瀉肝湯為末來

汗閉服通用莫蕃文花湯

汗

戎耳湯 耳帅 象帅 五味子 苓子 生姜 石菖 煎服
治胃熱分秘耳火痛之腦瘕

潤肝湯、麥黃少二钱 天冬少二钱 姜活少许 生耳帅 防尾 黃芩 生姜
各五分 麥門 生地各三分 黃芩二钱 升麻少许 末 紅花各二分 五味五粒 水煎温服
治濕熱自汗書虛 虛弱不停尾

玉屏風散 防尾 黃芪少 各二钱 白朮少许 水煎服 治自汗 無症

四製白朮散、白朮四两 同黃芪 石斛 牡蠣 麥麩、各炒定司
右四味 独取朮 白為末 每三錢 粟米湯下 治盗汗

當歸六黃湯 黃芩 黃柏 生地 熟地 當歸 各五分 黃芪少三

臨卧水煎温服治心火炎至內盜汗

茯苓交泰湯　茯苓炒　甘艸　遠志　大棗二　為湯煎服

治胸中煩悸診湯或先湯內叙護瘡或痛疽瘡內叙湯

兼治盜汗

正元補虛湯　人參　當歸　厚朴　茯苓　白芷　烏藥

熟地　川芎　茯苓各五分　肉桂　五味　白朮　半夏　丁香

木香　乾姜　甘艸各二分　生姜　大棗二　空心煎服　治寒熱

腎虧身疼脚腰軟弱精筋自汗肢冷夜夢

芎䓖鱉甲湯　桑白皮　半夏　貝母各弍分　地骨皮　知母各三分
芎䓖　羌活　白茯苓　赤芍　柴胡各三分　鱉甲五分　天門冬五分
肉桂　人參　桔梗各七分　紫苑　生地各三分　水煎溫服
治虛勞骨蒸肌肉消瘦四肢煩熱心悸盜汗少分咳血往來熱

虛勞症

火病門

實火則內外皆熱口渴日夜潮熱大小便閉虛火則潮熱有時口
燥不渴實火因外感邪熱而表者宜九味羌活湯等表

半裏者小柴胡湯已入裏者因大氣急渴燥渴者白虎湯因瘀血者黃連解毒湯發狂者黑奴凡屬失因學倦傷胃身熱者宜補中益氣湯加烏藥黃芩或四君子湯大病後吐瀉後身熱加乾薑門脉脫者辛熱吳茱萸溫參良次初熱自退附子理中湯傷色發熱火動午後發熱宜四物湯滋陰降火湯胃氣凡相火旺是氣從臍下起者宜正氣湯炒黃凡凡氣從膀胱元起入腹者難治宜四物湯加白 腰胃降火以代參連或人中黃病好外用附子爲末深

火

脾冷手足心並肉傷生冷及飲食不化四肢熱如燎者宜升陽散火湯、火鬱湯。大要列火起於肝而手撑目眩，宜瀉肝湯加龍膽、瀉飽。列火起於胃而癡、寒、脹、渴，宜瀉黃散單子黃芩丸。悲哀列火起於肺而氣逆、噴鬱，宜瀉白散加黃芩、黃連。房勞列火起於腎而骨蒸潮熱，宜大補陰丸、滋腎丸。

升陽散火湯

升麻　葛根　獨活　羌活　白芍各五分　人參五分

防風六分　柴胡八分　炙甘草三分　生甘草六分　水二煎火溫服。

治四肢發熱肌熱筋痺熱骨髓中熱如燎，五分足冷物。火鬱（見其門）

正氣湯 黃柏 知母（炙 少半） 甘艸五分 水煎服。此刻系陰火上炎汗

火鬱湯（見其門） 大補陰丸 黃柏 知母（各四兩） 熟地 龜板（各六兩）

爲末，豬脊髓和蜜丸，每七十丸，空心鹽湯化下。此

刻系陰火壯，骨必萎，治腳軟筋疼，宅地黃，加白芍倍牛膝

加耳艸。○ 九味羌活湯（見解肌門） 大承氣湯（見下通門） 白虎湯（見和解門）

黃連解毒湯（見傷暑門） 補中益氣湯 四君子 四物湯 胃苓

凡（見補益門） 滋陰系火（見火鬱門） 滋胃凡（見脾胃門） 瀉白散（見咳嗽門） 瀉黃散

燥

召附子理中湯 即理中湯加附子也 理中湯 天雄 麥門

淨腑湯 川芎 當歸 各六分 白芍 六分半 柴胡 前胡 枳殼炒 牡丹 各四分

右等分 二貼水煎服 治血虛大便燥澀者

燥結門

夫燥或由肺氣入于大腸者曰氣燥 宜疎氣 咳急 氣或因臟腑積熱及久病鬱熱曰熱燥 宜四順清涼飲 或因脾胃使大便閉不分者曰血燥 宜四物湯加大黃桃仁 結亦有陽結陰結 夫虛結燥宜蓯蓉以潤結 宜香芩以瀉 如心腹脹滿不安

秧由燥結者宜檳榔凡大小便閉宜脹加鼓由燥結者宜
三和散合三黃湯加因與汗或利小便過多及產后失血
液枯由燥結者宜胃氣凡丈補陽凡或帶滯通者湯加
檳榔附皮條芩七味氣閉秘之迫者宜三和散六磨湯
瘀滯不通燥結者宜二陳湯加枳殼檳榔由傷熱物者
三黃凡傷寒物者丁香脾積凡由脾胃伏火燥結者潤腸
凡通用丈英飲子凡腎役氣血燥者補中益氣湯大便
秘者宜活血潤燥生津飲通用冷熱尉火泄瀉脾泄兼油潤泄

燥

搜風順氣丸、車前子 郁李仁 檳榔 火麻仁 兔絲

牛膝 山藥 山茱萸各兩錢 枳殼 防風 獨活各一兩 酒大黃五兩

為末蜜丸每十丸早晨臨臥茶酒任下久服大腸

微利、以羊肚腸者宜羊肉補之、治腸胃積熱胸膈痞悶或

便燥澀腸風痔漏腰膝酸疼肢節頑麻手足癱瘓亦治

寒症澀諸風並治及老人大便結燥每一丸服

四順清涼飲、當歸 芍藥 大黃 甘草 薑片水煎溫服

治血熱蘊結壅壅滯不通或口舌生熱或日晡肌熱

或夜臥并熱

三和散、沉香 紫蘇 大腹皮 羌活各四分 木香 白朮
檳榔 橘皮 甘草各三分 川芎一分 木瓜二分 右為末 煎溫服
治七情氣結脾胃不和心腹脹急大小便祕寢食俱痛
便秘甚加枳殼蘿蔔子

三黃湯丸、黃連 黃芩 大黃 等分為丸 熱水下或以蜜
亦名 治三焦積熱咽喉腫閉心膈煩躁不便泄澁

潤腸丸、當歸尾一ツ 防風三ツ 大黃 羌活各二 桃仁半 麻子仁

螺

又方 皂角丹（燒存） 等分為末，蜜丸，每五十丸白湯下。

治久病腹中實熱，大便閉澁，不思飲食，及丸結秘服之不效。

導氣除濕湯 茯苓（去皮錢半） 滑石 知母 澤瀉（各去） 黃柏（去皮不） 另

等分為末，每貼水煎溫服，治小便閉。

檳榔丸 檳榔 茯苓 大黃 白芷 枳殼 羌活 牽牛

麻仁 杏仁（各去） 人參五錢 為末，蜜丸，每四十丸，空心服米。

掩臍法 用蝸牛三枚，或用田螺連殼搗爛，入麝香少許，

貼臍中，以手揉按之，二便立通。 大黃餘蒸丸 九時 病門

香油導泄　令人口含香油以小竹管一箇置入肛门仍以油
吹入肛门送手努其油通入腸漸々上行乎努即通
四物湯　嘗氣丸　補中益氣湯補益丸　導滞通幽湯見閉膏门
大承氣湯見閉门　承氣湯見痞门　冷熱熨泄　前以冷物熨小
腹九次和以熱物熨之又以冷物熨之自通。治二便閉塞
淋瀝弱血陰中瘀痛
發熱門。活血潤燥生津飲
又外感之熱汗下即解惟内傷虛熱汗之不解為異此内

熱

併勞役苦熱倦怠無力不可寒者宜補中益氣湯内
併芭歎阴虛苦熱便硬足冷者宜滋阴降火湯加味逍
逍遥散内傷思慮神昏恍惚眼燒者宜歸脾湯伏神
湯内併生冷鬱遏阳氣及脾虛伏火止手足心熱肌膚不
甚熱自汗不分者宜火鬱湯肌能勞役傷胃口中無味
晝熱夜静者俱宜補中益氣湯上盛下虛者清心蓮
子飲房勞思慮併胃阴虛咳口有味夜熱晝静者俱
宜四物湯加知母黃栢甚者加童便龜板三五阴阳兩虛

晝夜發熱煩渴不止宜古芍黃芩湯加膽冷草熱宜
人參地骨散久陰勞損者八物湯是者既消散老年
虛加五味子麥冬地黃八童虛少陰泡加虎骨不足化
血血耗則火自沸騰消變而為骨蒸則肉如針刺骨
熱煩痰或五心俱熱或兩脇如火或晝微子與而夜
乃久熱已發是故肺症則其熱在肉下骨上寅卯時甚
宜瀉肺凡人中白散心症其熱在血脉日中則甚宜單
瀉心湯導赤散脾症其熱在肌肉遇夜不甚宜瀉黃

熱一

散三白湯肺症其熱在皮毛日西加甚也瀉白散甚者涼膈散腎症其熱在骨亥子時甚兩手足心如火宜滋腎丸主之通用五心蒸湯凡若在心内熱煩燥舌口燥及大病後津液枯竭煩渴宜人參麥門冬湯不眠者六一散甚加牛黃疳瘦其熱者宜乳湯加知母人參白芍五味子大棗湯其熱者宜竹葉黑依姜仁入生姜汁和服效益最妙

火鬱附湯　升麻　葛根　柴胡　白芍各七　羌活　防風　甘草一錢

右等分爲一貼兼白爲湯煎服治手足心煩熱下症

古方姜湯　高姜一錢 茯苓 姜一錢五分 水煎服治痰火上攻沖胸脇 其熱

人參麥門冬湯　人參 麥門 小麥 茯苓一錢各 竹茹一錢半

白芍一錢 五味子五分 水煎服治痰熱煩渴

三白湯　白芍 白朮 白茯苓各一錢 五味子五分 水煎溫服

治痰煩或渴或湯肉理内傷外感奇方

導痰心湯 一名導痰連湯 用導痰爲主 水煎二三分 是之病

人大小多之或煎飲治心實熱顛狂譫語二腑溢者

搜人

五蒸湯、人參 茯苓 地黄 葛根 石膏 麥門冬 石斛

減半小麥乞撮、水煎溫服、治諸虛煩熱、為癆自汗骨蒸

人參地骨散、人參 地骨皮 柴胡 生地 茯苓 各乞口半 知母

石膏 各乞ﾘ 伏苓 五分 姜三煎服、治膽中發熱、冷呆中熱腹

茯神湯、茯神 元ｳ半 白朮 當歸 各乞ﾘ 酸棗 分 人參 黄芪

羌活 各五分 石菖蒲 弍分 燈心煎服、先用硃砂為末、弍分點舌

上和以此湯送下、治神不守舍

人中白散、人中白 弍 羌活 石菖蒲 青黛 各五ﾘ 為末每二ﾘ

童便調服。○鷄鳴湯（並見脚氣門）檳榔散 瀉黄散（並見口舌門）暑方散

文蛤散（並見渴門）二丸湯（見瘡門）補中益氣湯 四物湯 八物湯

（並見補益門）清心蓮子飲 加味逍遙散（並見瘧門）滋陰降火湯（見遺精門）

滋陰腎氣湯（見小便門）瀉白散（見咳嗽門，又見不通門）

惡寒門

夫外感之惡寒，頭疼微之汗即止；其内傷之惡寒者，宜參芪理

中湯或調中益氣湯加草豆蔻、桂枝；内傷自汗不治足

寒者，宜四君子湯，茯苓倍加草豆蔻、桂枝，如益夜惡寒

寒

甚者宜單用人參、黃芪、桂、朴，加附子以補亡陽。如久病陽虛
鬱陷而生寒者，宜升麻、葛根、木香、白芍，加參、附、白芷、肿
豆蔻、蒼朮、益智之類服。若陰虛微生寒而發熱者，宜二陳
四物湯加知母、黃柏、地骨皮。熱痰鬱生寒者，用蒼、參、芥
水豆各宜以為末，生薑汁調服，探吐。欲以川芎、南星、蒼朮、黃芩
為末，糊丸，白湯下。冬月去芩，加姜汁。其病屬熱然甚然之
寒發里慄，稍加麥神丹者及火室痰鬱，宜四物湯加黃
芩、黃連、黃柏或於此湯中酒熱肉鬱之類者，宜黃芪

又葛根五分煎服，汗出即愈。調中益氣湯、四君子湯、四物湯見補益門、乾姜理中湯見瘧痢門、二陳湯見痰門、升麻葛根湯見解肌門

嘈雜

似飢非飢，似痛非痛，故曰嘈雜。乃吃通翻胃之由也。以中分辨：中嘈雜者，宜只朮丸加山查、麥芽；有熱者加芩連。由停飲中嘈雜者，宜麴朮丸；胸滿者保和丸。濕痰、痰氣鬱舒不合分嘈雜者，宜三補丸加蒼朮。多陰啟分中嘈雜者，三聖丸。痰火動中嘈雜者，宜二陳湯加姜炒芩連、山梔，為

嘈

君南星半夏為佐熱多加麥芽黑豆五皮嘈緊者由嘈患

多係血虛宜四物湯加香附貝母山楂黃連瓜蔞

麯朮丸　神曲二兩　蒼朮一兩半　陳皮一兩　為末薑汁煮神曲糊

丸如梧子大薑湯下治停飲宿食心痞或嘈雜或吐清水或

噯氣

三補丸　黃連　黃芩　黃柏　等分為末蒸餅為丸服七三

健脾燥濕五膈次　枳朮丸五錢　和二陳湯五錢

保和丸　山楂六兩　神曲　半夏　茯苓各二兩　陳皮　連翹各一兩

華蓋子(二兩)等味為末蒸餅丸每五十丸白湯吞下
治痃切分積脹滿痞腫加白朮 保和丸(加白朮二兩)名大安丸
三聖丸 白朮(四兩) 陳皮(二兩) 黃連(五錢)為末神曲糊為丸如
菉豆大每五十丸姜湯下治中心嘈雜吞食 四物湯(見補益門)

厥門

先發寒後發熱或伏熱深而振慄或厥寒甚而煩燥者謂之
厥不能手足厥冷為寒也寒者利陽縮而四肢冷熱者利
津液獨泄而手足熱厥寒泣血者為熱宜理中湯四逆

湯感暑者耗氣并方者宜白虎湯或香薷散加羌活良
月當後犯房以致陰氣虛損目盲耳閉者陰陽兩虛方宜
四君子湯加陳皮麥冬附尾玄參麥門冬因勞能八分濕熱
相攀陰氣能至故手足心熱陽氣熱者宜補中益氣湯
火攀湯因多欲房勞陰氣能至故手足身寒陽陽寒
方宜十全大補湯加附子或有兩四逆湯加暴泄者宜通四
冷者宜分合香丸八味散氣散並氣通息呃血鼻衄等
方者宜四物湯加地黃加玄參茯苓人參桔梗陳皮麥門

方

救擲姜煎服因當役飲冰夜驚茯苓甘草大君子湯
加蘇連竹茹姜汁内傷痰火茯苓甘草二陳湯加竹瀝姜
汁加生附子救火加蘇連山楂姜當歸死口痰或入痼恐
緣中外邪為勝急相搏脉絡脈伏昏不知人手足逆冷頭
由主黑牙固緊急為語昏倒不可以兆症治先以二刹合
香薷丸灌之候醒以木香勻氣散合平胃散服之茯苓
東癱症先以二刹合香薷丸灌之醒其二陳雜葉口噤者用瓜
蒂散吐之或搐鼻亦可熱甚者大承氣湯雙解散下之

丹

四逆湯 乾姜五分 附子炒一錢 甘草炙一錢 水煎溫服。治陰症怕寒，厥冷踡臥，脉沉微弱，手足厥冷，指甲唇青，嘔吐或咳或瀉，裏寒外熱，咽痛飲逆。

當歸四逆湯 當歸 芍藥各炒一錢 肉桂去皮一錢 細辛八分 通草 甘草各七分 姜棗水煎溫服。治血弱手足厥冷，逆脉痺，嘔噦，脉細欲絕。素有久寒加吳茱萸、生姜；寒甚加附子；脉不出加人參。

蘇合香丸 白朮 青木香 硃砂 犀角 沉香 射香

16

訶子皮　丁香　安息香　蓽撥　白檀香　零陵香　各分兩
龍腦　薫陸香　蘇合香　香油　各等分　為末用安息香油
調熬成膏同前合香油和藥丸劑每服發丸梧桐大設
丹砂湯冷作意下四丸老人小兒湯化下半丸○丸療疰足
中風療涎壅塞上喉中有声不能下者合蘇冊白丸搗子丸
薑汁化下中風如見鬼神者白湯下傳尸咳嗽薑蜜汁
白湯下与腸疫瘀中惡嘔吐薑湯下脚氣衝心用皂莢
和丸瘧疾胎脚心止痛兼治傳尸骨蒸腸之壅瘧將鬼

方

氣霍亂吐瀉好急瘴瘧赤白暴痢瘧血淋閉產後
中風小兒驚風牙緊不言并等症
八味順氣散 人參 白朮 茯苓 各二錢 甘草七分 棗二枚 生姜
三味加青皮陳皮白芷烏藥共煎服 治中風人宜先服
此順氣秘追風藁苑一牙老茯苓加又香沉香烏藥甘草
治中風不語口眼喎斜 理中湯 辛固散 並元霍亂 白丸湯 元痛
蒸和解自门 香蘇散 元疫癆门 補中益氣湯 四君子湯 六君子湯
四物湯 大鬱湯 元并熱门 木香勻氣散 元瘧瀉门

頭痛門

頭痛已久大便燥目赤眩暈者乃氣鬱血壅宜用大承氣湯下之外用大黃朴硝爲末和勻井底泥調塗兩太陽穴乃愈○邪氣上逆則頭作痛々甚和身冷乃內外治之

如頭痛因外感而得者必有寒熱宜以參蘇飲肥人加二术瘦人加酒炒芩尾熱加荆蔓子川芎酒芩頭痛加細辛小巔頂痛加藁本升麻除尾太陽痛知母尾寒脈浮緊加羌活陽明症和自汗身熱惡寒已加升麻葛根

白芷、少陽症列寒熱往來、脈弦、宜加柴胡黄芩、三阳
症列腹脹痛痛久不止令人昏暈、宜川芎羌活散辨
吐、太阴症列身重腹痛、脈沉、必有痰、加蒼术南星、少阴
症列寒冷、脈沉細、加附子細辛、厥阴症吐涎、冷、脈浮滑、加
吴茱萸、發頭項背俱痛、宜合羌活湯、血虚者加細辛
各、屬左边、宜芎歸湯或四物湯加荊芥白芷羌活
氣虚者加細辛蔓荊、屬右边、宜補中益氣湯加川芎
頭痛
細辛引藥上頭目、不可缺、痛甚者加藁本為主之、蔓荊

其瘰疬痒如胝然所謂累包者宜二陳湯加芩連蒼
朮羌活川芎細辛當歸烏藥香附處穴瘰子頰瘡見手臂
白朮天麻湯 尾疵頰瘡見橘尾散 差疵頰瘡見葛根朮
葱白湯 暑疵見琥珀散
川芎茶調散 川芎四兩 荊芥四兩 薄荷 白芷 甘草 羌活
各二兩 防風 細辛各一兩 為末茶清調服 治諸風上攻頭目昏沉偏正頭痛鼻塞聲重也
羌活勝濕湯 羌活 獨活各二錢 蒼朮一錢 羌活 防風 吴茱
各四分 甘草 升麻 柴胡各三分 黃芩 川芎 蔓荊子

粳米　黃連　半夏　竹茹　各七分水煎湯服、

治頭頸項肩背手痹或痰涎爲冷、

古芎歸湯、川芎　當歸　各五分水煎入酒少許服服。

治臨產危脹痹作熱發痰譫瘈男子吐血亦宜、

半夏白朮天麻湯　半夏　陳皮　麥芽　神麯　蒼朮　黃芪

天麻　茯苓　人參　澤瀉　黃柏五分　白朮　神麯　各壹分

乾姜三分　黃柏二分　生姜煎熱服

頭痹

治痰厥頭痹如破目眩如山痰涎雍盛四肢爲冷不安

肉卧不心煩悶氣促上喘心神顛倒目不敢開胸脇噎塞
加喘咳呃逆加陳皮杏仁五味桔梗枳殼加厚朴腹
滿加木香紫蘇檳榔

葛根葱白湯　葛根　芍藥　知母各五分　川芎三分　生姜三片
葱白二莖水煎服　治陽明頭疼目疼鼻干不得卧

消風散　荊芥　甘草各二錢　人參　茯苓　姜蠶　川芎
防風　藿香　蟬退　羌活各錢　陳皮　厚朴各五錢　爲末每服二錢
治感風頭疼鼻流清涕荊芥煎湯下瘡疥溫酒下

治落尾上攻頸目昏眩腰背拘急鼻塞声重耳鳴及
皮膚瘙痒疥瘡婦人血尾頸皮膚痒又治眼胞皮肉有
似膠漆腫加桃李樹之類淚及偏尾牽引兩臉赤爛

柴胡半夏湯 柴胡 半夏 各毛ㄋ 茯苓 白朮 陳皮 各毛ㄋ
甘草 毛ㄋ 耳燈五分 生姜三片 棗二枚 水煎溫服
治傷尾頸痒并熱多寒無汗咳嗽加無汗加紫蘇葉有
汗加防尾咽痒加桔梗咳嗽加杏仁

頸痒 補中益氣湯 四物湯（益氣湯門） 參蘇飲（咳嗽門） 二陳湯（痰門）

透頂散 香薷乙兩 厚朴 黄連各乙錢 扁豆 右方四味用姜汁

炒香水煎與許服。治感暑而暍或吐瀉頭疼發為頭尾

如頭腦疼者是出分腦亦用桃葉作 出自鼻中頭內

有痛如出膿者乃是痰所以亦用麥子為末吹鼻中

頭眩門

夫頭之眩暈者如或以物蒙其首或如立舟車之上旨

精不足故所眩暈甚則卒倒不省人事蓋肥白之人

多由濕痰因火上至而人作眩或是泄瀉為主兼補氣

頭眩

火痰人由胃水不少，相火突上而作眩，宜滋陰降火化痰
抑肝。宜四倍參芪，血虛倍芎歸，痰更加竹瀝薑汁，火
更加童便。眩暈宜逆上之胸鬲痰經者，宜茯苓桂朮甘
草湯加減。內由傷勞役而頭眩，宜補中益氣湯。由傷色欲、
而眩者，宜四君湯加天麻。脾虛由感風而眩，初喉痰有汗
宜參蘇飲加天麻荊芥。有熱者加川芎石膏散。由感
寒而眩者則無汗，四肢拘急筋攣疼痛，宜五積散。感
暑而眩而煩渴，宜十味香薷散。感濕則眩而頭重吐涕

芎朮湯 芎朮除濕眩湯治老人與婦女和眩暈頭旦
自汗多鼻尾燥疾久虛眩暈元散如眩欲吐者欲發
頭身拘急鼻頭尾虛眩尾通宜散主之類眩筋惕肉
瞤宜內局溫經益元湯

茯苓桂朮甘草湯 茯苓四 桂枝三 白朮二 甘草一 水煎服
治汗吐下後氣衰虛逆心腹痞滿或身振振搖筋脈
惕瞤久則成痿

芎朮湯 川芎 白朮 半夏各二 甘草五分 水二煎溫服

治冒雨中湿眩暈發之嘔逆不食

芎术除眩湯、川芎 白术 各七分 官桂 甘草 各五分 生姜 七片

大棗二枚、煎服。治感寒湿眩暈發之極痒、

十味香薷散 香薷 一两 厚朴 扁豆 黄連 各七分 四味俱用汁

姜和匀炒香 人参 白术 陳皮 各五分 木瓜 甘草 炙五分 姜三片 煎

二枚加黄姜末作各為末 熱湯冷水调下 治暑虚泄和服

川芎石膏散 川芎 荷葉 芍藥 山梔 黄芩 甘草 各五分

致眩 菊花 荆芥 人参 白术 各五分 滑石 四分 寒水石 桔梗 各二分

厚朴ソ三 瓜蔞 防風 連翹 蔓荊 各ソ 酸仁二分 水煎溫服

忌姜辣熱物○治風熱上攻頭目昏眩風痰喘嗽鼻塞

口瘡煩渴潮困眼生翳膜并治中風偏枯

五積散兀痊每門 補中益氣湯 四君子湯兀痛每門 參蘇飲兀咳嗽

祛風通氣散 烏藥各ソ半 川芎 白芷 厚朴 桔梗 陳皮

白朮各ソ 茯苓 枳殼 人參各五分 姜棗煎服或爲末

紫蘇末爪煎湯調服治內風攻注外風中襲頭目昏

瘁鼻塞口喎語澁甚則項如拔彳屈伸不便胸背刺疼

膨脹咳嗽脚膝软弱吐瀉不分胎前産后一切之症尾善服

陶氏温經益元湯　熟地　生地　人參　白术　黄芪

甘草　川芎　當歸　白茯苓　陳皮　肉桂　附子　糯米

炮薑　棗　水煎服　有熱者去附子。汗後發大熱致眩

身筋惕肉瞤及亡陽汗出不止

大頭病門

夫大頭病者由時行毒濕氣客於高巔之上其症頭面腫痛甚

則咽喉填塞害人最速多濕熱多病此狀似傷寒之

緣目痒如發血運目痒腫脹明陽病也宜敗毒散加
孔竅外毒為荊及蓋耳前耳後及發血痒脹少陽病
也宜敗毒散加乾姜仁牛蒡子腦後及下脹地為太陽
病也宜敗毒散加荊芥防風脹痒甚加芒硝或防風
通聖散加牛蒡子玄參、敗毒散白孔竅防風通聖散 孔鼻病门
芩連消毒飲 茯苓 黃連 柴胡 耳咋 桔梗 川芎
荊芥 防風 羌活 枳殼 連翹 射干 白芷 生姜
煎服八牛蒡子毛撮再煎毛攪入竹瀝姜汁調服

面

治大頭病其熱子寒頭項咽喉腫疼

面病門

夫面腫者風冷秋冒風所致如面腫及赤未并牙疼悉擾宜升麻胃風湯若面唇黑心嘈如飢者宜防風通聖散頭連齒腫出血者胃火也宜清胃散耳後微腫者胃經也宜胃風湯耳上腫加羌活耳下加柴胡陽明經盛則面熱風熱上行則面獨熱先宜調胃承氣湯加黄連犀角次以升麻葛根湯加黄連川芎荊芥薄荷防

三 足陽明虛不足則身以前皆寒慄濕上逆則胃不足則寒

宜先以附子理中湯數服後以升麻葛根湯去芍藥加蒼

朮附子益智草蔻白芷葱白甘草名曰補胃湯如

面黑黧或生瘡紅紫或腫者俱宜金沸草散倍

芍藥或升麻胃風湯加減

升麻胃風湯 升麻二錢 白芷 當歸 葛根 蒼朮 各一錢

甘草 柴胡 藁本 羌活 黃柏 草豆蔻各三分 麻黃不

去節五分 蔓荊子一分 生姜大棗水煎服

面

治胃風面腫痛牙疼齒痛目蠕動
補胃湯　栢子仁　防風　細辛　桂心　陳皮各七分　川芎　吴茱萸
人參各錢半　甘草五分　水煎溫服。治男子臍腹脹痛五日肚腹鳴泄瀉熱遇冷而曲脘
防風通聖散（見鼻病門）升麻葛根湯（見斑肌門）調胃承氣湯（見下通門）
金沸草散（見咳嗽門。見痧門）。治面上細瘡，用黃連煎水，或目生瘡，用桃花
陰乾為末，熱水調服，外用杏仁煎湯洗之
治面上痱瘙瘡，用棗葉煎湯洗之，或用棗葉湯洗。如面
默黷及粉刺，用捲核研，溫，夜夜搽之

治面風兩頰赤癢外用杏仁研末擦之內服消風散或治面粉刺用枯礬生硫黃白附子為末唾津液調擦 消風散見癩門

洗面方 皂角三斤 升麻八兩 楮子實五兩 藁本 白及 白芷 天花粉各一兩 甘松 砂仁 白丁香各五錢 三奈三錢 為末糯米搗丸 量用洗面去垢潤肌 治面上生小瘡或生痱痤粉刺皮膚癢甚

清上防風湯 防風一錢 荊芥五分 連翹八分 梔子五分 黃連五分 黃芩 川芎 白芷 桔梗 枳殼 甘草各五分 水煎溫服

眼

治眼由生瘡癬風熱之要

眼病門

赤腫痛為熱，痒為風，淚為虛，不可峻用涼藥，因或內障，亦不可服溫藥，動熱致令昏淚。如眼中不赤痒浮白色遠瞻人或瞻人孔缺痒淚無恙者不治

夫火眼病多由外因風濕或多飢烟火醉飲失跳或冒破風被撞刺，亦或內因五辛炙煿酒麵膏粱房勞後泣淚刺跌，喜憂驚恐，極目遠視，夜半燈夾，故傷目而為患。初起而腫為表之，多係風散熱之，秋入腑為裏之，多虛血虛。神肥人

加尾寒瘦人加烏玄參眼皮加膠當歸加桃李甘之熱
淚乃尾熱也旦點花草頭尾眼痒甚宜服湯尾散邑迹
視不足遠視者眉脊邑眉邑尾迄遠視不迄遠視者心
脊邑足心尾迎尾冷淚者烏羹湯時疼有火者視眉尾
肝尾熱毒守眼病者草花散眉尾毒守眼病者白蒺藜散
北初珠突胞硬眶紅剌痒邑洗肝散洗心散當明散遠時
散蔓荊子散遠風內障七情眼時胞眶軟殘淡微赤者
邑手多流邑飲加川芎蒺藜痒淡多淚宜羌活正羌散

眼

因進思當神者宜大志丸 因驚恐者宜定心丸 因勞宜當歸養血會丸 因內飲食當傷火盛宜益氣聰明湯 氣弱者宜補中益氣湯 內傷色慾宜補腎丸 肥人多痰熱宜因痰用黃芩瀉火黃連 多鬱多血柴胡升麻白芷防風止痛 瘦人虛血虛宜四物龍膽湯加羌活蔓荊子荊芥梔子

菊花小兒眼患多是胎毒 今毒宜眼內敗毒散 外洗解毒湯

菊花散

菊花二兩 蟬退 木賊 白蒺藜各三 荊芥 各半

右為末每二錢茶清下

治肝受風毒眼赤血腫昏暗羞明多淚澁痒等症神效

白蒺藜散　南星　菊花各乙兩半　白疾藜各壹乙兩　荊芥　甘草乙兩

防風　羌活各乙兩　為末每服二錢薄荷湯下○治腎受風毒攻

眼昏淚澁痒○南星用黑豆生薑鹽同水煮老豆取南星焙乾

石決明散　石決明　草決明各乙兩　羌活　山梔　木賊各五　青葙子

蔓荊子各五　大黃　荊芥各乙兩　為末每服二錢麥門冬湯下

治肝熱因勞用力眼赤腫痒努生翳膜或擊腫痒或被打

打痒並治

眼

羌活石羔散　羌活　石羔　黄芩　藁本　密蒙花　木賊
白芷　羅蔔子　細辛　麻仁　川芎　蒼朮　菊花　荊芥
甘草各等分為末每服二錢茶湯調服。治眼翳障瞎拳毛倒睫
兼治頭風

洗肝散　薄荷　当歸　羌活　山梔　大黄　防風　甘草　川芎
等分為末每服二錢熱水調服。治風熱上攻眼暴赤腫痒隱澁眼淚

洗心湯散　麻黄　大黄　当歸　芍藥　荊芥　甘草各八分　白朮一錢
生姜三片薄荷少許水煎服　治風痰壅滯心經並熱積口舌生瘡
二便秘澁眼睛脫痒多淚羞明

四物龍胆湯 當歸 川芎 赤芍 生地各八分 龍胆草四分 防己四分
水煎溫服。治赤目暴發雲翳疼痛不可忍

瀉心丸 石菖蒲 甘菊花 枸杞各五分 辰砂二分 遠志二分 麥門冬二錢
蒸餅為末蜜丸每三十丸熱水下
治肝風熱或用力作勞動心無不守兩眥努肉攀睛人

定志丸 人參 茯神 當歸 琥珀 蔓荊子各五分 川芎二錢
生地 熟地 菟絲子 蟬退各二錢 一錢 車前子 細辛 白蒺藜
遠志各七分 為末蜜丸 臨卧以菖蒲煎湯下 清心益肝明目退翳

眼

腎氣丸　補中益氣湯補益五丸　瀉白散五數痔　當歸龍薈丸五腸痔

木香流氣飲五胸氣門　滋腎丸五小便不通門　敗毒散五咳嗽門　解毒湯五亂瘡門

益氣聰明湯　人參　黃芪　升麻各五分　芍藥　黃栢各二分　蔓荊子

一錢半　甘草　葛根各三分　水煎臨卧熱服五更再煎

治飲食後眼障耳鳴或目久昏暗服此無目翳耳聾

洗暴赤眼　當歸　黃連各二分　赤芍　防風各五分　杏仁　用水半盞

入人乳少許浸半日蒸過泥濾且洗且點

洗眼風赤爛癢痛　黃連　荊蔓子　參苦各五分　五倍子

99

少煎與澄沸候洗然甚加芺荅芺搖尾甚加荊荅尚尾葫蔛回
煎與洗之增萬效亦良

治尾眼淚流不止　用綠耳石烏賊骨為末點目耳口其淚即止

治眼赤痒　用芺毋蜜姿羽貼太陽穴立效

耳病門

治月蝕瘡生耳鼻面及下部諸竅用胡粉炒芺枯礬各
芺毋芺連穀粉各三ㄡ胭脂燒灰各ㄡ麝香少許為末先
用鹽水洗淨拭擦了或用赤油羽搽亦良

耳

夫耳者腎之竅，腎虚則耳聾而鳴，兩耳如蟬鳴者，熱鬱
甚則氣閉而漸聾，新聾者多火熱，宜散風熱，兼開痰鬱
之劑。舊聾者多因腎虚，宜滋通補竅之劑。如由厚味動
胃火，則左右俱聾；忿怒動膽火，則左耳聾；色慾動相火，
則右耳聾。風聾者因風邪入耳，則耳內作痒，或暴發痛，
宜服除風通竅散。濕聾者因雨水漬耳，則耳內腫痛，宜
涼膈散加羌活除風。虚聾者因久瀉或病後風邪乘虚，
而耳為氣相閉而鳴，或時眼見黑花，由陰虚者，四物湯加知

梔菖蒲遠志由陽虚者八味丸腎虚耳聾者由腎力脫虚故
瘦瘁力宜補中益氣湯加菖蒲因房勞脫勢亦聾耳
者宜人參養榮湯加知柏因膏粱瘀火亦聾耳者宜二陳
湯加芩梔木通痛若留聾甚及若因風熱壅滯耳內結核膿
者宜內服柴胡聰耳湯外用生豬脂地龍鍋煤姜汁和
凡加耳核膿累裹塞耳令潤挑刃老因風熱上壅耳內流濃
膿者宜內服犀角飲子外用枯礬五分凡良胭脂俱燒灰
各戒分研細五錢屋為末吹耳若耳疼如虫走者風至耳孔

耳

痔菌尾癤耳有血水菌尾湿俱可用蛇退燒存性為末吹
耳或枯聾為末吹入耳可效

柴胡聰耳湯　連翹四分　柴胡三分　甘草　当歸　人參各分　生姜三片
水二盞煎至一盞去渣入麝香少許再煎二沸食遠服
治耳中氣澁結或鳴而重聽

犀角飲子　犀角　菖蒲　木通　玄參　赤芍各五分　赤小豆五分
菊花五分　生姜　水煎服　治尾癤上壅兩耳重聽閉外
内腫痔潰水出左耳甚加荊芥生地右耳甚加[illegible]

補中益氣湯　人參養榮湯　四物湯　八味元（益元）補益二元湯（聤門）
防風通聖散門丸（鼻病）　治百虫入耳○用清油灌入耳口吸氣久
自出○或用桃葉搗取汁滴耳或用桃葉爲末蒸塞耳或
用桃仁搗取汁滴入耳虫

鼻病門

防風生地芩連湯
生地　黄芩　黄連　山梔　川芎　當歸　柴胡　桔梗
牙硝　犀角　大棗　宅救必曾取近熱入茅根或蓮藕搗
汁和服○治鼻衄或流一切老血過多諸瘡失神目不知人

鼻之新塞者由傷感風寒，宜以風寒治，如九味羌活、參蘇飲之類；久塞者由冒感風寒，肺伏火邪，治宜降火通竅，如涼膈散加荆芥、白芷，或川芎茶調散之類。四時鼻塞乾燥不聞香臭，治宜降火清痰，加清宜化痰。凡鼻塞甚者與痰涕不知香臭者，通竅湯。鼻內有硬物者，宜單方皂飲，外用瓜蒂、皂角為末，以綿包塞鼻，仰臥。鼻鼾者流鼻流濁涕，由熱甚也，宜金沸草散、信芙蓉八鳥皇虎泥救燒存性，調服。鼻痔者由肺熱極結成瘜肉，如棗塞鼻

鼻

宜防風通聖散加三稜海藻為末內服外用辛夷細辛杏
仁文許為末和羊髓猪脂熬膏待冷入雄黃白礬輕粉
麝香為末綿裹塞鼻即脫鼻痔者因風熱入久正宜
硇砂故痔宜祛風通聖散痊者正宜散如癥史衛肺鼻
腦漏痔宜二陳湯加黃芩山梔桔梗麥門鼻衄者由陽明熱
鬱閉上行血溢故血從口鼻出初衄宜服黃芩湯加鬱金
旁張久宜清肺生脈飲如鼻先流涕久成衄者宜服除
風散或犀角地黃湯鼻中瘡者亦由肺熱宜用枇杷葉

煎湯待少冷，調沙尾散分次服。外用辛夷為末，入腦麝少
許，搐鼻，塞鼻。鼻衄殘流者，宜陶氏生地芩連湯。
御寒湯　黄連　黄柏　羌活各二分　黄芪三分　人參五分　甘草　款冬
花　佛耳草　白芷　防風各三分　陳皮　升麻各五分　蒼术七分　水煎服
治寒傷皮毛，鼻塞，咳嗽，喘急。
南星飲　南星為末，每次以棗七枚、甘草少許同煎，分為三
四服，硬物自出。治尾入腦，鼻內結物，穿塞流濁嗅。
通竅湯　羌活　獨活　蒼术　防風　升麻　葛根各七分　白芷

鼻

辛夷 川椒各三分 姜棗二爲末白煎服。治鼻塞不聞香臭。

防風通聖散 防風 川芎 當歸 赤芍 大黃 麻黃 薄荷 連翹 芒硝各二分 石膏 黃芩 桔梗各五分 滑石 辛夷各七分 荊芥 白朮 山梔各七分 生姜三煎服

治膽移熱于腦，流淨濁臭，風耳目口鼻咽喉風熱並治之也。

黃芩湯 黃芩三分 芍藥二分 辛夷五分 棗二枚 煎服。治鼻衄血。

犀角地黃湯 犀角 牡丹皮各七分 白芍一分半 生地三分 當歸七分 水煎

治傷寒汗不下解，吐衄不盡，血瘀發黃，便黑煩燥，發狂如喪

熱加柴胡黃芩鼻衄加山梔瘀血加桃仁

防風散　防風五分　黃芩　人參　甘草　川芎　麥門冬各二分

為末分作沸湯調服　治鼻衄腦熱濁涕不止

治鼻孔肉瘡或流臭水或膿痒內服防風通聖散外

用白牛尾毛橘葉燒灰為末吹鼻甚效

治鼻瘡用杏仁去皮為末以乳汁和之搽鼻瘡或用桃葉

擣爛塞鼻治鼻瘡

鼻

治大熱衄血用白茅根搗汁半盞生姜汁半盞和勻服此

吐衄不止隨其血筆之邊用茅根燒烟將醋洒之令鼻臭之
以遏其血或碎之以冷水噀面帶驚而血止
治鼻出血用百艸霜為末三匕水調服再乞少吹入鼻中或用亂
髮燒灰為末乞少麝香少許綿裹搗鼻立止或用為
擢花煎服或用擢花或用茅搗末塞鼻或用人亂童
便將海同煎服或用蓮藕節搗汁飲之再以蓮汁入
滴入鼻中或用頭髮燒末吹鼻亦效或用茅根毛捏
切碎少煎服或加蓮藕節同煎服○治衄血不止

口

九味羌活湯（見瘟門）參蘇飲（見咳門）凉膈散（見口門）清氣化痰丸 二陳湯（並見痰門）金沸草散（見喘門）祛風通氣散（見眩門）瀉風散（見痿門）瀉肺生脈飲（出虛勞門）

口病門

脾主唇口

凡由心脾二味厚，以氣之腥臭，口耗舌燥，宜瀉白湯加桔梗、知母、麥門、黃芩、五味。痰熱，以口瘡難愈，宜黃酒荷葉或五福化毒丹。心熱則口舌生瘡，宜凉膈散。肝熱，以口酸苦，宜小柴胡湯加龍膽、青皮、丹皮。膽熱則口苦或臭，宜瀉黃散、四順清凉飲。肺熱，以口辛，宜甘桔湯、瀉白散。腎熱，以口鹹，宜滋腎丸舌

膀胱移熱于小腸和溺澁口瘡糜爛用柴胡地骨皮煎服甚者加砂茯熱盛及大便不通臍痛喉舌口瘡潰爛者宜導赤湯

涼膈散

連翹二錢 山梔 大黃 黃芩 竹葉 薄荷各五分 朴硝三分 甘草一錢 水煎八分食後溫服〇二錢老砂芎加桔梗

治積熱口舌生瘡痰實煩渴膈胃秘澁便溺不利

導赤湯

橘皮 竹茹 黃芩 山梔 黃柏各五分 芒硝一錢 茯苓一錢 生地三分 生姜大棗二煎服

口

[illegible]

治口舌生瘡，煩燥膈熱，大便不通，臍痺喘滿，亦宜。一方加白术

薄荷煎　薄荷二两　川芎一钱　甘草一钱　砂仁一钱　桔梗五分　為末，和白砂糖成膏，任意化下。口治口舌生瘡，咽喉腫痺痰壅

五福化毒丹　玄參　桔梗各三两　伏苓二两半　人參　牙硝　青黛各一两　甘草七钱　麝香五分　為末，蜜丸，以金箔為衣，大人服每丸（小兒一丸）分為四服，並用薄荷湯化下

治積熱驚惕，狂言妄語，發熱咽乳，唇口腫破，生瘡，夜卧不寧，頭面遍身生瘡，及小兒驚風，痰熱潮搐，加大人口臭

36

及小兒瘡疹上攻口齒臭爛自然汁生地要碗一尺以雞毛刷內口

治心熱口中生瘡赤者用枯礬爲末摻之或吟礬良久又冷水數

治脾中熱口中生瘡白者用黄柏蓽撥爲末以雞羽掃仍以水嗽之或用黄柏青黛爲末摻之○良久加蜜陀僧

治心脾俱熱口瘡赤白者用玄胡索良姜黄柏黄連各五分青黛陀僧各兩錢爲末擦之或用文蛤即五倍子爲末摻之不妨

治口吻生瘡白爛用攢鄉燒灰入麝香少許和礬○此口牙疳瘡用山梔老仁煨白礬子內入鄉葉火中煨爲末吹入口中

治小兒口瘡不食用白礬煎湯浸脚半日頗覺仍以黃栢蒲黃為末摻之或用黃丹炒和勻生蜜蒸黑以毛雞搽之

治虛火鬱悶熱蘊在胸中乃使口臭用川芎白芷為末煉丸含化或為丸子亦可

瀉白散見喉嗽門 瀉胃丸見小便不通門 甘桔湯見咽喉門 小柴胡湯見和解門 四物清涼見燥結門

瀉黃散 藿香七分 山梔一錢 石膏五分 甘草三分 防風四分 銼碎用蜜酒炒香焙乾每三錢水煎溫服○治脾蘊胃熱口內生瘡好湯

舌病門

舌

心主舌凡舌胎白自而黄而黑者死卒中者則舌强而短舌卷
不言者死大承氣用小陷胸湯寒用理中湯熱用升桔湯
○古語云舌腫滿不得息者宜金沸草散久不愈宜黑
參凡外用古礬鹽散舌生瘡腫顯裂腫者宜玄參升麻
湯舌長過寸者用冰片爲末敷之即縮凡舌强或腫或短
宜再語飲腫熱舌胎刺滋如雪宜二龍荷寒冰蘗凡
玄參升麻湯　玄參　升麻　甘草各三　水二鍾温服
治發斑煩躁譫語咽喉閉塞腫痛

舌

治因風寒濕舌強硬者用白礬肉桂為末安置舌下或用

正舌散 治肝熱舌出血多者用槐花為末摻之

治舌腫滿口不能言飲食不通用蒲黃頻刷舌上自退如不能飲食以黃連煎湯時時呷之以瀉心火

黑參丸 玄參 天門冬 麥門冬 等分為末蜜丸彈子大每服一丸綿裹噙化津液下 治口舌生瘡經久不愈口舌肥破亦用

舌痛鹽散 百艸霜 青鹽 為末以井水調塗舌上 此治舌多肥破用要也

又治小兒口舌生瘡用桑白皮汁塗之神效

耳聾飲　生地黃　熟地黃　菖蒲　天門冬　麥門冬　枇杷葉

只壳　黃芩　石斛　耳艸　等分水煎服。治胃中客熱

咽喉乾燥，牙宣齒齦腫，或身黃如疸，及治舌强脹短。

薄荷散　白礬　薄荷　自然汁　等分，先以生姜蘸水揩淨然敷之

治舌上生瘡，或胎死，發言語不真。

治舌上忽脹出過外口，是蜈蚣毒，用雄鷄血盛小盞浸舌退。治心熱舌生瘡破烈，用黃連煎湯飲之。

唇病門

唇屬脾，凡唇脫瘡，外敷李皮、豬脂、橄欖、黃柏散，内服瀉黃

湯、薏苡仁湯、瀉胃湯、瀉黄散 見口病门

薏苡仁湯 苡仁 防己 赤小豆 甘草 生姜煎服

治尾脈及脚腫、唇口瞤動或結核或浮腫、

黄柏散 黄柏二两 五倍子 密陀僧 少 各錢 甘草上乎為末以

銅瓷唇或為箔片貼唇上 含口亦可 ○治口瘡唇腫也

瀉胃湯 大黄 錢 葛根 錢 桔梗 枳殼 前胡 杏仁 各五分

生姜煎服 ○治胃熱唇口乾裂便秘煩渴睡流口涎

唇

治唇腫瘡口緊小不能開合飲食不得 ○用青皮燒灰和猪

脂調擦，再將青皮為末，每錢酒調服。又方用亂髮、蜂房、文蛤、毛燒存性，猪脂調擦。或用黃柏散塗之。又方用蟹殼燒存性為末塗之。

齒病門

牙齒骨之屬，腎之標也。精完則齒堅，腎衰則齒豁。虛熱則齒動，多因飲食之後，恣致濕熱上攻，故腎虛而齒脹痒，或出血生血，動搖黑落，治宜滋陰補腎，如八味丸、三味之腎虛之劑。若口吸風則齒痒甚者，宜祛風散。風熱相搏，齒齦腫痒，膿汁臭者，宜以犀角升麻湯，或

用五倍子同火煅過研爲細末荊芥細辛白芷各五分爲末

搓搽水煎一二服甚效風熱攻衝齦肉腫痒口舌生瘡

黃芩柴胡地骨皮薄荷藏羊水煎熱漱冷吐或服之要

忌犯肥腻厚味齒痒宜白芷湯風熱上攻齒間

血痊刺痒者宜甘露飲加升麻牙縫流血風熱者清

胃散加荊芥破内服外擦胃虛者四物湯加升麻外敷青鹽

散齒出血胃熱者玉池散通用固齒子牢牙之殊功蟾酥散

齒

白芷湯　麻黃　草豆蔻各一錢半　吳茱萸　升麻　黃芪　白芷各四分

羌活六分 芗芳 亰熟地各一分 草本三分 桂枝二分 共為末先用
温水嗽口叙以手搽之或以水煎服治大凡寒犯胸齒痒
玉池散 地骨皮 白芷 細辛 防風 升麻 川芎 芗芳
槐花 草本 耳⿱ 共為末搽牙或水煎服痒甚加
生姜 黑豆 煎嗽冷吐○治凡牙痛肢痒且動搖牙齦淡
爆宜一路口卷一字毛骨皮加独活○治牙流血腫
青鹽散 青陽羽孔 青鹽五錢 為末擦牙治牙虫及齒歷
牙宜一路血流凡切齒疾

蒺藜散
蒺藜不拘生爲末擦牙或以少許煎入塩少許
漱口 治齒痛既效後用之固齒
固齒方 生地二兩 白蒺藜炒二兩 骨碎炒四兩 青塩生用 破故紙炒二兩 各
味爲末早晚擦牙津水咽下固齒烏鬚
治齒痛 乳香一兩 雄黃三兩 爲末擦之或用青塩白芷
細辛 石膏 爲末擦之 四物湯 八味丸 補益丸 甘露飲
五者 瀉胃 瀉黃散 五致 瀉胃 犀角升麻湯 犀角半錢 升麻 防風各
羌活 川芎 白芷 黄芩 白附子各五分 甘草炒 水煎服

治尾告鼻顴唇口牙腮痄口不足吞飲介好碍

頸項病

凡頸項生核不紅不痒不作腫硬〻不消破乃療瘰癧不散

宜二陳湯加大貝連翹柴胡桔梗牛蒡芍二陳湯加桔梗貝芩玄參麥門冬甘草少許入竹瀝多服自消外塗南星膏如瘰母耳殺各有花塊宜含化丹

南星膏 鮮南星五箇研細合与好醋和為膏先以針刺患處令以此膏攤紙上貼之覺痒則頻貼

治瘰癧及面頸核腫

含化丹　姜蚕　青黛　膽星　薄荷為末蜜丸含化

治耳後頸項生腫核

附治咽喉痛結喉　內用蓖豆七粒為末和多津收歛之外

用滓等為末搽頸外立效

咽喉門

凡咽瘡之症施用涼藥致毒氣內毒延入臟腑前合腹腔

取咽

上喉下咽咽喉瘡痺多是風火居干八種之症同總並灸

盖少阳君火少阳相火二脉並路走咽喉君火势盛则热结而為痹肿相火势速則腫甚不仁而為痹痹甚甚不通而痰塞以死如因過分煎炒蘊熱積毒宜忌或火刺煖湯二便閉澁胶膠不利治宜先祛風痰而後解热毒加涼膈散加黄連荊芥為主或古荊芥湯防風通聖散若風熱咽喉壯結而如毛刺若喉有碍宜敗毒散加黄芩羊蔓倍桔梗荊芥生姜煎服風熱相搏腫痹者宜消風散加薄荷玄參或射干湯牛蒡子湯好行

咽痺者乙普濟敗毒飲木舌乙舌者乙如聖金錠舌
根腫者乙蘇子朱砂丸如因鬱邑憂憤火上攻是咽
虛火初咽腫乾燥二便如常治乙補虛降火如血虛乙四物
湯加桔梗荊芥知母黃梔氣虛者乙四君子湯加牛蒡桔
梗玄參升麻痰多者乙六味湯虛寒者乙秘傳降氣
湯咽喉腫痛將死者乙柴胡桔梗半夏湯通用甘桔湯
荊防湯水捣丸
古荊芥湯　荊芥四ツ大黃小乙空心水煎服

咽

43

服。

治咽喉腫痛大便閉結及風熱結滞生疔瘡或加防風治頸

牛蒡子湯 牛蒡子炒 玄參 犀角 升麻 黄芩 木通 桔梗 甘草各等分，水煎服。

治風熱上壅，初發牙關緊急，已發咽喉腫痛，或生瘡癰及瘀血衝攻胸膈，氣促身熱不能言，如有痰加瓜蔞、貝母。

射干湯 射干 升麻各等分 馬牙硝 馬勃各等分，水煎溫服。

治風熱咽喉腫痛。

二仙散 膽礬二錢 姜蚕二錢 爲末，吹少許入喉中。治纏喉風、喉痹。

咽

普濟消毒飲 黃芩 黃連各五分 牛蒡 馬勃 藍板根
連翹各一分 人參三分 陳皮 甘草 桔梗 玄參 柴胡各二分
升麻 姜蚕各五分 為末 白湯調服 留半蜜丸 含化 或加防
風 薄荷 川芎 當歸 水煎服 治天行大頭病發面腫
目不能開 上氣喘急 咽喉不利 舌乾口燥 加大便硬加酒大
黃 以利為度

柴桔半夏湯 柴胡三分 黃芩 半夏 枳殼 桔梗 瓜蔞仁各一分
青皮 杏仁各八分 甘草四分 水煎溫服

治咽喉緊急將碎兼治共熱咳嗽肺瀉腸痔

利膈湯 薄荷 荊芥 防風 桔梗 人參 牛蒡 升麻

為末沸湯點服亦以治脾肺有熱咽腫生瘡甚加姜蚕

或加玄參亦可

水梅丸 鮮南星十五箇 鮮半夏五十箇 皂角 白礬 食鹽

防風 朴硝四兩 桔梗二兩 梅子百箇 先將白礬以水浸化

次將各藥研碎入水拌勻下將梅子入藥水中浸過三指

為度晒至水乾以磁罐收貯每粒如霜梅最妙用時以綿

畧安含口中津水徐徐嚥下療之自愈○治咽喉腫痹如神

甘桔湯 甘艸二錢 桔梗五錢 水煎服○治寒熱相搏咽痹

又方 治喉痹用土荔枝花及皮根煲水煎嚥下

金鎖匙 朴硝二錢 雄黃五分 大黃二分 為末吹入喉中 治咽喉閉塞神效

清涼散 山梔 連翹 黃芩 防風 枳殼 黃連 生地 甘艸

桔梗 薄荷 白芷 燈心水煎磨山豆根服○治咽喉腫痹

如喉乾燥加人參麥冬○又吐粉喉腫痹生瘡加牛蒡子玄參

發熱加柴胡喉不清加荊芥知母

45

一治喉腫痺或声不清或声亞及喉乾燥生瘡 薄荷五錢

生地五錢 生甘草二錢 桔梗三錢 山豆根三錢 爲末凡弱时咽凡律化合中

治咽喉腫痺及小兒驚急牙關緊急用白礬粮搗爛及

將湯ヿ乾八分礬和浸老布灌入口内良久即活再以手撥腥

外腫痺

治咽喉腫痺用生白礬爲末鷄肫皮以痺爲度口又之用吴茱

爲末猪胆汁足心立愈忌口又之用桃𦵢白皮煮服牙之或以

蕣韓御搗末の塩少許以捐暑り口含汁下

失音

防風通聖散（元鼻病門）涼膈散（元口舌門）消風散（元頭疼門）四物湯　四君湯（元補益門）

敗毒散（元喉門）

失音門

由喉痺而失音者　秘傳降氣湯　老陳皮加黃芩　由風寒失音者

甘桔湯加訶子　木通　入生地汁調之　或訶子散　血熱咳嗽失聲斷

喜用杏黛　蛤粉　蜜丸含化　或潤肺丸　尋常聲不清者　加味古

杏凡單總花散　若內傷虛損咽瘡失聲無治法

秘傳降氣湯

訶子　草菓　補骨脂　五加皮　桔梗　半夏各三錢

甘草　柴胡　地骨皮　枳殼　陳皮四錢　桑白皮八錢　紫蘇葉一錢

姜水煎服。○治痰塞喉道，胸緊舌瘡，咽痹耳聾，耳失音，腳
腰無力，怒目昏。

加味固本丸　天門冬　麥門冬　訶子　阿膠　知母各五錢　生地酒洗
熟地　白茯苓　黃柏蜜炙　人參三錢　烏梅十五箇　人乳　牛乳　梨
汁各一碗，為末，蜜丸如梧子大，每九十丸，訶子煎湯或蘿蔔煎湯送下。

○治男女聲音不清

單槐花散　槐花瓦上炒香熟，三更後去枕上仰卧，嚼而食之。治失音及咯血。

訶子散　訶子去核　杏仁去皮尖，各一兩　通草二錢，為末，每四錢，煨生姜五片

腰

必要老方温服之治久咳語音不出洞肺丸(見咳嗽門)再搭滑(見咽喉)

腰痛門

腰痛多是腎虚其新痛者宜疏外邪濕熱久痛宜補腎理血不可純用涼藥亦不可純用參芪補氣如感冒腰痛不已精敗或寒傷腎腰痛連背拘攣者五積散加吳茱萸桂有背痛者宜防風通氣湯久處卑濕或雨露侵淫腰痛如冷如水者宜腎着湯加附子小便不利宜五苓散濕熱相搏及因腎虚腰痛七味蒼柏散溺赤者五苓散足熱傷

腎腰痺左右無常連痺腳膝强急不可俛仰以痺者宜敗毒散加杜仲牛膝寒濕痺者五積散加獨活寄生湯羌活腎濕湯内傷失氣惑腰腹膨脹冷人陰羸不足久立遠行者宜七氣湯倍茯苓加沉香烏藥少許因憂思腰痺連腰腹脇脹滿因痺不食宜沉香降氣湯木香勻氣散因怒腰痺連脇者宜調肝散聚香飲子濕痰流注背脇痺者宜二陳湯加南星蒼朮茯苓尾加防尾羌活寒者加生姜桂枝因酒能入腎致腰痺難俛仰者宜四物二陳湯加參[illegible]麥芽神麴葛花

腰

砂仁　杜仲　茯苓　官桂　枳殼　桔梗　以力腰痛者，宜芎歸建中湯加芍藥杜仲。由跌仆墜木致血瘀腰痛者，宜桃仁承氣湯。女者補陰丸加桃仁紅花，或五積散。老者痛宜加木香烏藥。

腎陰虛腰軟不足，連用者，宜九味安腎丸加杜仲、鹿茸、虎。

慾傷腎，悠悠腰痛不足，主者宜杜仲丸、補陰丸。

通氣防風湯　防風　羌活　獨活各一錢　藁本　蔓荊　川芎五分　甘草五分　水煎服。治脊痛項強，腰似折，項似拔，及氣鬱肩背痛不可回顧，有濕熱加蒼朮、黃柏，鬱滯加柴胡、升麻。

沉香降氣湯 沉香二ㄅ 砂仁五ㄅ 甘草炙 香附四两 為末 每二錢 入塩白湯服。治氣不升降、胸膈痞滿、喘促短氣、腸下皮桔好同

茯苓理中湯 茯苓 肉桂各一 甘草 方 白朮三ㄅ 姜棗煎 去滓 入飴糖少許 再煎 空心服。治腸脹胸滿 驚悸 面黄唇乾口燥 腰痹 骨痠 行步喘之 短氣 少食

七味蒼栢散 蒼朮 黄栢 杜仲 破故紙 川芎 當歸 皁 各一ㄅ 水煎服。治湿熱腰痹 動止滯 不能轉側、

補陰丸 熟地 黄栢 知母 龜板各三两 天门 枸杞 白芍各二两

腰

五味子去油 乳姜炒黑三リ 共為末 猪脊髓和蜜丸每七十丸
空心鹽湯下 寒月温酒下 夢精遺加牡蠣 山藥 赤白濁
加白术 破故子 共蓮白茯苓

杜仲丸 杜仲 龜板 黄栢 知母 枸杞子 五味子 当帰
芍藥 黄芪 破故 共去油為末 煉蜜同猪脊髓和
丸每八十丸空心鹽湯下 治腎虚腰痛動止軟弱虚痿乏

調肝散 半夏三分 桂 木瓜 当帰 川芎 牛膝 細辛共三分
石菖蒲 酸棗仁共去油 姜棗煎服 治憂傷肝腰痛

九味安腎丸、破故紙 小茴香 葫蘆巴 川楝肉 續斷
桃仁 杏仁 山藥 茯苓 各爲末蜜丸空心塩湯
下。或煎藥下。○治骨痿腰軟痺目眩耳聾面黑瘦

五積交加散 即五積散合人參敗毒散治 五積散 敗毒散 見咳嗽門
寒濕身体手足痺腰脚酸疼
七氣湯 見氣門 聚香飲子 見疝門 五苓散 見濕門 四物湯 見補益門 二陳湯 見痰門
木香勻氣散 見瘧門 獨活寄生湯 見脚氣門 桃仁承氣湯 見痢門 者腎湯 見小便

獨活寄生湯 獨活 三ㇷ 桑寄生 杜仲 牛膝 細辛 人參 秦艽
茯苓 桂心 防風 川芎 共二乃 當歸 生地 芍藥 共三乃 甘草 半乃

生姜水煎服。治腰背拘急筋攣臂痛胸脇偏枯冷痛

燥弱或加乳香沒藥

腸痛門

腸痛本是肝病宜分左右宜實虛肝虛實者痛而手足煩燥

不寧宜小柴胡湯加烏藥白芍蒼朮青皮龍膽草或單黄連

凡肝血虛者痛而倦之不止耳目䀮䀮驚恐加人參補宜四物

湯加柴胡或五積散去麻黃加木香青皮若腸下而中悶點痛

不止者名死腸痛甚危宜八物湯加木香青皮桂心肉蔻官桂

加山梔。左脇痛者，由火鬱氣逆，外感失節，多死血，由鬱與火初脇痛難忍者，宜古黃連丸。凡多怒，龍薈丸。凡肝著者，小柴胡湯加黃連、牡蠣、枳殼。由死血初脇夜痛，或午後痛，宜小柴胡合四物湯加桃仁、紅花、亂髮、沒藥。痛甚，古枳芎散。皮痛吐血者，宜小柴胡湯加芎歸、生地，外用韭菜熨脇。右脇痛者，由分痰飲、收多七情、分痰刺脇下，如杠撐一條保痛，宜保和丸。凡由痰飲則喘咳刺痛，宜二陳湯加南星、蒼朮、川芎、柴胡、白芥子。痰甚脇胸背痛，喘急將悶，宜瓜蔞實丸。凡由飲水停滯，則脇下

腸

如撞痔宜濃煎參白湯調枳殼黃散由七情拂滯則如

有物刺痔氣促咽吐宜分氣紫蘇飲流氣飲子連亂

痔者宜推氣散鹽煎散兩腸出痔宜當歸龍薈丸外感

腸痔初有寒熱宜小柴胡加枳殼桔梗若腸痔痛久不已結

成瘻瘻潰作有膿宜枳殼丸加官桂陳皮桔梗牙帷蒼丸服

當歸龍薈丸　當歸　龍膽　山梔　黃連　黃柏　黃芩各一兩

大黃　蘆薈　青黛各五錢　木香二錢半　麝香五分為末麵丸每二十丸薑湯

下○治濕熱腸痔及飲酒太飽努力行房勞腸痔臟胃燥濕氣

切火熱及肝癰尾熱升嬴驚悸筋惕肉瞤頭目昏眩神之守去

右枳芎散 枳實 川芎各五錢 甘艸二錢 爲末每二錢爲末生姜

大棗之煎湯下治左脇刺痛

枳殼煮散 枳殼 川芎 防風 細辛 桔梗各八分 甘艸四分 乾葛三分

姜棗湯服。治憂思傷肝兩脇腹胃疼腰脚之滯腹脹脇

筋痛四肢不舉 四物湯 八物湯並見補益門

推氣散 枳殼 桂心 姜黃各五錢 甘艸三錢 爲末每二錢酒調服或

姜棗之煎服亦良。治右脇疼痛脹滿不食。 五積散見瘧門

背

鹽煎散　香附　川芎　茯苓　三棱　莪朮　青皮　枳殼　陳
厚朴　神曲　麥芽　小茴　赤芍　冷痛加官桂　蔥白各三分　鹽
少許水煎服○治形寒飲冷胸脇心腹多痛及小腸氣痛
保和丸　山查二兩　神曲　半夏　茯苓各一兩　陳皮　連翹　蘿蔔
子各五錢　爲末蒸餅丸每七八十丸白湯下○治食積脇痛
瓜蔞實丸　流氣飲子並見痰飲　柴胡湯見和解　分氣紫蘇飲見喘門

背痛門

背痛者由痰氣之所聚也如背心一點痛宜參三合湯背痛

不可回顧宜通氣防風湯或豁痰湯背心中有一片如氷冷

者宜導痰湯見痰門合蘇子降氣湯見氣門

三合湯 半夏 陳皮 茯苓 甘草 烏藥 枳殼 姜蚕 川芎

白芷 麻黄 桔梗 乾姜 紫蘇 香附 蒼朮 羌活 前胡

治背心一點痛 通氣防風湯見腰痛門

豁痰湯 半夏 梔子 甘草少 陳皮 海桐皮 枳殼 甘草 桔梗

赤芍 蒼朮 香附 各七分 茯苓 川芎 羌活 甘草 甘草二分 水煎服 治腰痛背痛

臂痛門

痺

臂

凡手臂痛須用薑黄引至痛處，如臂痛不已，疼或連指掌

腫痛者，宜舒筋湯。臂重難舉，加二朮、羌活、薑黄、威仙、艽

參。臂軟難舉，加南星、枳實、木香、薑黄。手臂痛是濕痰

挾行路路，宜二陳湯加附尾、羌活、威靈、桂枝、乳香、沒藥；或二

朮湯。因寒而痛臂，宜五積散。因虚而臂痛者，烏星芎

蠲痹湯。臂痛因濕者，宜蠲臂湯。通用衛荣附中湯

二朮湯　蒼朮　白朮　南星　陳皮　茯苓　香附　酒芩　羌活

威靈仙　甘草　半夏　茯苓以薑煎　治痰双臂痛及手臂痛

獨活調中湯 陳皮 茯苓 白术炒 半夏 白芍 酒芩 酒炒
牛膝錢七分 木瓜 赤芍 當歸各八 川芎五分 羌活 知母錢六分 桂三分 防風
五分 生姜三片 煎服。治臂痛腰疼
治手臂肩胛微痛步腫不收或生背胛 用陳皮 半夏 茯苓
防風 酒芩各錢 連翹二錢 皂角刺錢 川芎 羌活 木香各五
分 牙皂生分 水煎服 外塗南星末調
治兩手疼痛麻木 當歸 川芎 白芷 酒芩 黃連 羌活 防風 蒼
术 桔梗 半夏 南星 桂枝 牙皂 生姜三片 水煎服

治手指拘攣腫痺，用烏藥順氣散、苡仁、和氣湯、蠲痺為首劑主之。

舒經湯　薑黃五　羌活　當歸　海桐皮　白朮　各錢　赤芍　甘草　各三分　二分半　分為二貼，生薑三片，煎八分，沉香磨服。腰已上痺食後服，腰已下痺食前服。治氣血凝滯，臂痛不能舉，及諸痺走痛症。

蠲痺湯　羌活　赤芍　黃芪　防風　薑黃　羌活一　甘草　當歸五分　薑棗煎服。治手足拘攣，痺腰腿沉重，行步艱難，背項拘攣。

五積散　見寒門

烏藥順氣湯　見腳氣門

三化湯　見中風門

南星二香　見……門

心痛門

凡心痹兩目赤英手足青至節是真心痛不治心痹引背痛者
多屬風冷心痹雖俛仰而嘔瀉者多屬熱痹則甚虛逆者
厥心痛如日不除無發止只受寒口涼冷心尋痹者宜雞舌
香散溫散子神保丸溫利子秋冬寒攣為熱宜沉香寒濕
次因風寒而痹者則背俞多心引痛是暴發手足青逆冷汗
甲青宜古姜附湯三味玄胡散因洒以辣熱瘀攣痹者
多者和手足多冷身熱或煩燥吐逆欲出汗宜古玄金散
延胡散甚者大承氣湯下之由虫痹者和之痹其形多虫痹出

乞〻口烏梅丸化虫丸瘦〻史痛者因蟲心瘕熱口梔姜飲
墜〻瘓丸感〻惡忤尸疰痛者和神昏〻卒倒口蘇合香丸
痛引背作搐者〻宜沉香降氣湯併攻以心痛如刺者口
溫胆胆湯加白朮茯〻生冷過〻熱痛散者口香蘇散加
生姜當歸羊肉湯枳殼或人參養胃湯木香代陽湯胃
寒〻痛者烏藥沉香湯上熱下寒者古梔附湯寿痛而噫呃
者五膈寬中散脹膨者厚朴溫中湯連腸痛者復元通
氣散因凡卵痛心則兩腸引小腹陰股俱痛口桂枝湯或

分氣飲加厚朴枳殼異蘿蔔子木香因飲冷卧涼痛引心
腸與飢腰痛下重泄痢宜五積散脇寒痛引心痛引短氣
悸筋骨流氣飲子蟠葱散腰寒痛引痛引腹脹便難宜
降氣正氣散暑者熱痛引痛引徹背偷掌熱宜黃連香
茹散婦人產後血入心痛甚者宜五積散加三稜莪朮將
行未盡血積引心痛加桃仁紅花將行已往作痛者宜七氣
湯加烏藥產后痛者宜桂心湯末續湯凡引痛又變點
胃通用二陳湯凡寒初起無汗加麻黃有汗加桂枝袁

寒加草豆蔻濕加蒼朮川芎熱加山梔童便冷加丁香良
姜氣虛加人參白朮血虛加當歸分錢痛加砂仁香附痰
血加韭汁桔梗蟲痛加苦楝根末香檳榔痛不可忍加細
辛亂香心痛攻走腰背發厥嘔吐加蒼朮川芎山梔探吐
錢六濃煎服 服○治冷心痛
三味玄胡散 玄胡索 肉桂各一兩 木香二錢爲末姜湯或酒調
蘇芎散 香附 川芎各一兩 黃連 山梔各五錢 木香 乾姜生各三分
檳榔 茯苓 芒硝各二錢爲末用姜汁同薑白湯調下

56

治服热药及汤介辣热痰郁心痛。塩煎散見腸痔門

梔姜飲 山梔仁十五个炒燋 水一盞煎至七分入生姜自然汁三匙再煎熱服。清熱飲加川芎一钱五分。治胃熱作痛

木香化滞湯 半夏一两 柴胡 蒼术各四分 草豆蔻五分 木香 陈皮各三分 當歸尾一钱 枳实二分 红花 甘草各半分 姜煎温服

治因食湿郁结于中脘腹皮底微痛心下痞满不思飲食

人参姜胃湯 蒼术一钱 陈皮 厚朴 半夏各七分 茯苓 藿香各五分 砂仁 烏梅 神麯一钱 人参 草果各四分 生姜大枣煎服

治飲食傷冷心痛如刺不思飲食及治外感內傷寒熱頭痛嘔吐

分心氣飲、木通 官桂 赤芍 赤茯苓 半夏 甘草 羌活

桑皮 大腹皮 青皮 陳皮各五分 紫蘇一錢 姜棗、燈心煎為湯

治感冒心痛連腰脇痛并治多胸痞悶脇肋虛脹噎塞者

痰唾喘嗽四肢昏倦口乾

五膈寬中散、青皮 陳皮 丁香 砂仁各四兩 厚朴 香附各一斤少

甘草五兩 木香三兩 白豆蔻二兩 或加半夏各為末 姜鹽湯點服

治傷脾胸膈痞滿停痰氣逆一切冷氣亦治華諸心痛噎嗝

烏藥沉香湯 烏藥一兩 沉香五錢 人參三錢 甘草四錢 為末每
五分入鹽少許姜煎溫服或加香附砂仁陳皮半夏
治心痛痞分不消冷氣攻衝噎膈癥癖痞痛及婦人血氣攻
心腹痛或加木香○流氣飲子方見氣門 五積散方見寒門 大腹氣出下通門
香蘇散 香附 紫蘇各二兩 陳皮一兩 甘草五錢 入姜葱煎服取汗
治四時感冒寒邪頭痛發熱惡寒并傷冷分心痛頭痛加川芎白芷
古姜附湯 乾姜 附子 等分水煎服○治中寒厥冷強直失
音口噤吐沫昏不知人或護攣時腹冷痛霍亂轉筋

温胆湯 半夏 只實共一錢 陳皮一錢 伏苓五分 甘艸四分 竹茹一錢 姜棗煎

治傷寒瘥後虚煩不眠心胆虚怯及心痛如刺

七气湯 半夏一錢 厚朴 桂心各五分 白茯苓 白芍共八分 紫蘇 橘皮共四分 人參二分 姜棗煎服○治七情鬱結吐利交作寒熱眩暈痞滿噎塞○一方用人參 甘艸 肉桂 半夏 生姜煎服

治心腹疼痛大便秘澀

烏梅丸 烏梅十個 乾姜一錢 黃連一錢 細辛 桂枝 人參 黃柏各五分 當歸 川椒各四分 為末用酒半盞浸烏梅蒸爛去核和

前承擄爲丸十四丸，未飯下，日三服。治心虫咬痛，乍靜乍煩。

追虫丸　大黄　黑丑各二兩　山查　莪朮各五錢　檳榔四兩　木香少　右爲末　分入即吐

沙湯调服。又方　檳榔十箇　向阳石榴皮七千斤　水煎，露一夜，服。二治白寸虫。

桂心湯　桂心　吴茱　乳姜　独活　熟地　当归　白芍各五分

甘草　細辛各三分　水煎服。治素有寒因遇大怒，寒搏血脉

不散上衝心痛。　桂枝湯（見霍乱門）　霍香正氣（見霍乱門）

木檳湯　木香　檳榔　玄胡索　金鈴子　三稜　莪朮　厚朴

桔梗　川芎　当归　白芍　茯苓　甘草　水煎溫服

治産后七情感傷心痛

厚朴溫中湯　陳皮　厚朴姜汁炒　乾姜　生姜各二　茯苓　炒豆蔻

木香　甘草　姜棗煎服○治脾胃虚弱心腹脹滿疼痛

治婦人心痒并急刺痛　用荔枝核半两燒為末香附炒一两

炒為末每服二钱塩湯下或治心痛用荔枝核燒為末湯酒下

神昏不省宜服此

蘇合香丸　白术　木香　硃砂　犀角　沉香　麝皮　訶子

皮　丁香　安息香　蓽撥　白檀香　香附姜汁炒　龍腦

薰陸香　蘇合香油各二两為末用安息香以酒熬成膏

回煎合香油和蜜為丸桐子大每服七丸治中氣風昏迷及痰涎痰涎壅塞喉中用姜汁化下心痛中滿嘔吐姜湯下傷風咳嗽姜葱湯下小兒啼驚驚風用姜葱汁化下叩牙齒緊硬擦牙即安腳氣衝心用草麻和丸擣爛貼腳心止痛兼治瘴氣暴痢霍乱瘀血及神昏不省宜此服

黒者不治

腹痛門

大腸痛者由外感外邪腸腑痛者由積熱痰火小腸痛者由瘀血多痰及小便澁若腸下至大痛在中腸

凡腹腸痛自利或嘔吐者痛少分緩緩不減為寒寒症候也腸中覺熱大便閉澁脹滿怕痛按痛止為熱症亦有之寒感

腑

而痛者則吐利俱發者熱物熨者宜五積散加吳茱萸木瓜
煨薑葱或藿香正氣散加木香或尾痛者宜桂枝湯加芍藥
或胃苓湯加木香或暑痛者宜香薷散加生姜凡壁土
木瓜或五苓散或濕痛者宜滲濕湯或香蘇散加蒼术砂
殼感熱者以手不可近痛處便閉者宜四順清涼飲或大
承氣湯由分積而痛則有形便秘痛處宜平胃散加消導藥
或木香檳榔丸大安丸凡由濕而痛以二便不利宜蒼术
散由火痰而痛則腸鳴泄瀉宜二陳湯加芩連山梔由思火

攻衝痛無定處定時刻加香附青皮烏藥虫痛時痛刻心胸痞悶攻注脇痛背宜木香匀氣散分心氣飲虫虫痛則往來發痛〻定〻分宜烏梅丸化虫丸脾弱陰〻冷痛不思飲食宜人參養胃湯加肉桂吳茱木香瘀血痛則痛有常處或憂思逆鬱或跌撲傷瘀或婦人經來產後多血不盡多阻〻瘀血俱宜四物湯加桃仁不安紅花尤生地上熱下寒腹痛嘔吐者黃連湯主之多寒而痛加肉桂多熱而痛加黃芩傷冰加桂枝傷寒加乳姜傷血加當歸臍下痛

脉

加熟地血虛及痺者宜六君子湯加烏梅

除濕湯　霍香　蒼朮　厚朴　半夏各八分　陳皮　白朮　茯苓四分

甘草二分　生姜大棗煎服治寒濕傷身體腰脚疼小便澁大便

溏及腹疼　香蘇散見心疼門

木香檳榔丸　木香　枳殼　青皮　杏仁　檳榔各二錢　郁李仁二錢

皂角　半夏各二錢　為末別用皂角熬膏入蜜少許和丸食

後姜湯下。此丸寬胸膈破痰逐飲快氣消食大[illegible]通

桂枝湯　桂枝三錢　白芍三錢　甘草二錢　姜三片　棗二枚　水煎熱服微汗

治傷風自汗厥痺鼻鳴乾乳嘔乃風寒身熱多寒身痺手足不冷、霍香正氣散 見霍乱門 四順清涼飲 見燥結門

芎朮散 川芎 蒼朮 香附 白芷 草烏 桑麥 木香 姜汁煎湯調服、治痰積脹痺小便不利○平胃散 見霍乱門

胃風湯 人參 當歸 川芎 茯苓 白朮 芍藥 肉桂 等分 粟米百粒 水煎溫服、治風冷入腸水穀不化泄瀉腹脹腸風溺鳴腸痺及溼毒便下血或如豆汁 木香勻氣散 見瘧溺門

五積散 瘧溺門 四物湯 四君子湯 香茹散 見厥痺門

霍

分心氣飲　人參養胃湯　烏梅丸　追虫丸見心痛　五苓散見淋门

霍乱門

凡霍乱吐瀉時不可許分毫，待吐瀉定愈過半日方許食稀粥。凡霍乱大渴大燥大汗遺尿及舌卷囊縮轉筋入腹者死。

夫霍乱有暑濕氣三種，皆由濕熱爲害及飲食所傷。如先心痛則先吐，先腹痛則先瀉，心腹俱痛則吐瀉俱作。陽分則多熱而渴，陰分則多寒不渴。轉者兩腳轉筋，甚者遍身轉筋

手足厥冷數絶宜姜以鹽填病人臍中用火灼之雖已死而
胸中有煖氣者亦生仍姜湯用朮更散加小茴香耳咻菊菜
莫服魚研生蒜塗脚掌心免晉危人臊亦效治法宜散尾
寒熱濕氣火故藿香正氣散爲通用要受寒月所冷脉沉
不渴者宜五積散理中湯暑者月煖湯宜黄連香茹合散
五苓散更合益元散加吐瀉未徵者宜二陳湯加苓〻正〻蒼
求除尾採吐以提氣加吐瀉不止宜所服藥中加木瓜檳榔
以系氣血熱樹筋不已宜四物湯加黄芩紅花或蒼朮南星

吐利轉筋腸痛宜平胃散加木瓜或小建中湯加柴胡木瓜四肢厥冷脈微宜小建中湯加當歸附子厥煩不眠宜既濟湯痰嗽者二陳湯加減

理中湯 人參 白朮 乾姜各二錢 甘草一錢 水煎溫服

治太陰腹痛自利不渴脈沉無力手足或溫或冷及蛔厥霍亂寒甚肢冷加附子

小建中湯 白芍五錢 肉桂三錢 甘草二錢 飴糖半盞 姜五片 棗四枚

水煎濾入飴糖勾化溫服○治傷寒腹中急痛有汗及少

崖

陰毒寒手足踡而温足傳寒初起反進無多汗吐下脉遲宜服

平胃散 蒼术二分 陳皮一分 厚朴一分 甘草一分 姜棗煎入鹽少服

此藥和脾從胃如有他症照依藥性加減

术萸散 吴萸五分 木瓜一分 食鹽五分 同炒焦先用瓦罐炒出百沸却入前藥煎服。治霍乱吐瀉手足拘攣致疑眼花四肢厥逆

治霍乱腹脹煩痛欲死用檳榔五分為末童便及水各半煎服或治霍乱用蒲黄少煎服之 四物湯見補益

霍香正氣散 霍香 紫蘇 白芷 大腹皮 茯苓各六分

脚

厚朴 白朮 陳皮 桔梗 半夏 各四分 甘草二分 薑棗煎服

治內傷外感頭疼咳逆胸中滿悶傷食傷冷傷濕冒暑霍亂山嵐瘴氣不服水土寒熱如瘧宜用 五積散 見瘧疾門

五苓散 益元散 益見滋門 黃連香薷散 見暑門

脚氣附足病

骨髓疼痛宜 虎骨散

凡脚氣初病不覺因他病始發其症寒熱似傷寒但初起忽卒然脚痛發到旬月乃作為異或筋脈弛張或浮腫或膝疼痛

二濕脚氣宜利濕疏風或筋脈踡縮攣痛細枯不腫所謂之

乱脚氣宜風血清燥虚内因分積居虚外因乏坐湿地踐涉山溪加以勞尾取凉浮之洗足故成此疾如脚跟痛有血熱者宜四物湯加知母黄栢牛膝有痰者用五積散加木瓜脚背筋有血熱者四物湯加酒芩紅花加筋动從足大指。至大腿近腰結子者是瓜尾寒加蒼术南星宜常用松節二用亂番庖以沙火焙存性為末丁庖以用木瓜煎湯調服氣衝心初慌懊吐嘔不分宜木香流氣飲蘇子降氣湯有火者四物湯加黄栢以降之虚用附子為末津調塗湧泉穴

脚

引熱下行，氣入腹則不仁，喘多矣死，宜木萸散。腹脹煩燥

宜松節湯。氣入脈則喘咳，宜小青龍湯加檳榔。氣入肝則

眼目昏眩，喘渴逼促，宜烏藥平氣散。入骨則腰脚腫脹，小

便不利，目發烏黑，宜牛膝散加大安散之。有寒熱足腫心煩

侍痺垂死者，松節湯不分，加沙仁、青皮、木瓜，外用桃柳桑槐

豬五枝煎湯洗之。治腫止痒，濕多利腫，宜除濕湯加檳榔、防

己。脛腫者則宜紅花、蒼栢。凡肥人加痰，多濕兼寒，利痺宜

五積散。濕兼風則走注不予，宜烏藥順氣散。濕兼熱利腫

痺異平宜加味蒼栢散、二妙蒼栢湯散，兩足痺宜多服

拈痛湯

牛膝散　牛膝　羚羊角　檳榔　芒硝　大黃各錢ソ　防己　牡丹皮

肉桂　甘草　赤芍各五分　水煎溫服、治婦人七不通或脚氣腫痛

小青龍湯、桂枝　麻黃　芍藥　乾薑各錢ソ　細辛錢ソ　半夏錢ソ半

五味子　甘草各五分　水煎溫服、治飲冷水寒相搏急逆亂

嘔噦恐咳嗽或噎渴腸痺腹滿

木香流氣飲　木香　藿香　草果　檳榔　丁香　腹皮

脚

蒼朮 肉桂去皮，五分 紫蘇 羌活 厚朴 青皮 陳皮 香附各七錢
伏苓 人參 白朮 木瓜 菖蒲 白芷 麥門冬各四錢 木通八分
半夏二錢 姜棗煎服。治諸氣痞塞，胸腹膨脹，面目虛浮，四肢
腫滿，口苦咽乾，大小便秘。

杉節湯：杉節 榧樹七枚 腹皮酒洗 青橘葉七把 煎服。外用杉
木節、橘葉洗之，神效。

烏藥平氣散：烏藥 伏神 羌活 人參 白朮 川芎 當歸
木瓜 白芷 五味子 蘇子 姜棗煎服。治脚氣上攻頭目

昏眩脚膝疼痹喘滿通促

烏藥順氣散　烏藥　麻黃　甘草一分　人參　陳皮　蒼朮炒　乾姜二分

枳殼　姜蠶　川芎　白芷　桔梗　甘草一戔五分　香附炒　姜蠶

煎服○治風氣攻注肢節疼痛麻痺言語蹇澁

加味蒼朮散　蒼朮炒　白朮八分　知母　黃栢　黃芩各五分　當歸四分

芍藥　生地一戔四分　木瓜　檳榔　羌活　獨活　木通　防己　牛膝

各三分　甘草一分　生姜三片　水煎溫服

二妙蒼朮散　蒼朮塩炒　黃栢酒炒各一戔五分　水煎服或散末為丸下

脚

治足寒湿热脚气骨母热腰膝臂髀肿痛令人瘫痪、

红花苍术丸、苍术 芡椒 红花 牛膝 生地 南星 龙胆

川芎各为末酒糊丸服治足膝肥妇人亦宜

松节汤、松节炒芡 桑白皮 苏叶芡毛月 槟榔三钱 乎呼少五 灯心

生姜童便三钱煎服治脚气入腹心腹胀急烦躁肥痛

当归拈痛汤、当归 防己 猪苓 泽泻 伏苓 知母各八分

羌活 茵陈 乎呼 芡参五 芡叶 升麻 孔姜 苦参 人参

苍术各二分 泉毛分 水煎温服

63

治湿熱肢節烦疼肩背沉重胸脇不利遍身及足脛疼脘

治脚氣衝心不識人檳榔十枚杵為末分為二服熱小童便调下或入姜汁汤同服

檳榔散　橘葉　杉木各一握　童便汤各半盞煎数沸去滓入檳榔為末二𠃊调服。

治脚气腫痛。　茄子系气湯 出瘇门

五積散 見瘧门　木萸散 出霍乱门　四物湯 门　除湿湯 出脚痺门

治男足疼痛麻木　當歸　白芍　白术　蒼术　半夏　陳皮　茯苓　木瓜　牛膝　苡仁　威靈仙　紅花　甘草　姜三片煎八分 竹瀝冲服

脚

加味二妙丸、蒼朮四兩 黃柏二兩 牛膝 白芷 當歸 萆薢各一兩

龜板三兩酒炙 或以熟地代爲 龜板各爲末 酒煮糊爲丸

空心鹽湯送下 治兩足濕痺疼痛如火燎 自足漸至腰

膝 或麻痺痿軟

虎骨散 虎骨一兩酥 白芍藥二兩 生地八兩 以清酒三升浸 曝乾 秕

入酒中 取酒盡爲度 爲末 每服二錢 酒調 日三服

治骨髓疼痛 以三七生地用亂髮 以

治脚瘡初生如粟 漸大 癢不已 以成瘡 黃水出 痒甚

用荚粟薑湯淋洗，或用百部煎爲末，津唾調服數口又治

脚脛生瘡，或因物打扑，或瘡其瘡外口狹，按皮内闊，皮薄

如竹膜，甚痒痛，終日黄水流延，蔓而生。用韭菜地龍屎

爲末，入猪豬油調搽，或白犬血調數口，治内外臁瘡，亦用此治。

痛風門

痛風者，内因七情火熱，外感風濕邪氣，所以作痛。多痰火則

痒，多風濕外腫，不遍身痒者曰歷節風，痒如虎咬曰

白虎風，遍身痒者乃風痰雜滯，遍身節痒乃風寒

痛

骨俱痛二陈湯加南星羌活蒼术白芷酒芩竹瀝姜汁上体痹者二陈湯主之如發頭動微痹者加酒芩羌活瘀花肢節痹者加二术威灵仙乳香姜黄桔梗羌活白芍肢腫者加茯苓手臂痹加南星蒼术酒芩香附威灵仙臂之難痒加二术威灵仙羌活桂枝茯苓肩思痹者小柴胡湯毛羊髮加防風當歸生地大黄黄連滑石背心冷痹加冰冷定導痰湯合蘇子降氣湯下体痹者四物湯主之如兩腿痹者加牛膝陈皮腳路痹者加桃仁牛膝陈

皮耳岬姜汁煎羔閃潛行散臂髀腰脚骨摂熱脛痺
行步難艱皂二妝蒼栢散加瓜脛爲末閃服寒疵肢節
攣手痺小筋急痺宜五積散合將元散加齊蘇老蘆骨
痺入骨髓宜瓜散谷上痺加姜活昂吴仙谷下痺加
先膝陷已未通芡栢手臂痺加桂枝通用虫国浸酒
潛行散 芡栢老味好浸酒礼爲末皂少煎服四物閃
物服四 治血虚痺尾及足腰已下注痺 二妝蒼栢散（益瓜腳長）
虫公浸酒文 陷尾 姜活 瓜脛骨 鱉甲 脱蚕砂 松節

白朮各二兩 姜黃 萆薢 首烏 杜仲各三兩 牛膝二兩 蒼耳子
二兩 枸杞五兩 各細末 盛布袋中 入壜內 入好酒三十五斤 封固
好內浸十四日 將壜入鍋內隔湯煮一炷香取出 埋入土內三日
去火毒 每服 治手身偏枯 手足拘攣 一切風疾、
風骨散見腳門 二陳湯 導痰湯 蘇子降氣湯見痰門 小柴胡湯見和解門
四物湯〃 五積散見瘧門

淋門

小便澀疼欲去不去又來滴滴不斷故謂之淋淋內因忿怒

房勞傷內濕熱外因多是致涼濕熱鬱滯故致此疾淋
有五氣血石膏勞是也氣淋則澁滯膏淋不足色沉膏
散或益元散加木香茴香蒜鄉血淋則澁痛遲熱則尿
用赤芍白微為末蔥湯調服或犀角地黃湯單前飲
或四物湯加知栢血色鮮者由熱宜導赤散屯耳艸
加黃芩宜加豆汁者宜五淋散若小便元血不痛者
宜四物湯加山梔滑石牛膝石淋者溺有砂石並莖痛
是宜單牛膝膏或用鱉甲為末湯調服膏淋者血

淋

若如膏宜用黑豆壳百粒車前一寸水煎調高熱八滑石爲末毛少空心服或海金砂散治淋者痛引気衝逼治則莫痛除陶及尻宜通脳散或四物湯加知栢滑石他如熱淋血暴淋痛甚宜八正散或五苓散合敗毒散急痛者宜大一散二少加木香檳榔回香各毛少爲末服冷淋者先寒慄而後溲便澁如塞竅中脹痛宜生附散二术散熱在上焦血渴而小便不利宜清肺飲子熱在下焦血不渴而小便不利宜滋腎丸腎気丸小腹脹滿宜瀉腎湯又呈脫

痳引腸痛、參苓琥珀湯、膀痳引腰背痛、磁石湯、有血
痛、清肝解鬱湯、皆血淋、澁、莖中痛、痳痛、加減八味丸、小
便數而莖痛、四物湯、加人參、白朮、麥門、五味、小便短少、黃
補中益氣湯加麥門、五味、山茱、熱結膀胱、宜五淋散、莖中
痛加牛膝、生地
沉香散 沉香 石韋 滑石 王不留行 當歸各五〃 葵子三〃
白芍三〃 甘草 橘皮各二〃 為末大麥煎湯下 治尿澁小腹脹滿 大便變泄小便不通
五淋散 當歸 甘草各五分 赤芍藥 山梔各二〃 赤茯苓大分 水煎空

泄

心服○治膀胱有熱水道不通泄澁不出或熱泄便血、
八正散 車前子 瞿麥 萹蓄 滑石 山梔 大黄 木通
甘草梢 水煎空心服○治膀胱蓄血熱壅二便秘及暴
泄痢甚、 四物湯 胃氣丸（並補益） 犀角地黄湯（見鼻病門）
參苓琥珀湯 人參五分 茯苓四分 琥珀 柴胡 澤瀉 各三分
當歸尾三分 玄胡索七分 甘草梢 川楝肉 各二分 水煎服 治泄澁莖中痛引脇下痛
導赤散 生地 木通 甘草梢 竹葉 黄芩 水煎溫服
治小便赤澁而渴燥渴口舌生瘡、 補中益氣湯

二朮散 木通 木香 白芍 烏藥 青皮 檳榔 澤瀉 陳皮

耳艸 蓮三子 肉桂 文許 少薊伏。治冷淋氣滯餘瀝澀淡痒下

文屯散 又名益元散、 滑石六兩 耳艸屯兩為末 每三錢入

蜜少許沸湯調服 有熱冷水伏 身熱疟邑吐仍紙不解

加蒼朮為末每錢湯服、 玫芎散（五苓） 五苓屯桂各四錢

五苓散 猪苓 伏苓 白朮 澤瀉 共屯 肉桂五錢 為末白

湯調服。治昭言煩躁不眠 小便赤不利 煩渴及霍亂煩

燥中濕節痺大熱煩躁屯桂 加人參 小便閉 加滑石瞿

腎臟痛加木香，貝痛加蒼朮。

清脾飲子　茯苓　豬苓　澤瀉各二錢　車前子　琥珀　木通各七錢　瞿麥　扁蓄共七錢　燈心五分　水煎熱服。治熱於上焦，渴而小便澁。

滋腎丸　治小便不通。

清肝解鬱湯　治亂瘡。

加減八味丸　熟地八兩　山茱四兩　山藥四兩　茯苓　牡丹　澤瀉共三兩　五味　肉桂共七兩　為末，熟地膏加蜜丸，每七十丸白湯下。治腎虛火炎口乾作渴，或舌裂生瘡，或兩足發熱，小便數澁莖痛。

海金砂散　海金砂　滑石共二兩　甘草二錢　為末每服二錢　燈

心煎湯下。治膏淋

三味葶藶散　通草　茯苓共三兩　葶藶二兩　為末水調服

治小便急痛不利莖中痛

治熱淋小便不通莖中痛如白津者　枳殼　黃芩　枳殼　枳殼

梔子　枳殼　黃芩　枳殼至白即枳殼　蓮花　牛膝　各等分　煎水三錢

煎服至血止　滑石為末同飲

又治淋　秘　茯苓　鱉甲　澤瀉　朱砂　海金砂　白芷　甘草　豬苓

濁

玉莖微疼陰莖通後淋瀝又多秘積梓衛金根水煎服

必效湯 當歸 生地 麥门 赤茯苓 牛膝 車前 黄栢 知母

木通 扁蓄 草薢 活石 生姜 燈心 水煎分送服

治淋瀝小便不通及莖中痛澀水之神效

濁門

男女同病蓋由脾胃濕熱中焦不清濁氣滲入膀胱故溺

出濁水然有赤濁有白濁赤者血分有熱甚濕氣滲

赤者四物二陳湯加黃栢黑梔活石白者氣分濕熱微宜滲

乃蓮子次或五積散合四君子湯肥人多湿痰合二陳
湯加蒼朮白朮瘦人多血虚合加味逍遙散或四物
湯加知母黄柏由思慮恐濁者合妙香散十味温胆
湯由房勞傷腎濁者合萆薢分清飲或當歸丸者
濁加白茯苓尾加參茎長歸蜀加澤瀉為门人參歸尾
加房尾投寒加姜桂有熱加知柏梔子
萆薢分清飲　萆薢　石菖蒲　茯苓　甘草　烏藥　益
智等分鹽少許煎服○治小便白濁無效加豬滑畏

竜骨同煎　十味温胆湯見驚悸

蓮子飲　蓮子　赤茯苓　人參　黄芪各七分　黄芩五分

車前子　麥門　地骨皮各五分　治心火上炎煩渴小便赤澁

玉壺膽痔散除諸淋如有熱加柴胡黄芩同煎服

加味逍遙散　白芍　白朮各錢半　白茯苓　麥門　生地各六分　五味

桔梗各三分　地骨皮　當歸各八分　梔子　炙甘各二分　煎服治潮熱咳嗽反澁

四君子湯　四物湯　胃苓丸並見補益　五積散見瘧門　導赤散見淋門

二陳湯見痰門　妙香散見小便不禁

夢遺遺精門

夢遺者日有思慕夜夢遇精失由君火不守相火搖蕩精元不固而致此病治宜黃連清心飲十味溫膽湯妙香散妻室遠者凡思夢夜失遇之日亦遺滑宜先服香凡若有火盛精中遺之有逆縮尤者宜滋陰

凡腎虛凡遺精者莖中痒痛如數小便或從小便而出或不從小便而自流蓋由飲酒厚味濕熱內鬱虛不清必不靜故精遺而滑治宜草薢分清飲或八物湯

日久此方必燥者宜滋阴养火湯常用補阴藥加人参
升麻柴胡以升胃氣更節飲食以固本根四十歲以
後房勞傷氣血遺精者宜人参養榮加減早氣年人必过
阳脱者宜究源心腎丸氣滑者神亭湯主入亭太过
宗筋弛縱者為筋痿亦精自出者宜車前菟絲丸凡遺
病通用固精丸及蓮散

遺

黄連清心飲、黄連　生地　当歸　甘草　茯神　酸棗仁　遠志
人参　石蓮肉　水煎服　治心有所慕而遺精

36

十味温胆湯 陈皮 半夏 枳实 共五分 人參 白茯苓 共五分 远志
熟地 酸枣仁 甘草 各三分 五味子 枣九 姜 煎温服
治梦遗惊悸 萆薢分清飲 见淋濁门 定志丸 见癫痫门
滋阴降火湯 当归 生地 白芍 白术 各七 麦门 甘草 各四分
知母 黄柏 远志 陈皮 川芎 各六分 姜 煎温服
治潮咳汗血遗精 痰加瓜蒌 贝母 咳加五味 阿胶 梦遗
加黄连 衄吐血加黄连 藕汁 缩泉散 见小便不禁门
固精丸 知母 黄柏 共七 牡蛎 芡实 莲蕊 茯苓 远志

各三兩 龍骨二兩 或加山茱各為末山藥糊丸硃砂為衣鹽湯

下。治心神不寧夢遺精泄

神芎湯 升麻 川芎 人參 枸杞子 麥門 遠志 茯苓

當歸 地骨皮 破故 杜仲 白朮 各等分 薑三片 蓮肉七枚

煎服。治遺精滑泄久不能禁精玉門不固宜此升提

石蓮散 石蓮肉 益智仁 龍骨 各為末每服二錢空心米

飲調服 治遺精滑泄及小便白濁

尊

究源心腎丸 牛膝 熟地 肉蓯蓉 菟絲子 附子 人參

遠志 伏神 茯苓 山藥 當歸 竜骨 五味 甘草 兔絲三兩

浸蒸為湯蒸糊丸，空心棗湯下。治同古庵心腎丸

先坎離丸 茯苓 知母 芍藥 鹿角 童便九蒸九晒九露為

末，地黃膏為丸。治遺精盜汗咳嗽潮熱

人參養榮湯 腎氣丸 八物湯 益氣補益

男人陰瘡門

濕陰瘡者，由腎虛風濕相搏，瘙痒成瘡，爬抓精瘡者大

又因房室思色勤勞，致敗精流入莖內，初芽如粟米大

男病

脬漢嬲作癢痒或因陰蝕瘡者因婦人子宮未淨為
与之交合及房事後未及洗浴男子冒歷邪穢滯氣遂令
陰莖連睾凡脬痒小便加澀甚者濕久漢嬲侵蝕飢肉
血出不止外或下疳瘡久不愈外或楊梅瘡已服仙遺
糧湯得之加身体燥熱怯熱爲之寒宜多治血歷有熱者小
柴胡湯加參术蘆薈　陰莖脬痒無熱者四物湯加柴胡
山梔濕熱脬痒發裂衣寒熱者小柴胡湯加龍膽黃連
李度熱毒二便秘者八正散　陰莖癃窄痒或出白汁者

治宅亀胆瀉肝湯蚘湯不止治竹葉女萎氏湯腔淺後
氣血虛治宅八物湯加山枝柴胡又宅子中服冒氣凡並
中痒者白津者由脾土稱弱肝浮久爛宅補中益氣湯
為清心蓮子次四服外治濕陰瘡宅稲蛤散治貼耕瘡
宅津潤散治陰蝕瘡宜烏衣散治耳下瘡宅旱螺散
玉孚散破列袞腔痒宅鵝鳥膏散蠔臭或痿者截膚
散男人陰囊癰瘡腔赤腫痒小便澁寒熱作渴者宅
黑亀湯滑腸丸囊腫卵耳腹脹鬱澁熱無口死者宅

腎氣丸料加車前子牛膝澤瀉皮脱盡囊癢者宜抵
散加破故紙菟絲五味子覆盆子或四物湯加參芪兼
服補中益氣湯倍菟絲為君又補氣血至若陰囊兩傍
生瘡濕癢是者宜壯蟄丹兩腿上生尾濕瘡者宜疏
攢散 仙遺糧湯（見楊梅門） 小柴胡湯（見下疳門）
龍膽瀉肝湯 龍膽草 澤瀉各一錢 車前子 木通 生地黃
當歸 山梔 黃芩 甘草各五分 水煎溫服。治肝經濕熱或囊癰

男瘡

癰、便毒、下疳、懸癰、腫焮作痛、小便澀滯或婦人陰瘡癢痛

男子陰挺腫脹或出膿水

黑龍湯 龍胆草炒黑 柴胡 木通 甘草節 當歸 金銀花 皂角刺 赤芍 防風 黃連 吳茱水炒 等分水煎溫服

治陰囊腫痛潰後寒熱作渴

托裏散 人參 黃耆各二 白朮 陳皮 當歸 熟地 茯苓 芍藥 各七 少半 甘草炙 水煎服。治癰疽氣血虛不足，或寒熱膿潰不收斂，或惡寒發熱，肌肉不生，或咳嗽，腫熱者加黃連，漫腫氣虛倍參朮，內熱飲冷便秘者參耆歸朮加大黃，內虛飲熱

便秘倍參芪為朮，寒熱飲冷，溺澁，肝熱，去參芪加柴胡
山楂炒，不作脹，或脹不潰，加參朮桂，腫赤痛，加乳香沒藥，肉赤
不斂，加牡丹皮熟地。

男瘡

疎肝滲湿湯 蒼朮 白朮 茯苓 山梔 厚朴 澤瀉 陳皮
木通 天花粉 昆布各七分 升麻五分 木香二分 川芎 麦冬各六分
煎服。治陰囊玉莖湿腫，小便不利，澁滯作痛，有熱加龍膽黃連。

解毒木通湯 木通 連 龍胆 瞿麦 滑石 梔子 黄柏
知母各七分 蘆薈 升麻各五分 燈心 煎服。治男女身子熱導

所傷致玉莖陰戶痒痛小便澁痛小便澁滯白濁遺精莖

夜陰冷不得眠

截瘡散　密陀僧　白斂　白芨　丹黃各毛少　黃連五分　輕粉三分

腦麝半分　爲末和勻或摻入瘡口以膏貼之　治疳瘡燥火疼

旱螺散　白田螺殼火煆過入腦麝輕粉少許各爲末香油調

搽治下疳瘡上效　栢蛤散　黃栢　蛤粉各爲末搽瘡上即愈　治下疳濕瘡

津調散　黃連　款冬花各爲末先以地骨皮蛇床子煎洗

瘡後以津液調藥敷之

治枯遺瘡臭爛膿水淋漓

男科

鳳皇衣散　烏皇衣火煅 黃連 孩茶 冰片少許 各為末乳
摻或用鴨卵去心兩塗 治下疳瘡腫痒并陰蝕瘡

鵝管散　黃連 大黃各毛少 鵝管石 赤石脂各五分 雄黃毛分
冰片半分 為末津液兩敷。治瘡愈後犯房玉莖皮破爛瘡

銅綠散　五倍子五少 白礬毛少 亂髮半分 孩茶毛分 銅綠少許
共為末洗淨敷之 治男女陰部濕瘡　清心蓮子飲見淋門

治玉莖上生瘡久不合口用婦布燒灰搽兩塗玉莖上即愈如
陰毛生虱作痒撮挑住末如泥搽之

治阴囊腫大用馬鞭艸搗爛傅之或用地龍糞爲末以鷄卵清調敷如之囊腫大通明者用牡蠣爲末先以冷鹽搽患處次用龍糝內服木香流氣飲加木通

治小兒坐地及虫蟻吹囊腫用蛇退煎湯或蔥湯洗淨仍以地龍糞爲末用耳艸汁調敷腫如兒囊腫硬生瘡先以蔥椒湯洗淨後用生地黄爲末津鹽調敷

牡蠣丹 牡蠣 黄丹各二兩 括蔞四兩 各爲末夜時用葱搽瘡處

治阴囊兩傍生瘡或囊濕痒又治脚心汗濕

疏積散 擠脚二ケ 破每以芙用三ツ置入脚內以療湿水邑外
次嘿更用蛇床子硫黄各四錢令螺文箇 杉菊李黄各
五分飛砒丈許各為末和匀每用丈許末油調擦兩手先
擦陰囊次擦兩腿。治陰囊及兩腿上毛湿瘡痒
治男子陰瘡痒腫用蓖仁炒香為末為調服外搽蓖仁一數
一或治金瘡陰螵痒用杏仁炒黑研為膏敷之 小兒螵疹杏研蓖仁敷
治小兒毛嫩囊瘡肥瘡用牡蛎為末鷄子清調敷
男陰 治湿囊瘡用白礬煎温洗
八正散 見淋下

82

胃氣丸 四物湯 八物湯 補中益氣湯 並見補益

婦人陰瘡門

婦人陰中挺出一條尺許，如蛇，痛，膀胱出水，溺澀者，宜朝服補中益氣湯，晚服龍膽瀉肝湯，外塗藜蘆膏，即收。陰中突出如菌，如雞冠，四畔腫痛者，乃肝鬱脾虛下陷，先服補中益氣湯加山梔、茯苓、車前、青皮，漸愈，更以歸脾湯加山梔、茯苓、川芎調理，外塗藜蘆膏。陰戶中生蟲，如小蛆者，由濕熱甚，血氣瘀滯，宜蘆薈丸、歸脾湯、補心

湯外用生艾汁調雄黃為末燒烟為薰之更用雄黃散
陰蝕瘡末納入陰中陰中生細虫痒不可忍并寒熱分入腹内即死
治之〻病宜先以蛇床子煎湯洗淨後用梓樹皮焙乾為末入枯礬
四分之一老麝少許淨數之效陰户兩傍腫痒手足不能歸
伸者用四季葱入亂髮為末同猪脂餅安置陰中加陰
痒脹極便秘外用枳殼麩炒内服四物湯加柴胡梔子牡
丹皮龍膽草陰户腫痒不閉小便淋澁宜逍遥散十全大
女陰
補湯陰户濕痒之状又痒者鼻塞思食夜也宜為脾湯加

柴梔子牡丹芍藥甘草陰中潰爛者逍遙散婦人為男
交接乃出血者乃脾胃虛不足發血宜服補中益氣湯外
用熱艾以帛裹納入陰中或用亂髮青皮燒灰敷之

藿香養胃湯　藿香　薏苡仁　神曲　烏藥　砂仁　半夏
茯苓　白朮　人參各五分　蓽澄茄　甘草各三分　生姜　棗　煎服

治婦人陰中生瘡不愈不思飲食

補心湯　人參　茯苓　前胡　半夏　川芎各三分　陳皮　枳殼
紫蘇　桔梗　乾姜　甘草各五分　當歸　白芍各一錢　熟地一錢半

姜棗煎服。治婦人陰户生䘌瘡痒疼腫汁淋症陰蝕已見有虫加苦參蛇床子吴茱萸連炒老姜[illegible]參梢

治婦人陰䘌瘡痒疼用蛇床子搗爛以綿裹塞陰户有虫咬陰疼用蛇床葉搗爛以綿裹塞陰户日三易。龍膽瀉肝湯（治男人陰疼）

枳橘熨 陳皮枳實各四兩炒香熱以絹袋盛之遍身上下及陰腫處熨冷又易待至喉中覺枳實氣則愈。治婦人陰腫痛及二便不利疼甚 十全大補湯（見益補門）

[illegible] 逍遥散 白术 白芍 白茯苓 柴胡 當歸 薄荷 [illegible]甘草

8

肛門

薄荷少許 煨姜煎服○治婦人月經不調及血瘀有熱及血
瘀有熱無汗或加天花粉牡丹皮紅花玄胡索人
治婦人產後陰脫 以鱉頭燒灰為末敷患處即收內
服八物湯加阿膠升麻艾葉
補中益氣湯 四物湯 並見補益門 歸脾湯 見大便血門

脫肛門

脫肛是氣下陷而肛門脫出由勞倦虛矣及產育用力久痢
久瀉小兒啼哭耗氣俱有此症宜用人參黃芪芎歸升麻

水煎服。宜四物加芩連地榆。宜寒加乾姜炒黑。宜熱者宜縮政散。氣熱者用條芩、荆芥、升麻、柴胡。凡服血熱，用四物湯加芩、梔、升麻。感風邪者，敗毒散。由暑者熱者，芩、連、阿膠丸。脾寒則肛門脱，宜用補中益氣湯以温脾補胃，加訶子、樗皮，或升陽舉經湯。由濕熱者，升陽除濕湯。由有痢者，宜四物湯加槐花、芩、連、升麻。有胃虚者，宜補胃氣。凡外治用熬荆洗之。

升陽除濕湯（見濕門）　補中益氣湯　四物湯（見）

肛

升陽舉經湯　肉桂　白芍　紅花各五分　細辛六分　人參　熟地

川芎各七ソ　獨活　甘艸各半ソ　羌活　秦艽　防風各弍ソ　白朮　當歸
荊芥　柴胡各三ソ　桃仁十枚　空心煎服　治脫肛及瀉必不止夏熱
縮砂散　砂仁　黃連　木賊　各為末每弍ソ米飲下治大腸熱
脫肛肛肥或用香附　砂仁　荊芥為末水煎熱洗或服每一次
洗方　五倍子五ソ　枯礬　蛇床子少許為末水煎洗後用赤
石脂為末少許摻芭蕉上數數托入肛門。治熱脫肛用熊
膽　五倍子三分　冰片二分　各為末以人乳汁調搽肛門即收
治肛門脫痔用木鱉子去殼搗爛煎湯熏洗再為末搽

小便

痒肛門。如肛門有虫痒痹，用生姜苦楝根煎湯先洗，後以乳香生姜煎。治肛脫肛脫，用鐵粉白芨各為末和勻敷之。

治脫肛方　取鱉頭跌燒灰乳敷肛門即收。

小便不通門

心火盛則小腸熱，結如熱徵，則小便難而澀。脊熱甚則小便閉而絕絕，無宅湯熱生濕為主，宜用單朴硝散或五苓散臨下。脹者加琥珀，或琥珀為末蜜凡，以人參飲煎湯下，或服生車前子自然汁入蜜一匙調服，有利大便行而後小利便。

者宜八正散加木香熱盛莖中澀痛者宜導赤散加山梔
太甚或痛子后凡冷熱厥泥蚤轉結不痛蚤療者宜倍
凡虛勞者四君子湯加黃芪升者血虛者四物湯瘀澀阻
滯氣導不通者宜導痰湯上熱者宜導赤散加麥
逆經心下虛者淋閉凡上至下虛者宜清心蓮子飲寒湯
小便痹引臍腹上有清淡宜萆薢湯
萆薢湯　乳香　茯苓　各二分　車前子　白朮　各錢　煎服治驗
虛傷濕以至腰冷如坐水中不渴小便自利

滋腎丸 黃柏酒炒二兩 知母酒炒二兩 肉桂一錢 為末，蜜丸梧子大，百丸，沸湯下。治腎熱小便不通，中滿，腹大，腳腿堅脹，裂出黃水。

五苓散 八正散 導赤散見淋門 清心蓮子飲見濁門 導痰湯見痰門 四君子湯 四物湯 六味丸 麻子仁湯見大腸門 八味丸見補益門

冷熱交泌 前以冷物發小腸九次，後以熱物發之，又以冷物發之自通。治二便秘塞，或溺澀便血，陰中痛。

小便不禁門

遺 凡小便不禁，赤者為熱，白者為虛。熱者乃膀胱火動

宜四苓散合三黄湯加五味山茱少許或四苓散合四物湯
加山梔外痿虚乃腎与膀胱虚虚宜午後又補湯加益智
仁遲夜陰盛便多自汗者宜秘元丹主之内虚湿熱者宜
宜腎氣丸減澤瀉加五味子杜仲倍山茱四物為小便
數々而少宜收香散主下虚内損膀胱不固小便自遺宜
或便秘饒溺者絲兎丸必不守治宜補血瀉火宜補陰丸
加牡蛎山茱五味子小便不禁通用縮泉丸二苓丸
三黄湯 黄連 黄芩 大黄 等分末蜜丸熱水下

妙香散 山藥 茯苓 茯神 黃芪 遠志 各七 麝香 七分 人參

甘草 桔梗 各五錢 木香 二分 辰砂 三分 爲末溫湯调服

治心氣不足精神恍惚虛煩少睡盜汗常服補氣血安鎮心

神。補陰丸（見腰痛） 四苓散（見泄門） 十全補正湯（並見補益） 四物湯 腎氣丸

秘元丹 白龍骨 三兩 訶子 十枚 砂仁 辰砂 等分 爲末糯

米糊丸菉豆大空心湯下三丸臨卧冷水下二丸忌葱茶

治冷氣攻心疼泄瀉自汗遺溺臍腹手足冷

縮泉丸 烏藥 益智仁 爲末酒煮山藥糊丸臨卧鹽湯下

治淋虛不足小便數效

二苓丸 赤茯苓 白茯苓 等分 共爲末 別用生地汁同調爲丸空心用元丸鹽湯下。治心腎虛小便淋瀝不禁

小便出血

凡血從精竅中來者是心移熱小腸宜四物湯加山梔黃芩黃連或單髮灰散入麝子屋溢湯下或單琥珀散如暴然挾熱小便血者用梔子仁味水煎服實熱者血多虛湯加芍藥下元衰彼四物湯加山梔阿膠心經熱導赤小便

導赤散暑熱溺血益元散用升麻煎湯下或五苓散久虛溺血者四物湯加杜仲子牛膝房勞傷腎失節溺血者膠艾四物湯或腎氣丸

膠艾四物湯 阿膠 艾葉 當歸 川芎 生地 各四分 芍藥 熟地 二分 炒黑 各二錢 水煎服○治勞傷氣血月水過多或崩漏不止或因損動漏血傷胎及溺血

益元散 見淋門

五苓散 見淋門

四物湯

腎氣丸 益血補益

參氣湯 見下通門

導赤散 見淋門

大便出血門

凡大便之血由於分不節起居不時或坐卧濕地或醉飽行房
或生冷停寒或酒麵積熱致榮血失道滲入大腸故結陰
而便之血也此由感邪而大便之血鮮色宜人參敗毒散
散加槐花荊芥或不換金正氣散由熱初血下鮮紅色宜
黄芩芍藥丸槐角升麻蒼朮地榆服或黄連凡暑月毒
黄連香茹散挑氣則血下色黑宜解毒湯合四物湯加
大黄有瘀血桃仁承氣湯由感寒者則血下色黯宜

平胃散合理中湯加葛根升麻益智木香神曲地榆
姜棗煎服若痢已久下血色濁而有紋色瘀滯者宜四
物湯加木香檳榔若便之血之加荆芥二蓮及四散漏下者
宜當歸和血散或涼血地榆湯加木香檳榔日久便下血
紫黑者是濕毒甚宜升陽除濕和血湯升陽補胃湯內
傷飲食腹滿膨為血因下者宜平胃散加槐角枳殼為
勞傷耳虛內傷脾傷元氣下陷宜補中益氣湯內傷

大便血

中氣虛弱宜四君子湯單人參湯脫肛者宜榆砂內傷

呕冲少瘦有汗宜歸脾湯加寒熱腸痔小腑同降拘去
參宜逍遙散六君子湯俱加柴胡山梔或去參通用
四物湯婦人胎前便血者宜古苓术湯古芎歸湯六托散
三方合服產後大便血者補中益氣湯加吴茱萸連或
四物湯血多者加捌續斷榆槐花條芩血多者加木通
吴茱萸連炒熱加枝子槐花黄連炒加木香紋蓼血下不
止加鬼兔鬆少許姜汁和服初尾加栢葉白尾荊芥槐
花鮮苟加槐花栢枝荒芩連

升陽除濕和血湯　生地　牡丹皮　生甘艸各五錢　炙甘艸　黃芪各一錢　當歸　熟地　蒼朮　秦艽　肉桂各三分　陳皮　升麻各七分　白芍一錢半　水煎空心服　治濕毒便下黑血及血崩

歸脾湯　當歸　龍眼肉　酸棗仁　遠志　人參　黃芪　白朮　茯神各一錢　木香五分　甘艸三分　姜棗煎服　治内熱少食倦怠或血妄行嗜熱咽吐或吐衄少寐心悸自汗盜汗肢體腫病大便及婦候不調内熱唇口生瘡

大便血

香連丸　黃連五錢　粉甘艸二錢　同用吳茱水拌濕置一鍋中湯蒸

良久取出晒乾九次秤八斗香包用為末糊丸如五十丸空心米飲下、治一切痢疾及積熱大便出血、

地榆湯 地榆四ソ 砂仁七枚 生甘艸ソ包 炙甘艸ソ包 水煎溫服

治陰結便血不止并脫肛、 遺延散 婦人等候 古芎歸湯 主發痔門

古芩朮湯 黃芩云用 白朮五ソ 水煎服 治妊娠四五月熱甚 並見胎門

常陰下后后大便血、 當歸和血散 薏仁子后湯

涼血地黃 熟地 當歸 槐花 青皮 黃柏 知母 等分

水煎溫服 治血崩及大便血並小便澀大便裏急後重加

木香檳榔、　鮮售合四物湯　主婦人科産門

單人參湯　人參三兩　水二盞煎至八分熱服　再以人參

黄鷄分參石喉通飲　鷄即吐因弱者為凡服之

平胃散　理中湯　主元霍亂門　補中益氣湯　八物湯

四君子湯、六君子湯　補益　主元　人參敗毒散　主咳嗽門

不換金正氣湯　主瘧門、

吐血

吐血

凡吐血者皆由飲食房勞内傷外感五臟有傷血妄騰目、

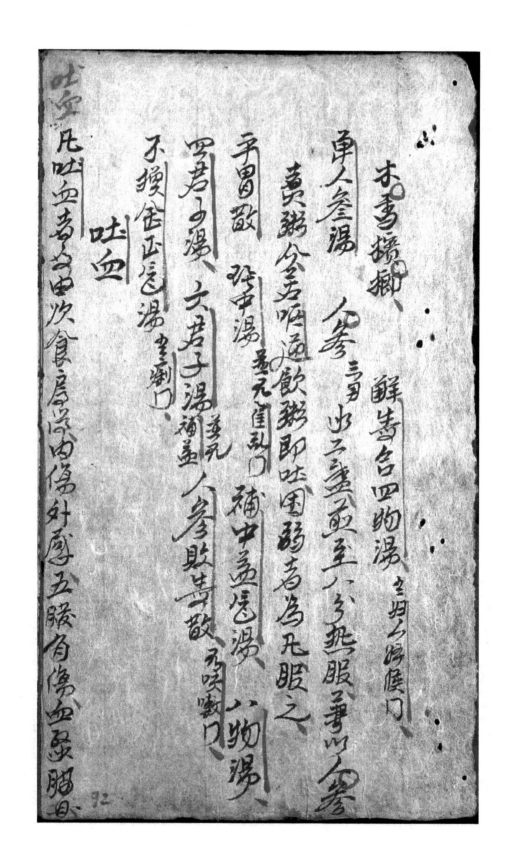

從胃脘出而吐血也如因次分辛熱傷胃嘔吐血也者宜大薊飲子主之因酒熱吐血者宜古葛連凡小閒中湯若吐出膿血者名曰肺癰宜桔梗湯由大怒氣逆吐血者宜四物湯加蘇子丹皮沉香童便或三方根益湯磨沉香服之若血從澙腦出吐血者宜二劑子益氣湯加人參阿膠如暴吐血紫黑成塊者是名瘀血宜四物湯合解毒湯閉之覺胸中悶塞者因桃仁承氣湯下之因勞力傷氣吐血鮮紅心肺發痛痺自

吐血

汗者宜四君子湯加黄芪、柴胡、升麻、前胡、姜、枣煎服。或用遠志、桔梗各為末，湯調下。如胃虛不已，化食後逆上吐出者，宜理中湯加丁香。自汗者，小建中湯。出力噎逆，内有血，咽喉不利者，宜鷄蘇散。出力心逆，交吐血，煩悶憊息者，宜茯苓補心湯、歸脾湯視。力八房勞，陰虛火動吐血者，加減四物湯。先咳痰後見血者，乃痰火積熱，宜山梔、芩、地。熱甚吐血者，宜黄連柏皮湯。先見血後痰咳者，乃陰虛火動，宜四物湯

加貝母天花粉山梔牡丹皮麥門、吐血加韭汁藕節、百草霜

為湯、或用生薑火炒為末、童便調服亦止血無灰

大薊炒子、桑白皮　犀角　升麻　丹皮　蒲黃　杏仁

桔梗　生薑煎湯服、治外寒熱傷肺咯血、

四君子湯　四物湯（並見酒血）為脾湯（見大便血門）桔梗湯　桔梗

白芷　貝母　瓜蔞仁　人參　當歸　百部　桑白皮各分

丹皮杏仁　百合各分　生薑煎服。葶藶瀉肺湯（見嘔門）

治肺癰咳吐膿血咽乾多渴、大便秘加大黃、小便赤加木通

吐血

加減四物湯　生地　當歸　白芍　山梔　牡丹皮　貝母
知母　黃柏　陳皮　白朮　麥門　玄參　黃芩　水煎服
有熱加地骨皮黃芩大小便血加槐花地榆吐血加知
母生薑溺血不止加車前子黃連四物合解毒湯　凡婦人經崩門
葛黃連丸　葛花　黃連各四兩為末用大黃為末熬膏為
丸或煎服亦可治飲酒過度熱蘊吐血
鷄蘇散　薄荷　黃芪　生地　蒲黃　阿膠　貝母以上各
桔梗各七分　五味　牡丹皮　麥門冬　水煎服　治瘀熱肺燥　茅根生地

阿膠 白茅根各五分 桔梗 麥門 五味各二分 姜煎服

治嗽傷咳血咽喉不利。保中湯 小建中湯 加黃耆 加麥門

山梔地黃湯 山梔一 小生地 當歸 貝母 茯苓各等 仁

紅花 知母 牡丹 麥門冬 水煎服 治痰積挾熱先吐痰後見血

歸芍補心湯 即四物湯合麥門冬飲 老子姜煎溫服

治心虛咳吐血為心煩熱婦人胸因潮熱盜汗自惡

咽喉咳 桃仁承氣湯 加減 左歸飲湯 加味

黃連猪膽湯 黃連 黃柏 黃芩各五分 水煎送 阿

膠艾以羊煮洋温服　治熱毒吐血

痢門

每藥不分痢凡痢初痛元氣尚實者可下至五六日
脾胃虛者宜和解利小便消分藥〻劑動又宜補氣
血加升舉藥調向尾參朮以提〻甚久者因寒亮痛
豆後痛胃壯毋拘禁以涉飲〻〻若痢下如竹筒如
屋漏水足痛色〻短呃逆者不治狂下血小便不通
唇紅下治切熱亦不治切熱口渴潮涉大便只多痢色

赤者為熱痢，身涼不渴，溺清，大便利，色白者為寒
痢。大便氣分痢不下，色白；大便血分痢下，色赤；氣血
俱病，痢赤白相兼。由外感痢者，初起則發熱惡寒
致痢，身疼熱者，宜九味羌活湯；無寒者，宜不換
金正氣散。受暑者痢好渴者，宜茹苓湯，又毛散，居多
三白朮散。嘔吐有寒熱者，宜柴苓湯，居嘔吐多
宜四君子湯加化陳皮、厚朴、麥門、竹茹。日久陰虛者宜
八物合二陳湯加枳橘。嘔吐分不今者加□，噤口由胃虛次

痢

屬熱宜香連丸加蓮肉爲末米飲下或送服[illegible]
及脾胃虛者宜參苓白术散老山楂加當歸蒲黃
惡寒重腹痛是粉肛門作痛者宜木香檳榔
大黃黃芩芍藥黃連當歸白芍枳殼陳皮煎服熱[illegible]
痢色紫黑腹痛惡重異常者宜桃仁承氣湯
下元虛寒痢白如鴨溏腸鳴痛陰冷不換金正氣
散加烏梅丸參肢冷便溏甚者以乾姜附湯理中湯溫
痢粉白尾鼻至身痛痢色如[illegible]或純下者必效[illegible]

蒼朮湯、神朮散。一方長幼相似，名曰疫痢，宜敗毒
散加陳皮，或姜茶煎，以苦參湯，痢者加罌粟殼。
參苓宜流氣飲子、六和湯。血虛痢色淡紅，宜
四物湯加升麻、香附，則痢差。氣虛痢色如白鼻
涕，阿膠為二四君子湯加木香、肉桂、厚朴、伏龍
痢，久者補中益氣湯，虛勞依鼓血痢，宜當歸湯。凡
久痢將年月不愈，名休息痢，宜八物湯加陳皮、
阿膠、參、連、生薑許，或十全大補湯、補中益氣湯。

痢

不換金正氣散　厚朴　陳皮　藿香　半夏　蒼朮各一錢
甘草五分　姜棗煎溫服　治四時感冒時氣瘟疫
山嵐瘴氣，四肢拘急，心腹滿悶，飲食不化，并霍亂吐
瀉，下痢赤白，膈噎瘧瘴，或加陳米。

薷香湯　香薷二錢　厚朴　扁豆　黃連各等分　四味用姜
汁炒　香薷　猪苓　茯苓　白朮　澤瀉各一錢　肉桂五分　水煎服
治痢痛感暑，煩渴瀉泄，小便赤亦用。

七味白朮散　白朮　人參　茯苓　甘草　藿香各等分　葛根一分

枳殼 五味 木香 柴胡 各三分 煎服

治泄瀉無飢泄穀不治小兒吐瀉 罌殼五味

參苓白朮散 白朮 人參 茯苓 甘草 山藥 各三分 蒼芎

陳皮 桔梗 白扁豆 砂仁 各分 為末 棗子煎湯調服

治脾胃弱飲食不進或吐瀉及大病後虛瀉面色白

宜四君湯加木香厚朴

酸仁遠志湯 大棗四分 酸仁三分 桂枝 遠志 各二分 茯神 各一 鉤藤

水煎服 治血畜小腹手足浩便黑溺澁痃血結胸

當歸和血散 當歸 升麻各二 槐花 青皮 荊芥
白朮 熟地各二 川芎四 各為末 每服二錢 米飲下
治濕毒下血及腸濕下痢 腹脹 仍宜下赤小豆汁或
下赤黑

柴苓湯 柴胡 黃芩各二 人參 半夏各一 甘草四分
猪苓 茯苓 白朮 澤瀉各一 姜三 煎服
此猶過經紙山吐瀉 治熱痢下血 煎服 用地榆 蒲黃 或煨火

痢 芍藥湯 白芍二 當歸 黃芩 黃連各五 大黃 錢三 肉桂

左

木香　檳榔　平胃各六　水煎服　或云枳加枳殻

治下痢腸血或後重飲食腸痛深濇日夜無度如

欲不止醇加升麻去檳榔只殻猪苓

治痢下血方白　用之芍藥枳殻石榴皮平胃各六　水煎服

九味羌活湯（見傷寒門）　流気飲子（見瘡門）　調中湯（見虚門）

六和散（見暑門）　除湿湯（見湿門）　烏梅丸（見便血）　致壽散（見咳嗽門）

猪苓湯

瀉門

凡瀉病初宜分利中焦滲利下焦次宜升提滑脱不

葉然和田原泄之虛有尾萎則已鮮衰真者哥
則已溫中足陽弱宜補益分類宜沙參蓮狂言因
不獨次序尾瀉脹腹皮真前後瀉利次分君又異
附五臟不發。腹瀉者小便黃泄好渴胯中熱手足
溫則已動作無瀉者小便清白不渴胯中冷之真
則痺腹脹而鳴則嗽動作次分不下是者肚冷
宜胃苓湯加減參序排冷中湯加減代溫瀉者則
水泄不下腹鳴則已腹痛宜胃苓湯冷溫濕

疫瀉者長幼相似宜不換金正氣散暑者瀉初煩渴
尿赤暴瀉如水宜五苓湯加黃連車前子或清暑
益氣湯有濕熱者柴苓湯脾泄瀉者初時尾自
汗或帶清血條分瀉者初時痢甚瀉秋痢後泄
壞雞子宜平胃散加香附砂仁草果山查麥芽
火瀉者初口渴後冷痢下陣瀉一陣肛門其痛甚辣
暑甚連翹甚宜五苓散去桂加黃連另加香薷七情瀉
者初時腹痛後不痛分名通遂泰亡至為正氣

散加丁香肉蔻砂仁、虛瀉者或瀉或不瀉、或多或少引飲加白朮神麯麥芽、遇飲食即瀉、困倦無力者、虛也、四君子湯加木香肉蔻砂仁蓮肉。久瀉者為末、破豬腸湯服此濕瀉者、腹分時日乃瀉、脾脹者、宜敷米縣湯、嘔者少二陳湯、白朮散、參苓白朮散、少食腹鳴、四肢困倦者宜升陽除濕湯、日止夜瀉者、宜啟脾丸、至北色款瀉腎虛瀉者、足冷、久利、肉削、五更數瀉、不進、疲倦、聲音瀉者、宜古方四神丸、二神丸、又有大腸滑瀉、小便精

一三者宜乃全丸若似痢非痢無寒熱不渴由挾冷物積
而成瀉或泄或溏亦名冷積冷者宜感應丸蘇
連丸或理中湯加黃連木香瀉久不止孔犯竹固宜
之無寒者宜升陽補胃湯補中益氣湯加白芍訶致
者可無延中湯　藿香正氣散　平胃散　吞香連丸
升陽除濕湯　升麻　柴胡　防風　神曲　澤瀉　猪苓各五分
蒼术　陳皮各一錢　甘草　麥芽各三分　姜棗煎服
治脾胃虛弱不思飲食腸鳴腹痛泄瀉無度小便

若四肢困弱胃寒腸鳴加半夏

升陽補胃湯　即補中益氣湯去陳皮加獨活藁本

羌活　白芍　防風　獨活　生地　牡丹皮　治濕熱陽明之瀉

胃苓湯　蒼朮二錢　陳皮錢半　厚朴一錢　甘草八分　豬苓　茯苓

白朮　澤瀉各一錢　姜棗煎服　治傷濕之瀉如水注下

腸鳴加木香　如熱尿赤加木通車前

五味萸散　五味子四兩　吳茱萸一兩　同炒香共為末

每二錢米飲下　治腎瀉五鼓即瀉

左

101

啓脾丸 人參 白朮 茯苓 山藥 蓮肉 各一兩 陳皮 澤瀉

山查 甘草 各五錢 爲末蜜丸豆一丸空心米飲下

治大人小兒脾積五更泄瀉夜瀉沙痢脹滿腹痛泄瀉 胃

又全丸 破故脂 乾姜 各二兩 胡椒少五 爲末麫糊丸空心

丸以米飲下 治大腸寒滑小便精出

清暑益氣湯 補中益氣 四君子湯 并見補益 除濕湯 見濕門

藿香正氣散 平胃散 并見霍亂 不換金正氣散 見濕門

二以白朮散 參苓白朮散 柴苓湯 并見痢門

猪苓湯（五痢門） 黃芪建中湯（五癆門） 理中湯（五寒門） 五苓散（五濕門）

治痢疾瘧疾。 南木香 檳榔 香附 川連各為末化

吳萸炒黃連為前三味共置一処用火適酒以姜汁和

待五六日發芽取起曬乾為丸滴者米湯下痢為用

姜湯下

腫滿門

男腫多先起腳，腫多先濕，男從腳下起腫，女從頭上起

腫為逆，陽證先腫上，陰證先腫下，伴腰以上腫去…

腫

若汗脚已下腫者宜下之其外因涉水冒雨見寒暑
氣內因飲水茶酒飢飽勞役憂鬱所感此腫上俱腫
加紫蘇下俱腫加赤茯苓
凡腫病初起者先以其濕之五苓散用桂枝合之一散
加橘皮木香檳榔生薑煎服或單用山楂凡用木香
白术煎湯下腫兼氣喘者宜用九五苓散中寒
腫者宜溫補氣脾腫者宜外濕腫兼濕者宜
參苓白术散腫兼喘者宜芳伎苓湯冒虛腫

重脚腫宜加味八味凡蘇冒凡小便不利者宜古
沉附湯二便俱利者宜[illegible]毋産後氣陷口中無
味宜六君子加升麻柴胡以提之腹兼喘者宜分
氣紫蘇飲次五皮散由久痢腹者宜加味八味凡久
瘧腫者宜退黃凡産後腹者宜八物湯加蒼术
陳皮半夏為瀉有熱加麥門黃芩氣分腫加木香砂
仁懷胎人氣逼水道又腹者宜八物湯去半夏加紫
蘇大腹皮蒼术由分類腹者[illegible]辛凡救求凡

由次毒水而腫者宜漆雁凡不伏水土腫者宜胃苓湯由膿瘡搔莠愈後其腫者宜敗毒散便用者升麻和氣飲由孔瘡洗浴水氣入膚腫者宜赤小豆湯由瘡久既痊嗜水腫者宜五苓散加木香陳皮檳榔湯不再呷枳殼又膈皮破仁姜煎溫服婦人浮用死血腫者宜胃苓丸加紅花蘇木虛弱人不敢汗者宜四君湯加升麻柴胡蒼朮防風腫而汗多者宜防己黃芪湯腫而四肢瘦削腹腸膨脹者宜文蛤子湯

加味香木通 玉莖腫脹繃裂宜柴胡瀉肝湯。莖囊腫大通明，宜木香流氣飲加木通。囊腫不二便通，宜三白散、八正散。玉莖脈痺，宜清蓮子飲。胃大如斗，宜荔核散。腹痺腸硬，宜澤瀉湯。

茵陳五苓散 茵陳二兩 豬苓 茯苓 白朮 澤瀉各五分 肉桂五分

爲末，每服二錢，米飲下，煎服亦可。○治發汗太早腫濕熱。

防己茯苓湯 防己 茯苓各二錢 白朮二錢半 甘草七分 姜棗煎服

治諸風濕脈浮身重自汗及誤汗出腫汗之不止熱服

赤腫加茯苓　赤茯苓湯（見喘門）　參茯苓白朮散（見三痢門）
五皮散　大腹皮　桑白皮　茯苓皮　生姜皮　橘皮
此煎溫服忌生冷物、　治脾濕面目四肢腫滿心
腹膨脹小便喘急、　分氣紫蘇飲（見喘門）
赤小豆湯　豬苓　桑白皮　防己　連翹　澤瀉　[illegible]
商陸　赤芍　赤小豆　澤瀉　芽乃姜煎服、
治氣血熱生瘡久爲腫滿或蝦湯、、木香流氣飲（見腳氣門）
加味八味丸　附子（炮）　白茯苓　澤瀉　官桂　牛膝　車前子

山茱　山藥　牡丹皮各三兩　熟地五兩　爲末蜜丸空心米飲下

治脾胃虛損腰足脚腫小便不利有熱者去桂附子

澤瀉湯　澤瀉　赤伏苓　枳殼　猪苓　木通　檳榔　黑牽牛　各爲末每服二錢姜葱煎湯服　胃苓湯方在

治水腫大小便秘澁　敗毒散方見咳嗽門　濟胃丸方見小便不通門

香平丸　香附　黑牽牛　三棱　莪朮　乳香各三兩　生姜三兩　蒼朮　陳皮　厚朴　甘草各一斤　共爲末糊丸生姜湯下

治水腫氣腫血腫　清心蓮子飲方見濁門

柴芍瀉肝湯、柴胡錢三 芍藥錢二 人參錢半 半夏錢半 丹皮四分 姜三片 棗一枚 黃連 青皮各錢半 煎服 治陰囊腫裂長縱 腰、

三白散 白芷錢半 桑白皮 白朮 木通 陳皮 各五分為末 木姜湯服、治尾濕相乘陰囊腫脹二便不利、

荔核散 荔枝核 四錢 青皮 切細炒黃去土火為末 每三錢酒調。治腎囊大如斗

復元丹 附子二錢 木香 茴香 川椒 獨活 厚朴 白朮 陳皮 吳茱 桂枝 各錢半 澤瀉 錢半 檳榔 各五分為末 糊丸每五十

凡紫蘇煎湯下。治脾虛浮腫四肢虛浮心腹堅脹

小便不通兩目腫。五苓散　六一散　八正散（並見淋門）

四君　六君　八物湯　腎氣丸（並見補益）

治水腫及產后腫　火硝五錢　龜腦少錢　甘遂。五錢　大蒜三個　首

鼓脹加丁香十五箇各味以蒜一斤搗碎夏至空心服

服后令再吞三五口鮮菜其患忽令從內到小便即愈　凡

葷菜以蘿蔔子之類為妙

治產后虛腫、祕六門以紫蘇煎湯飲後到小便即消

106

疝

疝氣門

凡疝本濕熱也蓋緣惱勞役房慾及勞動火火鬱久初生濕又為外寒所束是以疝病寒痛甚大要熱為遲熱初疝者其症二便秘小腹肛門俱熱、外腎累垂玉莖挺急寒為遲寒初疝者其症二便自利腹腸清冷外腎收縮然疝急不特外腎作痛有睾丸凡痒為有連小腹痒為或攻刺腰腸或遊走胸背或遶臍痒男子遺精女人不月

亦從疝病凡疝必知所積附于臍之上下左右為癥

水疝

瘕水疝知其囊腫如水晶或囊痒而流黃水陰汗

自出小腹將作水疝由脾之虛而然筋疝知陰莖腫

血疝

脹痛痒至極由房勞而然血疝知如黃瓜在小腹兩

氣疝

傍結氣囊腫由憂鬱久嗔勞力而然氣疝知胃口

前陰囊連脹或陰核腫脹偏有大小由號哭忿怒

寒疝

役而然寒疝知其囊冷結硬如石陰莖不痛或睪丸

狐疝

痛由寒濕逆勞而然狐疝狀如仰瓦臥則入于小腹

癩疝

癩疝者或外腎偏墜腫痒或玉莖腫硬引臍疼
痒甚者陰縮肢冷囊上生瘡或腎大如斗不痛不
痒中寒者宜五積散木茴香丸茱萸內消丸由挑
者三白散橘核丸木腎呈硬頑痺不痒已落腎
丸四制茱萸丸感暑症初小腹脹急拘弦宜
香茹散加瞿麥木通風濕症初身重小便不利
大便澀宜五苓散旦豪痒者加減柴苓湯加減八正
散風凡症初陰筋走注痒甚有汗身痒宜烏頭

疝

桂枝湯。感寒疝，則心痛筋攣，肢冷，分已即吐，宜五
積散加吳茱萸、小茴及分鹽少許，或四製茱萸。凡七疝
疝則欠溺欠臧，宜急疝飲、吉茱萸連。凡癀疝，為因酒
丹香附姜汁調服分積。瘀血疝，為宜桃仁枳查散
狐疝暴痛，宜四君湯加川楝子、四香、枳實、山查、山
挾疝久成癥瘕，腹滿急積，北臀者，宜蒼白散或
理中湯。腹痛有塊附臍傍者，宜聚香飲子、葫蘆
茴。凡腹痛有塊附臍下者，宜金鈴。凡奔豚疝，少腹痛者

宜六七氣湯加牽牛炒用、凡痢通用五苓散、痔加橘
核、枳殼加枳實、山查、桃仁加山梔、痔甚加三稜、莪朮、乳沒
木香爲丸、黑牽牛三錢、蓽澄茄加 枳殼、檳榔各三錢、木香[illegible]
加澄茄、木香、牽牛、枳殼、檳榔加吳茱萸、木香、沉爲末、水爲丸空
心鹽湯下。治膀胱疝氣、腫痔及股脚噎塞氣滯
膈中、水停嘔逆、並治疝氣。五積散[illegible]、香茹散[illegible]
茱萸肉沽丸 山藥、吳茱萸、川楝、回香、青皮、陳皮、山茱
肉桂各三錢、木香二錢爲末、酒糊爲丸、每五十丸、溫酒、鹽湯

疝

下○治寒疝陰囊偏墜，痃癖連臍腹，小腸氣刺，

橘核丸：橘核 海藻 昆布 桃仁 川楝子 各兩 厚朴 玄胡索

枳實 木香 木通 各五錢，為末，酒糊丸，每六十丸

溫酒塩湯下。○治四種癩疝，囊核腫脹，偏有大小，或堅硬

如石，或引臍腹絞痛，甚則膚囊腫脹，瘡癰潰爛

害或莢收。○三白散 見脫門 四君子湯 見補益門

加減柴苓湯：柴胡 半夏 伏苓 赤芍 白朮 澤瀉 豬

苓 山查 山梔 荔枝核 等分，姜煎服即效。

109

此方治諸疝和肝飲氣治疝治濕熱之劑

聚香飲子　乳香　沉香　丁香　木香　檀香　藿香各五分

玄胡索　姜黃　川烏　桔梗　桂心　甘草各一錢　生姜　大棗煎

治七情所傷遂成七疝心腹引痛不可俛仰

白蔥散　川芎　當歸　生地　芍藥　枳殼　厚朴　莪朮

三棱　茯苓　官桂　乾姜　人參　川楝肉　神曲　麥芽

青皮　茴香　木香　蔥白　入鹽　水煎服如大便利

用梔子大便秘去鹽入大黃　治冷氣入膀胱疝痛及胎前產後腹痛

疝

大七氣湯 半夏 莪朮 青皮 陳皮 藿香 桔梗 肉桂 益智仁各一錢 甘草七分 香附一錢 生薑 大棗 煎服

治七情相干氣道壅滯攻衝作痛 · 理中湯

氣疝飲 黃連一錢 用吳茱萸水浸炒 人參 白朮各七分 白芍 陳皮各五分 甘草二分 生薑三片 水煎服 五苓湯

四製茱萸丸 吳茱萸一斤 用酒浸一宿 醋浸一宿 童便浸一宿 焙乾 一添炒二日 為末 酒糊丸 空心鹽湯下

治疝氣偏墜腫硬陰囊濕癢搔成瘡

110

葫蘆芭丸 葫蘆芭斤乇四两十二 吳萸两十 川楝肉两十六
巴戟 川烏两 各兲 為末酒糊丸空心酒下
治奔豚氣疝偏墜陰腫小腹有形如卵上下走痛
梔桃核查散 山梔 蔻仁 核殼 山查 各為末去砂
碎因入姜汁因山湯起煎熱服 。血冷熱疝氣
治寒疝冷熱小腹連毛因間痛或加吳萸治分穢症
一方取楝葉茱葉一撮因為丸服對真茱萸偏墜即愈
斑疹 凡斑疹者色紅鮮自胸腹散四肢者吉黑色紅滇
自四肢入臟者死

斑

斑者有色痕而無頭粒，重者紅如錦紋，或存多其在胸腹。由外感其斑者，則初起頭疼身大熱，宜攻表散加紫草，或升麻葛根湯加玄參；有咽痛者，玄參升麻湯；有狂言或衄血者，宜陽毒升麻湯；便閉者防風通聖散微利下。斑爛者黑者，由內傷其斑者，初起無頭疼身熱，但手心熱，宜補中益氣湯、黃芪建中湯。內傷瘀熱上攻頭面，宜升麻葛根湯加玄參貝母。其斑生後發而由內傷多外感者，宜參蘇飲。疹者

有斑疹或如粟米或如蚊虫咬或隨出隨沒或沒而有之
隱于皮膚但發癢而無腫痛是濕熱也宜升麻葛根
湯加牛蒡子荊芥防風或單桔梗赤芍疹為血熱燥
甚疹之稍淡者宜川芎茶調散胡麻散白疹者由
天寒冷風風折之稍癢和淡宜惺惺散疹似赤似白微癢
隱于肌肉四肢之表者為蓋由滯後感風汗之解者是
乃風熱挾濕宜消風散寒加桂枝暑者加黃芩柴胡
濕加蒼朮茯苓如肢麻不仁者宜黃連橘皮湯遍

身瘡多痒極者宜苦參皂丸又小兒遍身生疹五色
甚則肌燥者冬寒月宜升麻葛根湯暑月宜人參
姜活散熱加黃芩玄參冷加黃芪白芷

苦參皂丸　苦參一斤為末用皂角二斤以水一斗浸皂角
揉取濃汁去渣與苦參為末皂角汁熬成膏為丸每
十丸荊芥薄荷湯下●治風毒皮膚瘙痒或生瘡癬
遍身細疹痒痛或瘾疹晝夜多不睡

陽毒升麻湯　升麻　射干　人參各一錢　黃芩二錢　犀角屑一錢　甘草七分

斑

水煎温服取汗。治陽毒發斑頭項背痒燥悶不得狂走
毒瀉下利咽喉腫痛口吐膿血。升麻葛根湯门 頭面鮮肌
玄參升麻湯　玄參　升麻　甘草各三钱　水煎温服
治發斑煩燥譫語咽喉腫痛閉塞。除尾通聖散门 无目
黄連橘皮湯　黄連一钱二　麻黄　葛根各一钱半　橘皮　杏仁　枳實
厚朴各一钱　甘草七分　水煎温服。治温毒發斑皮膚癮疹
舌唇口瘡饒遊。川芎茶調散　消風散 並見頭痛
黑膏　生地二两六钱　淡豆豉一两六钱　猪脂十两　雄黄　麝香一钱

煎之，今三分減一，去滓，入雄黃為末五分，麝香為末一
分，分三服，白湯下。○治濕毒斑咽道 敗毒敗散 丸

胡麻散 胡麻（二兩炒） 荊芥 苦參（各八錢） 何首烏（二兩） 牙帖 威靈仙
（各二兩）為末，每服二錢，薄荷煎湯下。○治風毒遍身搔痒或瘡
疥癮疹，及面上遊風如虫行，或白癜風，頭面或眉風腳
膝生瘡。 惺惺散（見咳嗽門） 英蓂延中湯（見咽喉門）

血風門 紫白癜 癬疥 丹毒 癩風

血風

凡瘡乃火鬱血燥所致，不可妄用祛風藥，恐血燥火熾

虛症難治宜滋補虛血〻亡則火息尾至痒止

凡血皮發決刃得皮肉變色赤者為〻赤〻瘀白者為〻白瘀

由肝虛得受皮膚血虛不亂所生而然者宜九味羌

活湯加金銀花連翹或四物湯加紫胡山梔牡丹皮虛者

胃虛凡白瘀者宜敗毒散或小柴胡湯加防風連翹

虛者補中益氣湯加防風羌活枳殼防風敗毒者二足胡

毒散單浮瘡耳凡單浮乎凡羊多上身痒者由血不榮

于腠理宜四物湯加黃芩入紫浮萍為末酒服遍身

究凡

頭面風多甚癢者，宜單羌參丸或用薄荷蟬退爲末
酒調服。瘡由五臟蘊毒而外發，瘡而搔癢皮枯屑起，
宜涼血飲或搜風順氣丸或四物湯加黃芩連翹，久者宜
追風。濕瘡而腫痛久者，必流如黑豆汁，宜防風通聖散
加木鱉子或升麻葛根湯加天麻蟬退。破瘡而如破子細
菌，癢痛猴子者必瘢疹，宜活血四物湯，久者毒發炊血瘡
者，火盛生疳，癢不知痛，宜敗毒散，久者古苦參丸。
癬者多痛癢，因由血熱風毒攻致皮膚濕(浮)為病諸瘡

為癬宜四物湯加荊芥麻黃各五錢浮萍花用多煎服
取汗得久不散汗下者因陰毛通身散去破黃加浮萍芭
剉煎服危瘡者浮毛散血燥者胃危凡久服自效○
洗疥瘡用荊芥黃柏苦參湯洗痒加蛇床子川椒腫加
為白回湯洗○洗癬瘡用紫蘇蒼耳浮萍湯洗外治
癬疥通用摩尾莧大馬齒莧
癩毛者由外因汗出浴水過后多毛或卧濕地或冒雨露 冒
內因飲食熱毒二房勞過傷或動血熱遂成此疾初起

頭上生癢或起白屑紫雲或起紫瘡流膿先宜服除風
通聖散頭上用羌活以去外毒頸下用防風以去內毒三五
日後即服醉仙散以吐惡涎後又除風通聖散再服苦參
丸多次久服待胃氣虛服再造散以下其毒後再次除風
通聖散加參芪蒼朮以固元氣血虛手足毛分肝刺眉脫分
又刺足底穿分脾刺聲啞分肺刺鼻崩分腎刺耳鳴邊先
服瀉青丸以瀉肝火次服通聖散治班后瘡者四物湯加黃芩
胭脂萆為末瘡甚加荊芥蟬退發癢白芷烏蛇白花

血風

鈍凡眉鬢落，鼻崩者，宜換肌散；肢節毒者，宜蠲痺散。

通用胡麻散加烏蛇、苦參。凡大瘡毒，凡八物湯，外治蒼耳膏治

小兒胎毒，疥腫及遍身生瘡者，皆由父母辛熱及淫熱所

服致毒多，血熱而成。毒之發者，此症之為，要先手足或頭

面胸背，令人煩悶腹脹身熱，此死症不可言，宜先服五福

化毒丹、犀角消毒飲，或人參敗毒散加紫草、蟬蛻，或升麻葛

根加白朮茯苓。令不秀足亮，露活之子熱甚，令毒陷，或不

可服涼藥者，宜惺惺散、羌活當歸、八仙湯。腹脹，宜益內消散。

淋之外用安小便以雞鳥毛蘸搽患處如丹毒從頭頂上
起用蔥白自然汁搽之從頭頂上紅腫痒用赤小豆為末
雞子清調搽從背起用桑白皮為末羊脂調搽從
背有赤腫者用芭蕉根燒灰水調搽從臍上腫起用
猢猻為末羊脂調搽從足腳赤腫用　為末羊脂調搽
從陰上起用屋漏處土為末羊脂調搽或用朴硝大黃為
末用新汲水調搽之丹毒○敗毒散（方喉嗽口）消風散（方毀瘡口）
又風
單浮萍丸　用浮萍草紫背洗淨曬乾為末煉蜜丸彈子大每

丸用黑豆淋酒化下○治風疾癮疹紫白癜瘋瘙疥
疥華治脚氣打針什月疥瘡○九味羌活湯 見解肌門
蒼耳丸 端午日采蒼耳葉洗淨曬乾為末蜜丸每十丸日
三次酒下○治風瘡癮疹赤白癜最效奇驗
當歸飲 當歸 白芍 川芎 生地 防風 荊芥 蒺藜 各戋
何首烏 黃芪 甘艸 各五分 薑煎服○治遍身疥癬瘙痒
腫或膿水浸淫或若赤疹瘾癧○升麻葛根湯 見解肌門
活血四物湯 當歸 川芎 芍藥 生地 各戋半 桃仁 九個 紅花 戋

荆芥 連翹 黃連 防風 苦參各等分 水煎服 治疥瘡經久不愈

疥瘡膏 蛇床子五錢 大楓子十四個 杏仁十個 枯礬 樟腦各二錢

川椒 輕粉 水銀各二錢 雄黃一錢 銀硃一錢 為末用烏桕油三兩

研勻為丸磁器收貯 每用少許呵洋通擦之 治癬疥濕瘡

風濕痒瘡 婦人陰蝕瘡 濕瘡 火丹 ○ 防風通聖散見前

馬齒莧膏 用馬齒莧洗淨煎汁 去渣 入黃蠟三

兩 火熬成膏 塗之 治十久頑風瘡 多年之瘡 臁瘡

血風

肢瘡 濕白禿瘡 疥瘡 ○ 四物湯 補中益氣湯 金匱補益 腎氣丸

蟬仙散 胡麻子 牛蒡子 蔓荊子 枸杞子 各三匁 倶炒紫色、

白蒺藜 苦參 威靈仙 防風 各五匁 精粉四匁 為末 每服二匁

茶湯調服、后五七日當牙齦内流臭涎渾身瘡癒皆同

此蟬仙久服下臭屎膿血為效。治丈夫瘡癢

再造散 大黃 皂角刺 各二匁 白牽牛 五文 鬱金 五匁 為五錢

更五更調冷酒服、此日利下惡物或膿蟲血服下足

乃止。治癩風。 胡麻散 苦參 皂角凡 三兩 與瘡 搜風 火毛凡 陰囊

大麻風 苦參 三斤 防風 荊芥 蒼耳子 胡麻子 皂角刺 平斤

羌活 獨活 白芷 白蘞 白蒺藜 天花粉 何首烏各四兩 烏藥半斤 為末，用皂角五斤切細，隔水浸五日，去渣汁，熬成膏為丸，每服百丸，空心酒下。治大麻風，初起遍身瘡點五色，不知痛癢，手足麻木。五福化毒丹見口齒門

加味苦參丸 苦參二斤 防風 荊芥 蒼耳子 胡麻子 皂刺各十兩 蔓荊子 牛蒡子 黃荊子 枸杞子 何首烏 禹餘糧 蛇床子各三兩 白芷二兩 為末，用皂角煎膏為丸，每服五十丸，茶酒湯下。治大風瘡及紫白癜風。惺惺散見咳門

血風

白花蛇丸　白花蛇一條　當歸二兩　川芎　白芍　生地　防風
荊芥　獨活　連翹　胡麻子　何首烏　升麻　羌活　桔梗
各一兩　為末　將浸蛇酒和水打糊為丸　每七十丸　茶清下
治大風頭面手足白屑瘙癢　皮膚燥熱

驅風散　羌活　獨活　皂刺　白芷各五分　當歸　白术各一錢半
甘草一錢　大黃五錢　水煎服。治癩風肢節拳拳　宜此祛風血參

換肌散　烏稍蛇　白花蛇　地龍各三兩　細辛　白芷　天麻　荊
蔓荊子　當歸　苦參　威靈仙　荊芥穗　菊花　沙參

木賊 炙草 蒺藜 天門冬 赤芍 何首烏 石菖蒲
胡麻子 蒼朮 川芎 木鱉子 月 各錢 為末 每五錢 溫酒服

治白鼻崩髮落

血症

犀角消毒飲 牛蒡子錢二分 荊芥錢分 甘草四分 防風 升麻 各三分
加犀角 茯苓 水煎溫服 以治熱瘟咽喉不利腮臉腮腫
痰結脹 遍身斑疹及豆瘡已出未出熱

紅內消散 當歸 茄蒂 甘草 羌活 茯苓錢 各五 麝香
五分 為末 每錢以用生地黃煎湯調服

治癩瘡方、赤、蓖、桑、槐、桂五枝煎湯先將瘡洗、
土茯散 土茯 雄黃ソ各三一 滑石 荊芥ソ各錢 為末研搽患處日
服二三次治楊梅毒。○浮萍湯 浮萍 防風煎湯先薰後洗
治癜風癬瘡。○治赤白癜、大附子 硫黃 雄黃 茄蒂
共搗末和生薑汁搽患處日三次即愈 又方治赤白
癜燥濕、 紫茄 雄黃 紫坏風 補朱脂 共搗細末以醋和
白火湯洗過温之塗二三次即愈。○治癜風紫色、龍腦 蒼子
紫皮 紫蘇 桂 紫茄 雄黃各研末以搓薑汁入碗塗上二錢

赤白癜

癜瘋塗之亦可　又方以硫黃研末用五倍子剝爲片蘸
硫黃擦於患處三五次即愈　或用蜈蚣明礬爲末入鹽塗之
紫癜風治癜方　大黃三錢　牽牛三錢　連翹三錢　梔子十枚　京三稜三錢
蜈蚣　蓁艽各一錢　羌活一錢　獨活一錢　升麻一錢　以水煎至七
分空心服一月三服下毒惡物多爲可刺此不再服
治癜手足斑瘤　烏蛇　白癜風　等分爲末　竈腦灰
燒各味放入水中以黃油調此爲塗之
白癜風
治癜瘑節瘂　用地榆根微炒爲末每次之
傳曰

楊梅

楊梅門

楊梅瘡以其形如楊梅故名瘡其嫩紅濕爛痒痛蓋由血氣所傷及因風濕熱毒而發或生於亂腸形如鼓釘莢豆或生於面形如鉀花或生毛髮形如此紫葡萄瑚之紫痛或生腋臂及筋骨肌形如魚鰾瘡內多白水不得乾又瘡癢或生於髭鬚額口鼻其毒是火遊者或生於足經陰莖腸筋者初起即服防風通聖散一貼去麻黃用破莢以去內毒後去麻黃每以一貼去破莢用麻黃

楊梅

表汗以後外毒因加減通聖散多服為首尾要藥痛
稀者服此流痰加痰洗藥見三十二者服十粒倍宜服化
毒散上部多者兼服敗毒散加荊芥防風下部多者兼伏
龍膽瀉肝湯從鼻準腫起通身生瘡者多者宜真
樺皮散筋骨痺者宜兒刺凡腫塊者仙遺糧凡海
毒補虛宜仙遺糧湯通用加味三蔘凡虛甚者補中
益氣湯血虛者四物湯外貼文乙膏

加減通聖散 防風 白蘚皮 荊芥 連翹 黃芩各八分 牛蒡

子二戔 金銀花三分 山梔 當尾各壹五分 荆芥 槐花各四分 姜蚕 防風各二分 水煎服 痰上加貝母 川芎 蒲黃 下部多加牛膝 黃柏 通草 身多加木通 桔梗 地骨○ 殺毒散 元咳 加味羌活 黃芩 當尾 元血

仙遺糧湯 土茯苓二兩 防風 木瓜 木通 薏苡仁 白鮮皮 金銀花各五分 皂角四分 水煎空心日三服○ 治楊梅瘡 已服輕粉 筋骨疼不已 動履凡下 疼痛宜此殺除

樺皮散 樺皮 枳殼各燒存性四兩 杏仁水浸去皮 甘草 荆芥穗各二兩 炙五 為末 每服二錢 溫酒下○ 治尾毒瘡 身癢 疥癬 瘾疹 瘡癬

兼治面上粉刺風刺。○防風通聖散孔鼻 竜膽瀉肝湯男 大腸瘡

化毒散 生大黄月乇 穿山甲五ソ 羌蚕三ソ 蜈蚣乇 蜂歸尾五ソ 烏梨ソ

温酒下，日二服

皂刺丸 皂刺月乇 桑寄生 何首烏 白蒺藜 五加皮

地骨皮 白鮮皮各七ソ 枸杞 牛蒡子 歸尾 蔓荊子 胡麻

子 防風 苦參 虎脛 天花粉 木鱉各五ソ 薫乳香 没

藥各乇ソ 為末，麪糊為丸，硬飯湯下。○治楊梅瘡筋骨痛

楊梅

洗藥 地骨皮 荊芥 苦參 細辛各五ソ 煎湯先荳佰洗以遍

身上汗為疮洗須長久。擦藥 用麻尾菖蒲好或用舌
仁九粒雄黄乙以樺務二刃為末以猪膽汁和勻塗瘡
又擦藥 用野菊花煎根葉湯洗瘡後用防風通聖
散同蚯蚓土為末署姒瘡洞數瘡甚妙。或用苦瓠猪滑石
為末以油洞勻數之
治揚梅骨痛 用椰子殼燒為末熱酒調服二錢取汗
治諸瘡及無名腫毒 外擦藥。祀羅阿芙貝羅浣紗能和
膿等乳疮瘡疽波又可祀按鸞埔芳何首烏埋貝蝴蝶疮

癰疔瘡 附諸惡瘡

癰為陽屬六腑毒行外其勢最易發潰不傷筋骨疽為陰屬五臟毒行內其勢緩慢潰傷筋骨陽初起形之[illegible]皮薄深熱色赤腫痛潰後肉色紅活陰初起皮厚不熱色黯少腫硬如牛皮不痛不易不發潰後肉色紫黑

諸瘡初起多因風寒及飲食毒宜通用人參敗毒散且如表症惡寒先宜荊防敗毒散表症無熱先宜內疏黃連湯若瘡勢已成宜托裏消毒散因膿將潰宜十

全大補湯治痘後虚熱其除宜人参麥冬湯痘瘡初出其熱至

毒盛者是無液善宜托裏以透其膿痘瘡初起後不為家

毒平陷者是虛宜托裏溫中健脾以養子加痘瘡初起

始虛血少實宜因涼清熱清熱解毒攻毒大劑以攝之癰

已身附學爭熱痛宜因托裏諸劑以補其虛或有毒

疵因毒以加

疔瘡其無其外其毒肩背腰者發其毒頭面耳鼻

口目舌根處上及手足其骨節者最急生兩足而有紅

楊梅[?]

痧子將生兩手列缺痧至心生惡心面紅痧入喉俱難治至急[?]

以針挑其痧出血以泄其毒急三五保命[?]疔初起宜服追疔

湯或救苦[?]散加蟬退姜蚕金銀花或活命飲五子[?]湯洗[?]

洗毒宜黄[?]連消毒飲欲[?]作膿毒甚托裏消毒散疔初起或

加冰[?]消[?]加石蟾子加豆瘡頭黑硬加疔[?]四畔多加火[?]盤根

安[?]施[?]寸[?]餘隨多[?]集[?]黑棗錢腫大而光精為濕燥[?]火

荊防敗毒散　即人參敗毒散加荊芥防風牛蒡子羌活

煎服治風腫毋毒風疹風堆及丈[?]躁[?]諸瘡腫

124

托裏消毒散、人參 黃芪 川芎 白芍 當歸 白朮 茯苓
金銀花 各一錢 白芷 甘草 皂刺 桔梗 各五分 水煎服、
治癰已成不消腫痛漫已不足者宜服未成者消已成
者潰老膚生新若已潰去金銀花。人參敗毒散 見咳嗽門
內疏黃連湯 木香 黃連 山梔 當歸 黃芩 白芍 薄荷
檳榔 桔梗 連翹 各一錢 甘草五分 大黃二錢 水煎服治癰疽腫
硬發熱作嘔大便秘燥煩燥心煩口乾此毒在臟宜服
清熱消毒飲 金銀花二錢 芍藥 川芎 生地 各一錢 當歸 黃連

山栀　連翹　牛蒡各乙　水煎服。治癰疽腫痛寒熱渴

内消散　金銀花　知母　貝母　天花粉　白芨　半夏　川

山甲　皂刺　乳香各乙　水煎服，渣留另搗爛加美

蜜芋為末白蜜和匀塗患處即消。治癰疽疔瘡及

無名腫毒已消者為收。人參敗毒散（九味加減數）。人參養榮（氣補益）

五聖湯　大黃　金銀花　牛蒡各乙　甘草各乙　皂刺　生姜三

用水煎服。治疔腫癰疽初起發痒熱寒

洗疽瘡方　用猪溫湯洗之，遍淨血去敗肉，或用蛇床子

425

地骨皮　荊芥　防風　蔥白　水煎洗　如破風冷瘡口白者

以乳香葉溫湯洗之　十全大補湯方見補益

斂諸瘡口方　輕粉　乳香　黃連　白及　共爲末摻之或

用桑白皮葉爲末摻之　治諸瘡生肌斂肉止痒

用乳香輕粉各爲末摻瘡口　乾者蠟油調塗

長肌肉方　龜骨三分　白芷分二　黃丹　辰砂分各五　石燕毛羽　先燒

黃蠟先用溶化入香油少許然後入各末再調勻爲膏

塗之瘡口痒加乳沒　治疔方　用蒼耳草根擂生

姜四兩同猪燂一滾乘盖去渣熱服大汗即愈或用黑
豆野菊花為末酒調飲臃腫毒痛身熱除外用蒼
耳根草茴子燒灰為末酒豬調搽立止

治無名腫毒 内雖癒用藥外以槐枝煎湯洗淨後以赤小
豆吳茱萸白膠香或用芫葱蜂房黄芩黄連黄柏以上
硫黄雄黄黄丹枯礬為末香油調搽惡瘡亦宜（猪燂貼瘡即好）

治惡瘡并腫毒 用芙蓉葉搗末和蜜白塗瘡或
用木鱉子五倍子南星白芷大黄為末醋調敷或用蒼

蘇葉入塩少許搗末塗之或用益母葉爲末等數或用南星葉搗末塗之

治疔 新增 祕羅桉犍膽朱乳論貝磨炊

治疔瘡 祕下桉蓍花膽朱涅補又的塩氣以炭逃外臥尼疔已遅消或用疔已之腜從痒蚪炊蒿花温炭研朱氣補臥尼瘡已又用祕羅桉砂唾點新溢或用菊花葉爲末數之

琥珀膏 大安鬱金南星白芷共爲末用大蒜搗末合爲煎弃再搗入湯和勻數腫上以海黃蓋之治腫毒

治疔并惡瘡腫痒 川烏黃連

艸烏 蒼朮 細辛 白芷 薄荷 防風 耳艸 各為末用
雞子清調塗瘡或用乳香沒藥白及杏子香芙蓉各為
末以生薑汁調塗患處
治瘡初生甚小先痒後痛汁出浸淫濕爛氣肉延及遍身手足
用苦楝根曬乾燒存性為末豬脂調敷。此瘡先用苦參
大腹皮煎洗後塗此藥瘡乳用豬脂調塗瘡濕則乾敷
此小兒頭瘡先用生艾葉白芷藿香大腹皮煎湯洗次
用生鹽葉生艾入薑搗為膏敷之亦治惡瘡

治瘡生手足相對如新葉更痒痛拆裂出瘡出黄汁有兆如
蠟、用杏仁、乳香各三錢、硫黄、枯礬各二錢半為末，仍用香油
三錢八、黄蠟五錢為落化，再入前末藥攪煎為膏，貼瘡
如瘡生涸瘀，疑如豆，癢痒多汁延及面耳還爛，先用桑
寄生、桑白皮、白芷、黄連湯洗，後用兒茶、燒灰、黄柏、黄連、
白芷各為末，香油和塗。
治膝瘡面痒腫微赤，瘡了，兆瘡遍身如豆如杏、用生蠟、
黄甲為末，數瘡或用膠菜為末，香油調搽，或用蕹菜

或皮煎湯洗之

火瘡門

火瘡

凡人被湯泡火燒初時宜忍痛急向火炙慎勿用冷水冷物若遇冷熱入筋骨外用大黄研末生石膏研敷瘡或用蛤蜊殼炙黄色研末用香油調膏敷之或用槐子燒灰為末或猪皮炒為末香油調塗瘡或用大黄火燒為末敷或單用石膏研敷或用黄柏大黄黄連山梔為末用雞子清調敷

火瘡

治火傷嫩瘡大小便不利 用生地 當歸 芍藥 黄連 木通

拔子　黄芪　甘草　煎服，此剝便癖止，仍以四物湯加人參
茯苓　白芷　甘草　服效，剝生新肉。或用桐油、黄丹存膏為
末敷，亦治火瘡。　治熱水傷潰火瘡、發熱作渴，用生地
黄芪　芍藥　茯苓　黄連　木通　拔子　黄芩　甘草　煎服，葛根
煎服效，剝落瘡漸退，用人參　茯苓　白朮　川芎　當歸
參　甘草　黄芪　白芷末，以新肉漸完而愈。
治人被烟火熏昏迷幾死，用蘿蔔搗汁灌下即活。

杖瘡門　附墜壓折傷跌蹼

杖瘡

凡被杖打木墜及倒壓折傷，炔急用童便一盞和酒飲，以免瘀血攻心。如遂時不能言，用急童便乇灌下即醒。再用熱豆腐塗些，紫色乃退。或用大黄為末，童便調敷。或用韭的生搗敷。大黄、地榆葉、童便各半，熱湯塗之。

凡折傷金刃傷，未出血者宜下之，已出血者已止宜服雞鳴散，或芍藥散、髮灰散，須元活血，後隨症用藥補損。

治打傷墜木腫痛　用烏仙花連根葉搗爛塗患處。或

杖瘡

用蘿蔔搗爛塗之。或用葱豆搗炒雞子清和調塗。或

189

用白芷天花粉赤芍鬱金為末熱酒調塗或用田[illegible]
五倍子研猪胆汁塗之如血攻心甚腫痛用蓖麻子紅花為尾
大黄白术入童便酒煎服

雞鳴散 大黄酒洗 桃仁七粒 歸尾五分 水酒煎鷄鳴時服下
瘀血即愈。治墜壓打傷損瘀血積痛甚

復元活血湯 當歸二分 柴胡 穿山甲 再炒 紅花 瓜蔞
根各四分 酒炒大黄一兩 桃仁十枚 水酒各半煎服以利為度
治從高墜下瘀血留脇下甚痛

當歸鬚散　當歸錢半　紅花八分　桃仁七分　甘草五分　赤芍　烏藥
香附　蘇木各一錢　官桂六分　木通各半　煎　空心服　治打扑
折傷瘀血結腹疼　如寒熱腰疼加青皮　木香　脇疼加
川芎五分　温酒童便　柴胡

乳香定痛散　乳香　當歸　白术各二錢　白芷　沒藥　甘草　姜
活　人參各一錢　為末　每服一錢　温酒童便調服
治打扑墜落傷損疼痛血瘀加牡丹　川芎　當歸　生地

古烏附湯　烏藥一錢　香附一錢二　甘草三分　為末　淡鹽湯調服

治跌仆吐衂不止，又已咽中快乞，治心腹刺痛。

大成湯 陳皮 當歸 蘇木 木通 紅花 甘草 厚朴 各乙ソ 只殼 大黃 朴硝 各二ソ 水煎服。治跌仆傷損或墜墮木瘀血內攻，暈亂不省，及毆打瘀血攻腹脹，不分惡心乾嘔，大便燥。

退血止痛飲 歸尾 赤芍 生地 白芷 防風 荊芥 羌活 連翹 黃連 黃芩 黃柏 梔子 薄荷 獨活 桔梗 知母 石膏 香附 甘草 水煎溫服。治毆打治腫痛瘀血發 陰心寒熱

杖瘡

生血補氣湯　人參　白朮　茯苓　當歸　白芍　黃芪　陳
皮　香附　貝母　桔梗　丹皮　水煎服治杖打夾棍子
總有寒熱加柴胡地骨皮口乾加麥門冬脹多加川芎

通導散　大黃　芒硝　枳殼各一錢　厚朴　當歸　陳皮　木通
紅花　蘇木各一錢　丹皮五分　水煎熱服以利為度雖孕婦小兒
切服○治跌打損傷與瘀腹脹悶亂宜先此下瘀血初服 服補藥

生肌散　乳香　沒藥　孩兒茶　為末先用白尾荊芥甘草
水洗患處仍以此藥末等分敷之止痛生肌

131

治被打及墜末折傷　用梔子葉炒煎入童便和服或以補
拯埕為末和酒服
治跌蹶腫痛　內服四物湯加桃仁白芷酒煎服如有心
痛用白芍官桂末通煎服婦人加玄胡索外塗藁米
蒼朮白芍大黄丁香四香枯仲桂枝血竭朴硝乳胭碾
砍碎碎成為末和酒熱湯塗之　又塗蓋方　莞昌葉
諛爛葉黏縵相黏張矩又或葉為末和童便熱湯
塗患處　又方菁蘿莼蘿蘿々此菜菁麩豉菁梯蹊

扶方

迮䏐艸蠜𩇕岙菌浉四芎生姜各爲末和八蹄热湯以手
把拿傷処良久敷以布縛之、
治女跌筋骨傷折肉斷剪㾊、　丁香四香桂枝牙艸𦭘䏐
跎殴胡椒稖楠皮共爲末䠨洇用芭蕉葉裹包象拯
塗乙乙扎文滌聊塗文妙热口又可姜半補㹸完浇乙双柴
塗乙辛乙羅芸桂枝和聊野章便拯湯以手寸乙搗乙乙恩乙人面
以茶乙敷患処以布裹乙乙又乙胡椒花百粒桂五乙丁香四
香各五乙大黄乙乙菌浉五乙跎挑跎浉狂各十枚耳艸花

ソ礬金五ソ梧桐皮毛把鼻晃昌流黎鼻穩各為末

砂和熱湯屡屡便留正黏後以布附之

治跌打損傷　用蒿薏子石狗多步徽炒研末每服三錢

毋湯洞服已接續筋骨。又方用蒿白割細搗爛炒熱

敷屡患処冷則易熱腫痒即止是效。治跌打損

治鐵刃傷及打扑傷。南星陰尾為末敷患処以温湯洞服

治刀箭木石傷出血。大黄毛用石灰六用同炒紫色為

痊瘢小児髪灰乾香没藥蒲黄各少淨為末用牛毒

服畢子和柔攪阴孔為妻數傷奶止血具效如神

治金刀傷　用柔白皮汁塗之止血後再更剥柔白皮裹

之塗汁入瘡中

治金瘡下血或用馬鬃燒灰入

金瘡門

陷射罰金尖刺傷

凡金瘡及折傷其出之血者急用蘇木去皮要連条欠白术和

中用童便入酒煎與服順者一日飲涂少若已立要用孔乙

金瘡

刀刃止血

133

治刀斧傷出血　龜骨三ソ炙燬　五倍子二刃半生半炒　白礬乇半生刃手枯　無名異
乇刃亂髮　没藥ソ各乇　共為末乳擦患處止血住痛不作膿
或用蓮葉燒末搽之止血或用云只彩塗之止血
治金刃傷傳方　括门花乇分　猿泥泥乇分　入大個鍋內煮爲膏
敷末留貯敷患處如有膿水泥再搽爲末貼外以猪膏
又或用烏賊骨爲末敷之又或用白礬苦丹爲末敷之又或用
石榴花葉爲末敷之○　治金刃尖刺傷　新英鶯樹以汁亂塗之
治射箭并尖刺入肉　蓖英鶯木射又真木射存性研血遂

此對之果子及鶯薸葉入口咬爛敷傷處其效甚即之
陳石灰 大黃生用 石灰之用 同炒以碗炒紫色為度 去大黃只將石灰敷傷
處立效止血○治金刀傷 用萵菜葉搗之止血 或用車前菜及根搗之止血

毒藥門 家傳之千試毒藥二三服始信痛愈佑不与合冷 物還冷生蟲

治百毒所中 用牙埘三兩水煎服已解百毒或麻次香油一兩立效
先試毒之方 祕羅披毒藥好見落冷茶隨加鹽少許不落
人知得平平旦飲毒藥有犯毒藥知之的亦不嫁
治誤合毒藥內服之 祕救滾熱全根之葉置于擂內入鐵刀同

水煮與並加酒半小盞夜半病人睡覺起時次不許先知主飲半夜潛置刀子一件於席頭一件於床足不許病人盞次三四朝乃愈

犯房

○犯房門

竹皮逍遙散　青竹皮　人參　知母　黃連　兵仲　滑石　生地　芎白　柴胡　犀角　姜葱煎湯服入襯襠它刀為末酒服微汗出小便利陰頭腫即愈○治男孫及犯房易病○如心煩口渴加麥門不眠加竹茹心悶加枳實

犯房

參苓白朮湯、參苓附子各八分、生姜一分、白朮、桂枝、甘草、人參
茯苓、乾姜各五分，水二盞煎八分，去滓溫服，微汗便愈。
治男女病未平復，因犯房事，小腹急痛，連腰膝四肢不舉。
燒裩散　取近陰處裩襠一片，方寸，男用女裩，女用男裩，燒
存性，溫水調服方寸匕，小便利，陰頭微腫，即愈。治犯房
治犯房唇口，用韭菜去根，搗取汁半碗，入鹽少許服之，甚效。
治犯房沉面黃，盜汗併倦，口用枝子去殼，以童便浸去夜炒
為末，水一盞煎八分，溫空心服。

135

治中寒室　枳樸蒼　枳馬歸芎苓桂姐長乾墨乾幔翮
鷄屎乃厚各味英猴八湯以飲之
雙和散　黃芪　川芎　當歸　熟地 各一錢 半 肉桂　甘草 各七分 白芍 二錢 姜棗煎服。治心力俱勞氣血俱傷或房室之後勞役或勞役之後犯房大病後勞之

不眠

由熱氣鬱陽陽氣不復故不眠

酸棗仁湯　酸棗　人參 各一錢 半 石膏 二錢半 茯苓　知母　甘草 各五分 桂心 五分 姜三片 竹葉 水煎溫服。治汗吐下後晝夜不眠

梔子烏梅湯　梔子　黃芩　甘草少各一錢　柴胡少錢　烏梅一枚　生姜三片

淡竹葉十四片　豆豉一錢　水煎溫服　治傷寒病愈後不眠

蟲獸傷門

治蛇蟲及蜈蚣咬用桑葉以鹽泥搗塗之或用葛根搗付蛇蟲咬亦對

治蛇咬　先急飲好醋一二碗令毒氣不隨血走或灸傷處亦可　又方用貝母為末酒調服再以貝母敷傷處　又方用白芷細辛各一兩以雄黃二錢為末每服一錢入麝香少許溫酒調服治蛇咬

治蛇咬毒入腹三　羅荏荏羅花葉搗汁入酒灌入病人口中即活再以藥渣敷傷處　凡治蛇咬先將首髮而齒髮根

蟲獸傷

字白下治黑疗不治又二方祂羅曼理坦𢪀哈發外𫜵喠墨𫜵亞

治虎吞蛇咬 祂羅姜𦼔紫𦹳貝𣵰𫜵旺碓𫜵直臥𡳵

𬏑口又治蛇咬二方羅集揞坦祂血咽𫜵喉祂羅𠫾𫜵咍發貝

查臥𡳵𬏑𠫾吅祂麵𫜵𤠄𫜵𫜵效飲之

治𤳸𠊛鮮𡄯𡗶𬮌紫𣈜菜汁

治設分蛇毒物𠀧𦬑班痒 以地𬡝菜𢭸汁內服外塗𥂪𣾹

吅𠊛飲蛇毒㐌研碓𠓨服之

又治蛇咬二方 分蒜炒湯再用蒜𢭸爛塗患処加艾于蒜上火灸 神效

治蛇咬傷 用鐵器入火燒令赤色置白礬于上礬化汁乘熱

搨于傷処立效○諸虫毒傷亦用小蒜灸之

治蜂蠆傷 用蟹殼火燒研末蜜調塗之或用胡麻油塗之或用冬瓜葉擣末塗之或用頭垢敷或用鹽擦或用热油洗之○治蜈蚣咬 用鷄屎塗之良或用蜘蛛吸于口中老生薑塗

治狂犬咬 以蘿撥油頭垢器貝送下咽又方用狼兒皮此蕟以虎齒磨服七日一服忌新死物七七四十九或用瘋狗齒二分砒砍磯破各五分共為末酒調服未效再服鈴奴以豆豉合塗

又治犬咬 杏仁耳垢口嚼爛塗傷処或用蒼耳葉杵搓擣

汁和汤熱湯飲更以糟敷患処又方以白礬石為末敷傷処

又方用虎骨為末熱汤白湯下

治馬咬并踐傷 用姜及艸子葉和搗妝為末敷之 用或人糞

或用馬糞燒灰為末敷之

治鼠咬用猫毛燒毛入麝香為末津液調敷

治虎咬 用猫血老猫汤調服更以猫肉敷患処○凡虎咬共

飲渋油老盃次用油洗傷処或用白礬為末敷之止疼或

用雨燕膏肉蛇犬咬老方治蜘蛛及犬蛇咬用山薑豆根以研傳之

瘧

○瘧門　寒多如用草菓厚朴不足溫熱多如用柴
胡黃芩不足解有汗者宜止汗以補虛無汗者宜發汗
以散邪
凡瘧有陽有陰陽瘧者由外感風暑其症有汗發瘧暑秋
夏一日瘧必發〻〻發日其邪淺易治陰瘧者由外感風寒
濕其症無汗發已秋冬間日而發〻〻發後其邪深
難愈陽瘧發在子時至巳陰瘧發在午時至亥陰瘧宜
截陰瘧宜散陽瘧無汗者加柴胡蒼术草菓檳榔陳皮

無汗者加柴胡升麻川芎。陽痘多汗發，用人參白朮黃芪
飲之。陰痘多汗發，用當歸生地知母黃柏芍藥止之。有二日
達護住百乃告及日夜各毛護者乃是血俱變病也瞎
痘則鼻熱。濕痘則鼻寒。寒痘則先寒後熱，熱寒，寒多熱少
腰背發疼，身痒汗出難已，宜柴胡加桂湯。如鼻寒無汗
者用五積散。熱痘則熱多寒少，目痒鼻燥嗽渴，表宜
柴苓湯。暑日用黃連香薷飲。如鼻熱而渴者宜白虎
加參湯、茯苓湯。尾痘則口苦嘔吐惡心，腸痛寒熱

虐

相半宜柴胡枝桂湯。甚至筋脉抽搐者宜烏藥順氣散加柴胡黄芩。身痛者敗毒散。少陰瘧和解主子午卯酉日，其症舌乾口燥，咽吐欬，因門戶穢者用小柴胡湯倍半夏，乏者合四物湯。厥陰瘧和解主寅申巳亥日，其症小腹痛引陰如淋，輕者小建中湯，重者四物湯加玄胡索。太陰瘧和腹痛自利，善嘔，輕者異功散，重者理中湯。他如瘴瘧，發山溪蒸毒，令人迷困昏狂，或啞，乍寒乍止，乍有乍無者，宜涼膈散加柴胡檳榔。不伏水土者宜

人參芎胃湯疫瘧者一方長幼相似宜不換金正氣散
五積交加散鬼瘧者因感尸疰客忤異症寒熱日作
夢寐驚恐宜用辟邪丹牝瘧則微微惡寒甚熱寒
中有熱熱中有寒宜易爲鱉甲散主之如汗多無力次分
不進宜六君子湯因勞役飲食少分爲補中益氣湯加
黃芩半夏血虛夜甚熱已者宜小柴胡湯合四物湯年
叔寒熱至晚微汗乃解似瘧非瘧也宜加味逍遙散加地
骨皮丹溪因瘧崇致死瘵瘧者熱多發瘵因跳吐分

咽渴甚則胃逆卒倒宜柴胡湯加草菓今秋疟爲寒
已復熱々已復寒若飢不分々則吐痰胸脇腹脹宜二陳
合小柴胡湯或平胃散加枳实白朮山查青皮神曲凡疟
終年不愈或三疟必有痰水瘀血結成疟塊腹脇脹
痛宜老疟飲然必用山甲鱉甲不足除但須立製養和不損
胃亦有疟秋而寒々秋而疟或疟寒俱作宜用參柴湯
大和湯清脾飲無汗加柴胡川芎汗多加黃芪今少加山查
痰多大便閉加大黃蔻仁小便赤加澤瀉山梔今秋加蒼朮

寒甚加桂陳皮草果、瘀血加桃仁紅花、

柴胡加桂湯、柴胡ソ三 黄芩ソ二 枝桂ソ弍 半夏ソ乇 甘艸四分 姜三片

棗二枚 水煎服。治發瘧多寒盜汗身熱不歇，至夜心下悶

柴胡桂枝湯 柴胡乇ソ 桂枝 黄芩 人參 白芍 半夏各乇ソ 甘

艸五分 姜棗煎服。治寒熱頭疼腰痛脇痛胸滿多熱煩嘔

寒往寒來自然諸瘧除湯

白虎加參湯、石膏五刂 知母 人參各刂弍 甘艸五分 粳米乇撮 水煎熱飲

治中暑身熱煩渴口乾燥、兼治發斑 水虛煩加麥門

六和湯 半夏 砂仁 杏仁 人參 甘草各三分 扁豆 赤茯 茯苓
藿香 木瓜各四分 香薷 厚朴各八分 姜棗煎溫服。治傷暑霍亂
轉筋寒熱吐瀉痰嗽瘧疾頭目昏痛肢體浮腫便澁方
治瘧痢中濕好湯最效

芎藭鱉甲散 鱉甲炙 川芎 麥芽 茯苓 芍藥 半夏 陳皮
青皮各五分 烏梅 乇個 姜棗煎服。治常瘧寒熱多加柴胡
寒加草果

清脾飲 柴胡 半夏 黃芩 甘草 白朮 茯苓 厚朴 青皮

半夏甘草減半姜棗煎服、治因內傷脾痰滯並瘧熱多寒少或但熱不寒胸滿口苦舌乾心煩內渴、

異功散 白朮 茯苓各錢 人參 橘皮各一錢半 姜棗煎服 治脾胃虛冷脾瘧自利

追瘧飲 蒼朮 草果 桔梗 青皮 陳皮 良姜各五分 白芷 茯苓 半夏 甘草 只殼 桂心 乾姜各三分 紫蘇 川芎七分 水煎八鹽少許空心服。治久瘧結成癥瘕、

桂枝茯苓湯 知母 人參 茯苓 半夏各八分 柴胡七錢 石膏二錢 桂枝五分 甘草四分 姜煎溫服、治瘧寒熱甚極

辟邪丹 人參 神茯 遠志 鬼箭羽 昌蒲 白朮 蒼朮 當歸各壱錢 桃奴五錢 雄黃 珠砂各三錢 牛黃 麝香各壱錢 為末 酒糊丸 金箔為衣 每壱丸 臨卧木香湯下 諸邪不敢近 身以絳袋盛五七丸帶對衣亦效

柴陳湯 即小柴合二陳湯 治瘧痞及胸脇不利

五積散 見瘧門 敗毒散 見咳嗽門 烏藥順氣 見脚氣門 小建中 理中湯 並見霍亂

平胃散 見瘧門 補中益氣湯 四物湯 六君子湯 並見補益 二陳湯 見痰

小柴胡湯 和解 見瘧門 加味逍遙散 見瘧門 涼膈散 見口舌 五積交加散 見腰疼

紫苓湯 不換金正氣散 並見痢門 人參芎歸湯 見心痹門

救苦丸

一婦人痹腰腳腫 因此苓白朮芎一兩煎湯

婦人腰痹蓮紹芝葉苦生姜湯煮白膝節

息痞痛生姜丸 治小兒慢驚風 凡痹

荷荊人參當歸鍛桂半夏生姜炒

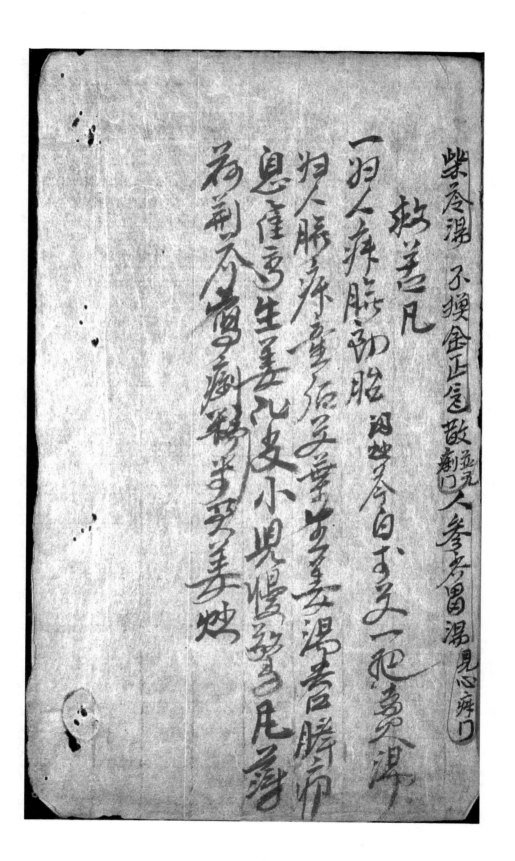

宗山县平和社眼医張文宾

禀呈

普題社侯朴魏青纸申前日在堂面谈时

信接要婴煩至是請有兄弟来至是示

有何语评眼患疾蒙便送居書面將手

楊来至或有韩煩或有眼疾宜之文評

居嘗謂醫得同文中以便生毫機
生死子之醫勿覆前之之人莫道
浮名浮利不相關
居士范春　題筆
三竹岩之璽
行人行事文於機風

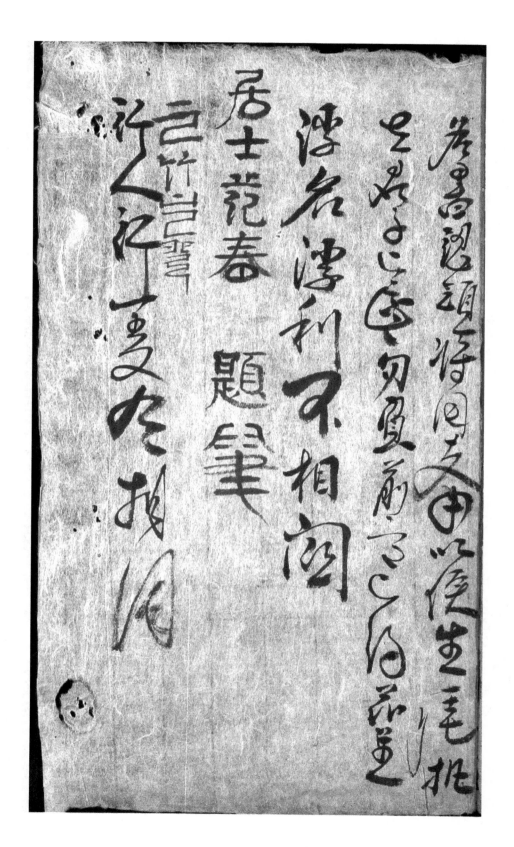

明命三年歲次壬午六月丁未癸卯朔越十五日
丁巳奉師范肴護門生孫公悅孫公恩孫
孫公和孫公澤等謹以輸款藥盤清酌敬昭告于
大成至聖文宣王位前曰恭惟
聖主祖任唐英宗卓文武則天經立室萬古

敎澤汝生文意疊取寔輯

厓生秩摘之四用也　所附者

如酏十哲諸先賢而来附鄉屬謹花

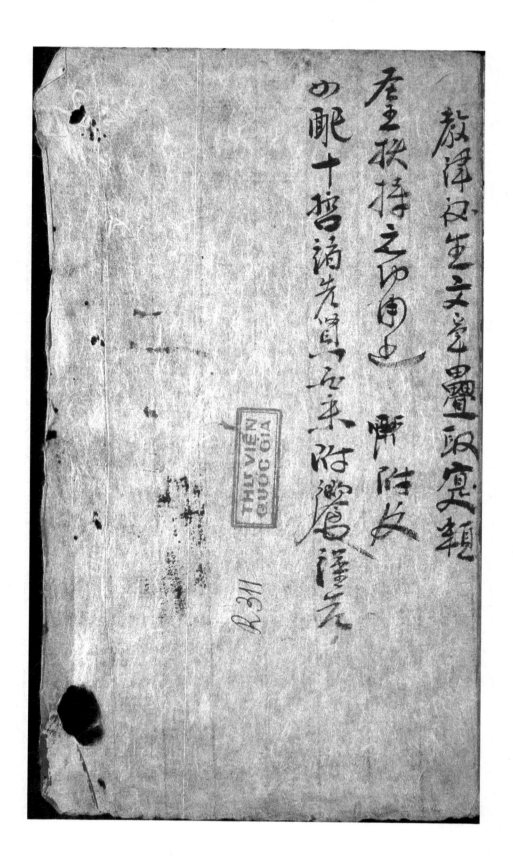

海外漢文古醫籍精選叢書·第二輯

醫方軌範

（日）今大路玄淵　傳

内容提要

《醫方軌範》是日本今大路玄淵家傳的綜合性方書，作者及成書年代不詳。此書僅存卷下，收録五官科、婦産科、兒科、外科、傷科的證治成方六百五十餘首，并附有單方、驗方及外治之法。此書所收諸方簡便廉驗，具有較高的臨床實用價值。

一 作者與成書

據《醫方軌範》書末之跋記載：「有賀道竹繼父祖之業，而有深志於醫術。自去秋寓居予書林，早起夜寐，勤勵不已。予喜其篤志，以家傳之一帙授之，庶幾勉讀，須得治法之要，莫負予教誨焉。承應四乙未之歲孟夏日，太醫令道三書於洛中延壽院。」跋後鈐有「玄淵」「橘氏之印」方印二枚。此玄淵、橘氏即今大路玄淵，又名橘玄淵。故此書是今大路玄淵所傳道三家的醫方著作。今大路玄淵此跋作於承應四年（一六五五）乙未，故此書最晚在一六五五年撰成。

今大路玄淵是日本著名醫學世家曲直瀨家族的後裔。其家本姓源氏，至文禄元年（一五九二），自曲直瀨玄鑑起賜姓橘氏，并獲「今大路」家號。「道三」則是曲直瀨（今大路）家世代相襲的稱號。

十六世紀後半葉，初代道三曲直瀨正盛入於田代三喜之門，專攻李東垣、朱丹溪醫學，後興辦學舍，教授生徒，著書立説。道三（正盛）彙集《黄帝内經》《難經》之精粹，弘揚金元時期的李朱醫學，治病以温補爲主。曲直瀨（今大路）一門俊才輩出，第二代玄朔、第三代玄鑑繼承發揚初代道三的學術，將其説推廣至日本全國，形成了日本醫學史上風行一時的著名學派——後世方派，在日本影響深遠。

今大路玄淵（一六三六—一六八六），爲曲直瀨（今大路）家第六代道三，名親俊，字静然，號延壽院，爲江户幕府醫官，慶安四年（一六五一）出任典藥頭，明曆三年（一六五七）剃髮出家。其著作有《醫學入門私考》《本草備急藥圖》《推脉傳》《經俞間津録》《屠蘇式》《海扇志》《溝斷六策》《常山方新補》《茅山寶篋方》《龍金方》《家秘金縢之方傳授書》《家傳諸妙藥集》《證候》《養生訓》《養生法》《魯明珠》《延禧堂三書》《醫學入門陰隲論事實考》，其他題名玄淵的醫籍還有《玄淵門人帳》《玄淵先生藥劑記》《玄淵雜記》等。

二 主要内容

《醫方軌範》現存一册。内封上書有目次，但個别字迹漫漶，能辨識出的文字依次爲：耳病、鼻病、口病、咽喉、牙齒、鬚髮、損傷、破傷風、瘡瘍、婦人上、婦人中、婦人下、小兒上、小兒下。在内封之後、卷下目録之前，有四葉文字内容，列舉成方三十二首（不包括又方及藥物加減中出現的方劑），其中瘡瘍方十首，如搜風解毒湯、華佗消毒散、千金内消散、内消沃雪湯、古方甘桔湯等；婦科方十五首，如加減五積散、抑肝柴胡飲、清魂育神湯、滋陰清肺飲、加味逍遥散等；兒科方有七首，如净府散、香橘餅子、加味五物湯、清熱鎮驚湯、醒脾散等。書末道三(玄淵)跋文之後,又有二葉文字,列十六首成方,除最後一首龜骨散爲婦産科方外,其餘如敗毒散、蘇解散、清地退火湯、紫草透肌湯、化毒湯等,皆爲兒科用方;另有八卦與身體部位對應圖示以及辰法等内容。上述抄於書首、書末的文字當爲後補入的内容。

卷之下首爲「目録卷之下」,正文部分首行題「醫方軌範卷之下」,其後分爲十五門,論述五官、外、婦、兒科各類病證,且皆先列證侯統論,次列具體方藥,其主要内容依次如下。

目病一,先引用明代徐用誠《玉機微義》、虞摶《醫學正傳》的觀點,論述目病總的病因、病機及各種證候的處方用藥;其下列風毒、風熱、暴赤、虛、内障諸證方藥,并有洗、貼、點眼等外治法及治療飛絲、沙石草木等異物入眼和拳毛的方法。此門載録成方二十九首,如洗肝散、撥雲散、羚羊角散、清上明目丸、洗肝明目散等。

耳病二,先引述明代虞摶《醫學正傳》及宋代王懷隱等《太平聖惠方》的相關内容,統論耳病的病因、病機、治法及辨證治療;其下爲風聾、氣壅、胃火(目録中無此證)、胃火肝火(目録中作「肝火」)、相火病後(目録中作「相火」)、膽火、病後陰虛(目録中作「病後」)、腎虛、鳴聾、風鳴、陰虛風熱、過酒(目録中無此證)、上熱諸證方藥,并有吹耳、塞耳、摻耳、敷耳、貼足等外治法。耳病門列成方十八首,如桂星散、犀角飲子、解倉引子、清神散、清聰化痰丸等。

鼻病三,先引《醫學正傳》之文,統論鼻病之病因、病機;其下列鼻塞、鼻淵、鼻䶑、鼻赤、紫黑、酒齇諸證方藥,并有塞鼻、搽鼻、擦鼻、敷鼻等外治方法。此門列成方十八首,如温肺湯、麗澤通氣湯、御寒湯、辛夷散、通竅湯等。

口病附舌唇四，先引《醫學正傳》之言，統論口病的病因、病機、證候特點；其下列實熱、虚熱、舌、口臭、唇諸證方藥，并有通治、外治以及貼足、摻、敷、含漱、含化、含咽、呷、洗等具體治法。此門收録成方十七首，如升麻散、瀉黄飲子、加減凉膈散、柴胡地骨皮湯、甘露飲等。

咽喉五，先引明代王璽《醫林類證集要》及虞摶《醫學正傳》等書言論，統論咽喉病之病名、病機、證候特點、治法、用藥等内容；其下述風熱、風痰、實熱、虚火、急閉諸證方藥，并有通治、外治及刺血、燒烟、吹喉、口含、熏鼻、塞鼻等具體治法。此門收録成方十四首，如牛蒡子湯、玉鑰匙、甘桔湯、荆黄湯、清凉散等。

牙齒六，先引《醫學正傳》之論，闡述牙齒與經絡的關係及牙齒疾患的病因、病機、證候特點、治法；其下爲風牙、風蟲、蛀牙、風熱、熱牙、寒牙、虚牙諸證方藥，并有揩齒、塞牙、塞耳等具體治法。此門收録成方十八首，如獨活散、定痛散、烏辛散、如神散、玉池散等。

鬚髮七，此門無病證統論，直接羅列方藥。共收録成方四首，即三聖膏、烏麻丸、還精丸、五神還童丹。

損傷八，先引《醫學正傳》《玉機微義》等書之論，統論損傷類病證的病因、病機、治法、方藥等，其下列墜打、金創、針灸傷（目録中作「針灸」）、湯火、漆瘡、犬咬、馬咬、猫咬、鼠咬、蛇傷、蜈蚣、蜂螫、蜘蛛、蚯蚓、諸蟲諸證方藥（目録中無「漆瘡」及「馬咬」以下諸條），并有搽、塗、浸、敷等具體治法。此門收録成方十四首，如匀氣散、通導散、鷄鳴散、没藥乳香散、補損當歸散等。

破傷風附翻花瘡九，先引《醫學正傳》之言，統論破傷風的病因、病機、證候特點、治法等，其下列表、裏、半表半裏（目録中作「半表」）諸證方藥以及翻花瘡（目録中無此條）治法。此門收録成方七首，如羌活防風湯、白术防風湯、小芎黄湯、大芎黄湯、大羌活湯等。

瘡瘍十，此門之前有引自《玉機微義》的兩段文字，分别指出癤、癰、疽三者的病機、形態特徵，以及癰、疽、癤、疹在形態上的區别。此門正文中列舉瘡瘍二十四證（除去重複），有癰疽、腫瘍、潰瘍、渴、腦疽、乳癰、心癰、腸癰、胃癰、臀癰、便癰、魚口、囊癰、下疳、楊梅、附骨、疔瘡、瘰癧、疥癬、癜風、臁瘡、膿瘡、惡瘡、癩風的治法方藥，其中多數證候引用諸書之説，闡論其病因、病機、症狀特點、治法等内容。此外，門中又列有通治方藥以及艾灸、隔豆豉餅灸、隔蒜灸等治法。以上共舉成方八十九首，如荆防敗毒散、千金托裏散、吕洞賓仙傳化毒湯、内托復煎散、内踈黄連湯等。

婦人科上月經十一，先引《醫學正傳》之言，闡論月經病證的病因、病機、證候特點、治法、預後等；其下列調經、經閉、經不斷（目録中作「不斷」）、崩漏、帶下、癥瘕、血氣、血風、求嗣諸證治法方藥。其中載成方六十五首，如四物湯、調經散、當歸散、活血散、八物湯等。

婦人科中胎前十二，先引《醫學正傳》之言，概論婦人胎前病證治法上的三禁，以及日常養胎之四宜、四不宜、四勿等注意事項；其下分論驗胎、安胎、惡阻、胎動、胎痛、胎漏、半産、子懸、子煩、子痌、傷寒、子嗽、子腫、子滿、子淋、轉胞、二便秘（目録中作「二便」）、大便秘、痢、泄瀉、遺溺（目録中作「遺尿」）、腰痛、兒哭、滑胎、難産、胞衣共二十六項，并羅列方藥，此中除驗胎、安胎外，其餘二十四種皆爲妊娠期間常見病證。此門收録成方一百零四首，如驗胎散、艾醋湯（目録誤作「艾附湯」）、芎歸補中湯、千金保胎丸、白术散等。

婦人科下産後十三，先引《醫學正傳》之言，統論産後諸疾的病因、病機、證候特點、治法、方藥；其下爲調理、通治、血暈、惡露、兒枕、惡露不止、血崩、癲狂、中風、寒熱、疱、蓐勞、頭痛、咳嗽、自汗、渴、淋、溺閉（目録中作「尿閉」）、遺溺（目録中作「遺尿」）、秘結、瀉痢、腹脹、浮腫、腰痛、身痛、脚氣、乳汁、吹妳、斷乳、陰脱（目録中無此條）諸證方藥。此门列舉成方七十首，如加味四君子湯、四順理中圓、當歸散、五積散、芎歸調血飲等。

小兒科上十四，此門之前有後補的一段文字，引《玉機微義》之言，説明小兒脉診的特點；其後分爲初生、臍風、胎熱、胎寒、胎驚、夜啼、客忤、腹痛、盤腸、腹脹、生赤、生黄、變蒸、吐瀉、口瘡、鵝口、重舌、弄舌、魃病、吞錢、諸熱、諸疳（目録僅作「疳」）、急驚、慢驚、天瘹、馬脾、噤風諸證，并載述方藥。此門收録成方八十五首，如定命散、宣風散、香螺膏、生地黄湯、當歸散等。

小兒科下痘疹十五，此門之前引明代管橓《保赤全書》之言，補充説明痘疹的病機、治法、忌宜等；其後分疑似、解毒、壯熱、平治、不快、嚴寒、炎暑、傷脾、一半紅點、皮厚、白黑、黑陷、身痛、瘡癢（目録僅作「癢」）、癢塌（目録中無該證）、乾濕、二便、形氣、三陽、三陰、不足、脚色、咽痛、餘毒、口舌、入眼、痘癰、便膿、再作、中地風、孕痘、水痘、瘡爛、不收、不落痂、瘢黯諸證，并載録方藥。此門收録成方五十四首，如加減升麻湯、消毒飲、安癍散、神功散、黍粘子湯等。

據「目録卷之下」統計，此書共羅列成方五百九十首；但由於正文中有後補之方，再加上卷首、卷尾附録的方劑，此書實有成方六百五十四首。此外，書中還收録了大量單驗方及簡便易行的特色療法共計三百六十餘首。

三　特色與價值

《醫方軌範》彙編臨床各科方劑，所收既有成方，又有單驗方及灸療、點眼、吹喉、塞鼻、貼足、洗、漱、摻、敷等諸種特色療法，是一部適於臨床實用的綜合性經驗方書，其特色與價值主要體現在以下三個方面。

（一）編撰自成一體

此書是一部綜合性方書，其編撰體例與中國歷代綜合性方書大致相同，皆是先分若干門，每一門首先總述此門病證的病因病機、證候特點、治則治法、預後宜忌等；門類之下又分若干具體病證，病證之下載録方藥，先論後方，一方之下往往有若干附方。此書所收諸方，既有成方，也有單驗方；既有内服湯、丸、散，又有外用諸般治法。文中多數條文右上方有小字指明出處；若所引若干條内容出自同一書，則僅在首條標注出處。書中所涉及書名多用簡稱，如「要」「家傳」「和」「惠」等；方名之下多爲主治病證、藥物組成、用藥劑量、煎服方法、隨證加減等内容。

此書諸方中存在同方異治的情况，即同一首方劑用於治療不同門類的病證。在某方首次出現時，一般均注明方源并詳細羅列藥物組成、劑量、用法等；若該方再次出現，則僅書其主治病證，不再列述組成、用法，目録中亦不列重出方名，僅在正文相關内容之後注明「方見……」。如「瘡瘍十」中，載有用於治療臁瘡的五積散，該方主治之末書「方見傷寒」，可見五積散亦被用於治療傷寒；在「婦人科中胎前十二」中，録有用於治療妊娠轉胞的八味圓，該方主治之下有「方見痰飲」四字，可見八味圓亦能治療痰飲。而「傷寒」「痰飲」等不見於卷下，當爲此書其他卷的内容。

此書諸方中還有同名異方的現象，如書中有二首菊花散、三首人參散、六首白术散等。此書在目録及正文中多將同名醫方逐一羅列，有的在目録中標示出處，如「目病一」中有兩首菊花散，則目録中分別記爲「和菊花散」「林菊花散」。其中，「和菊花散」表示此菊花散來源於宋代太醫局《太平惠民和劑局方》，「林菊花散」表示該菊花散來源於明代王璽《醫林類證集要》。有的醫方僅在正文中標示出處，目録中則不做如上特殊處理。如書中有六首白术散，其中第一首見於「口病附舌唇四」，用於治療虚熱口舌生瘡，其主治之末有「方見傷寒」四字，目録中并未列出該方，屬同方異治的情况；「婦人科中胎前十二」有三首白术散，分別用於安胎和治療妊娠傷寒；「小兒科上十四」有二首白术散，分別用於治療脾胃久虚之吐瀉和小兒痘疹餘毒未消。以上六首白术散主治病證各不相同，散見於不同門類，目録中并未分別標出來源。六方中除第一首未列出方藥組成外，其餘五首皆羅列具體方藥，實爲同名異方。

此外，書中還收録了大量單驗方及簡便易行的特色療法三百六十餘首，如「瘡瘍十」疥癬證下有「婦人風瘙、癮疹、身癢，蒼耳花、葉子等分爲末，豆淋酒調服二錢匕」；「損傷八」猫咬條言「猫咬，搗薄荷汁塗之」等。

（二）引録文獻廣博

此書非個人專著、一家之言，而是彙粹中國晋代至明代四十餘種醫籍的醫論及醫方，旁及日本本土及今大路家傳之效驗良方，經整理分類編排而成。書中引録的醫論及方治，絶大多數標明出處，多以簡稱形式標於句首或方名右上方。其中，目前能够確認的醫籍按其成書年代依次如下。

東晉醫書一種，即：「肘後」——東晉葛洪《肘後備急方》。

宋代醫書十二種，有：「惠」或「聖惠」——王懷隱等《太平聖惠方》，「總録」——太醫院《聖濟總録》，「小兒藥證直訣」或「小兒藥證」——錢乙等《小兒藥證直訣》，「全」「濟世」或「指迷方」——王貺《濟世全生指迷方》，「本事」——許叔微《普濟本事方》，「因」——陳言《三因極一病證方論》，「家藏」——楊倓《楊氏家藏方》，「婦」——陳自明《婦人大全良方》，「和」或「和劑」——太醫局《太平惠民和劑局方》，「濟生」——嚴用和《嚴氏濟生方》，「精要」——陳自明《外科精要》，「直」——楊士瀛《仁齋直指小兒方論》。

金元醫書九種，爲：「試效方」——李東垣及其弟子《東垣試效方》，「御」或「御藥院」——許國禎《御藥院方》，「澹寮」——釋繼洪《澹寮集驗秘方》，「拔粹」——杜思敬《濟生拔粹》，「永類」——李仲南《永類鈐方》，「精義」——齊德之《外科精義》，「得」或「得效」——危亦林《世醫得效方》，「山居」——汪汝懋《山居四要》，「心」——李湯卿《心印紺珠經》。

明代醫書十七種，即：「集驗」——趙宜真《外科集驗方》，「玉」——徐用誠《玉機微義》，「壽域」——朱權《壽域神方》，「瘡疹方」——方賢《奇效良方瘡疹論》，「救」——趙叔文《救急易方》，「纂」——盧和《丹溪先生醫書纂要》，「傳」——虞摶《醫學正傳》，「外心」——薛己《外科心法》，「要」——楊拱《醫方摘要》，「入門」——李梴《醫學入門》，「本綱」——李時珍《本草綱目》，「保赤」——

管橓《保赤全書》，「回」——龔廷賢《萬病回春》，「彀」——龔廷賢《雲林神彀》，「方捷」——太醫院《太醫院增補醫方捷徑》，「疑」——吴球《諸症辨疑》，「林」——王璽《醫林類證集要》。

另有「校」「一覽」「函」「簡易」「易簡」五書，目前尚無法確定具體書名。此外，「經驗」，爲日本醫家經驗方；「家傳」，指曲直瀨（今大路）家傳醫方。另有以人名標示者，如「閻孝忠」等。

從此書引用的文獻來看，尤以明代醫籍爲多，可見明代醫學對曲直瀨（今大路）家族的影響之大。以上諸引書簡稱中出現頻次最高的爲「林」「傳」二書，分别引録一百三十八次和一百三十六次。

「林」，即明代王璽《醫林類證集要》，簡稱《醫林集要》，撰於明成化十八年（一四八二），刊於明正德十年（一五一五），是一部綜合性醫書。全書十卷，載方四百八十餘首，以内科雜證爲主，兼收外、婦、五官、兒科之方。《醫方軌範》在臨床各科都引録了該書的方藥。

「傳」，即明代虞摶《醫學正傳》，成書於明正德十年（一五一五）。全書八卷，分門論證，涉及内、外、婦、兒、口齒等臨床各科近百種病證。其醫論祖述《黄帝内經》《脉經》，參以己見，其證治則傷寒宗仲景，内傷宗東垣，雜病尊丹溪。《醫方軌範》中的醫論援引該書的論述最多，且其内容多爲虞摶轉引的丹溪之論，由此可見曲直瀨（今大路）家對丹溪之學的推崇。

（三）家族特色鮮明

此書是曲直瀨（今大路）家族秘傳的醫方著作，書中許多内容充分反映了其家族特色。在書首附録諸方中，有一些十分奇特的記載，是曲直瀨（今大路）家秘傳、不欲外人知曉的藥名代稱和劑量。如瘡瘍方中有：「神仙湯　黴　台　夷　容　藥　善　賽　虎　玉　金　笋　泉　岑　賴二錢　蜜一錢

主五分　右」；婦人方中有：「催生湯　夷　台　脱　撫　遺……損生，加蒸、癸；胞衣加晡烏金子霜。」「胎衣遲滯　蒸中　句中　策大　富中　棱中　經大　癸中　右。」「兒枕痛　還奴　懐　矮　汋　台　德　鴡　老　右。」「又方　末　經　策　棱　富　右。」

曲直瀨（今大路）家是將中醫日本化、簡約化的典範，其主要特色是尊奉《黄帝内經》《難經》，受金元明醫學的影響極大。曲直瀨（今大路）家族充分汲取中國醫學的精華，化繁爲簡，將複雜的醫理、方旨和藥理用簡潔的方式表達出來，便於家族内的醫家學習和運用。这在此書中主要體現在以下幾個方面。其一，引書書名多用簡稱。書中援引他書的醫論、方治皆明確指出文獻出處，但相關書名除《小兒藥證直訣》寫明全稱外，其餘皆用簡稱。其二，藥名多用簡稱。此書所收方治中的藥物多用單字簡稱，如「口病附舌唇四」中用丁香圓治療口臭，其方藥組成寫作「丁三錢　芎二錢　甘炙一錢　芷半錢。爲末，煉蜜丸，綿裹含化」。其三，理論闡述較少。儘管此書在病證之下多有對病因、病機、證候特點、治法等的論述，但其内容多爲引用前人之論；文中論及方藥的加減治療等内容時，亦較少做理論闡發。書中所收醫方多爲曲直瀨（今大路）家親驗效方，經分門別類編排後載入書中，便於檢索應用，由此亦可看出此書重視臨證實用的特點。

四　版本傳承

《醫方軌範》爲曲直瀨玄淵家傳之書，現僅存鈔本下卷一册，收藏於日本國立國會圖書館❶，本次

❶（日）國書研究室.國書總目録[M].東京：岩波書店，一九七七：（第一卷）二八七.

影印即以此本爲底本。

此本藏书号为「あ—15」，一册，四眼装帧。無界格欄綫。每半葉十六行，每行二十二至二十三字。書首内封上書有目次，但部分字迹有殘缺，葉面髒污；内封左側似爲書名，但字迹漫漶，僅能辨識出一個「軌」字。書中可見大量朱筆批點、勾勒的痕迹，或以朱筆「〇」分門别類，或以朱色方框强調證名、治法，或以墨色「。」引出方名，或以朱筆「—」表示强調。文獻出處的書名、人名，多用「—」勾畫。全書又用朱筆句讀。

綜上所述，曲直瀨（今大路）家爲日本著名醫學世家，其家族世代名醫輩出，并有衆多醫著流傳，《醫方軌範》即其家傳經驗方書之一。此書雖僅存一卷，但書中博采衆方，充分汲取了中國醫學的精華。同時，書中載録之方，由曲直瀨（今大路）家精心選擇并經歷代親試效驗，能在一定程度上反映曲直瀨（今大路）家臨證遣方用藥的特點，具有較高的臨床實用價值。今將此書影印出版，希望能爲研究日本江户時代前期方劑學的發展及曲直瀨（今大路）家的醫學特色提供珍貴的文獻資料。

杜鳳娟　蕭永芝

医方軌範

29.6.24

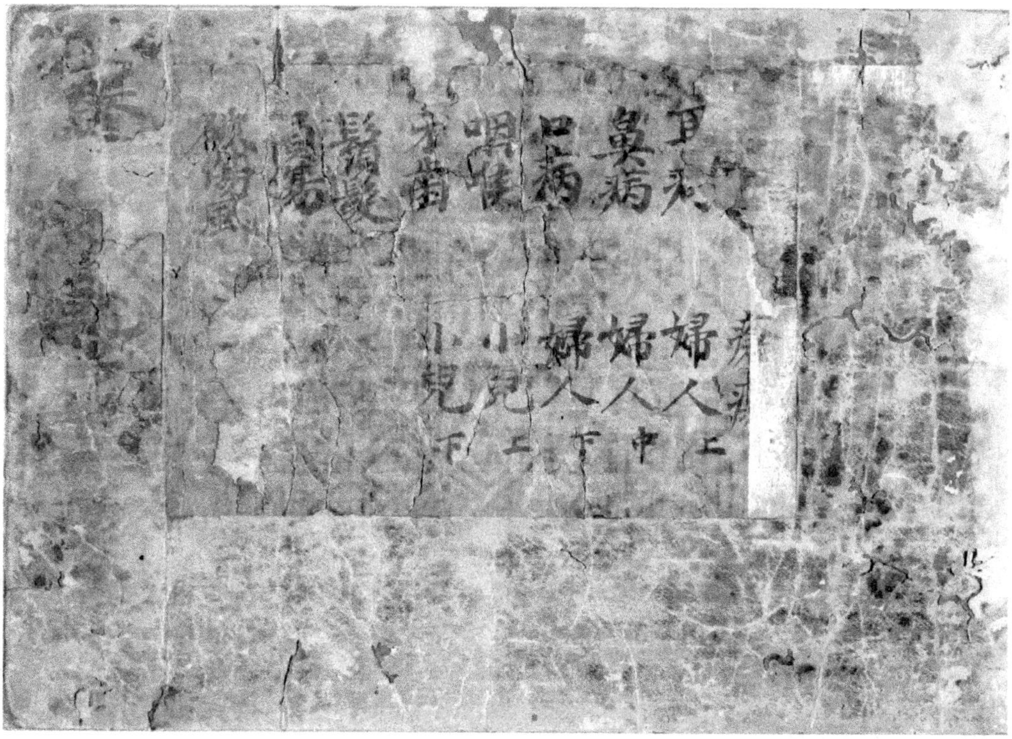
耳病
鼻病
口病
咽喉
牙歯
鬚髪
破傷風
婦人上
婦人中
婦人下
小児上
小児下

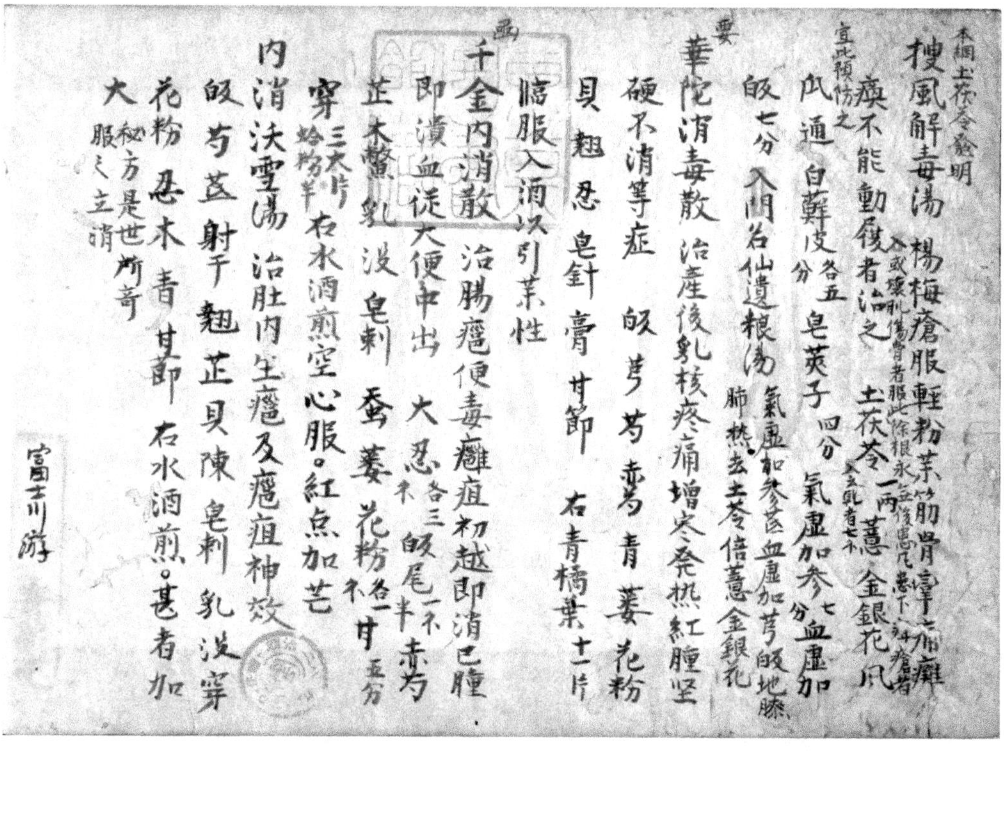
本綱土茯苓發明
搜風解毒湯 楊梅瘡服輕粉等筋骨攣痛癱
瘓不能動履者治之 又或壞爛傷骨者服此除根永無後患凡患下疳瘡者 土茯苓一两 薏 金銀花 瓜
宜此預防之 瓜 通 白蘚皮各五分 皂莢子四分 氣虚加参七分 血虚加
皈七分 入門名仙遺粮湯 氣虚加参芪 血虚加芎皈地黄 肺熱去土苓倍薏金銀花
要 華陀消毒散 治產後乳核疼痛增寒發熱紅腫堅
硬不消等症 皈 芎 芍 赤芍 青 蔞 花粉
貝 翹 忍 皂針 膏 甘節 右青橘葉十一片
臨服入酒以引等性
要 千金内消散 治腸癰便毒癰疽初越即消已腫
即潰血從大便中出 大 忍各三不 皈尾一不 赤芍
芷 木鱉 乳 没 皂刺 蚕 蔞 花粉各一不 甘五分
穿三大片蛤粉炒 右水酒煎空心服。紅点加芒
内消沃雪湯 治肚内生癰及癰疽神效
皈 芍 芪 射干 翹 芷 貝 陳 皂刺 乳 没 穿
花粉 忍 木 青 甘節 右水酒煎。甚者加
大 秘方是世所奇 服之立消

要○古方甘桔湯治諸般喉单雙乳鵞子舌腫木舌脹纏風
喉閉走馬喉閉一切舌腫熱症並效　桔三不　玄参二不　甘凡
荆芥　芩　花粉　翹各一卜　右　咳逆加陳　咳嗽加知貝　嗽渴加
五味　吐膿血加苑百合百部　面目腫加芩　吧吐加半生姜　少氣
加参门　渾身疼加芪　目赤加梔連　咽痛加牛茹　声啞加半
枝　疫毒頭痛加粘大芒　胸脇不利加枳　胸痞加実　懊憹不
得眠加梔　酒毒加葛砂陳
家秘○神仙湯　微　台　夷　容　葯　善　賽　虎　玉釜　筝　泉　岑
頼二不　蜜一不　主五分　右
要○真人活命飲治一切癰疽疔腫不問陰陽虚実善悪腫潰大
痛或不痛然當服於未潰之先与初潰之時如毒已大潰更
不宜服初用此剤大勢已退然後隨症調治其功甚捷試仙方也
穿三大片切碎以蛤粉炒過　花粉　甘節　乳　芷　赤芍　貝凡　没　陳　歸尾酒洗各一不
金銀花三不　皂刺五分　右酒煎忌酸薄酒鉄器　在背倍皂刺　在
肢倍芷　在胸加蔞　在四肢加金銀花
○加味四七湯治梅核氣如神　星　苓　砂　陳　朴　蘓梗　半　実各一不
青　曲各七分　益　楳　白蔻各三分
○加味二陳湯治梅核氣服前某未效再進此方　苓　桔　枳

苓　半　陳　蘓子　白蔻　梔　甘　右姜煎
○散結湯治梅核氣咽喉氣脹上攻胸脇作痛　桔　枳　烏
莎　陳　蘓　大腹　半　朴　甘　右燈
婦○加減五積散治婦女遇行經時渾身疼痛手足麻痺或発
寒熱頭痛眼花暈眩不寧此乃觸經感冒宜此服愈
蒼　朴　芍　苓　半　桔　陳　歸　枳　芎　芷　甘　桂　麻　羌　膝
右葱姜　咳嗽加杏味　泄瀉加蔻砂
○柳肝柴胡飲治少年孀居孤陰無陽慾心萌而未遂以致悪
寒発熱全類瘧疾者　柴　赤芍各二不半　青　蒼炒　莎醋炒　梔　牡
地皮　甘各一不　芎　曲各七分　翹　生地各五分　芩酒炒一不二分　右　心脇不寛有痰
加半芽
○清魂育神湯治婦人心虚慾萌未遂与鬼交通妄有所見言
語錯乱　神半一不　参　菖　苓　胆星　遠各一不　赤芍　甘　陳各五分　瓜
柴各三分　右圓眼七個竹茹一團
○滋陰清肺飲治婦女虚労発熱咳嗽吐血先服此剤清熱止血
後服逍遙散加減調理亢有乳哺児女謀此患者急宜止乳哺
方效否則某亦無效矣　生地　芍炒　天冬　門　膠　蒲炒黒　知炒各一不
歸　前　芎　貝　陳　苓各八分　苛　枳各五分　甘三分　右藕節五塊

○加味逍遥散治肝脾血虛發作潮熱自汗盗汗頭疼目澁怔
忡不寧頰赤口乾或月經不調肚腹作痛小腹重墜水道澁
痛或腫痛出膿內熱作渴並效　歸芍朮苓柴知半曲
梔地皮莎芎牡苛甘　右姜煎　痰多加貝蔞　發渴加門
花粉　心慌心跳加酸遠　久瀉加炒黑姜　左脇有塊加稜莪紅
蘓木　右脇有塊加木枳　怒氣傷肝眼目昏花加荊胆連蒄
小腹疼痛加延吳
○滋陰珍寶湯治婦人諸虛百損五勞七傷經血不調肢体羸
瘦此藥扶九氣健脾胃止喘嗽化痰涎收盗汗住泄瀉開鬱
利膈解煩渴散寒熱袪体痛一切荏苒不起之疾大有奇効
不可尽述　苓 朮炒 飯 莎童便浸炒各一不 陳 芍酒炒 知塩水炒 貝 地皮
門各八分 苛 柴 甘各三分　右姜煎
○育胤全生飲治婦人經候不調身無病似病其脉滑大而六
脉俱匀乃是孕脉也精神恍惚惡聞食氣但食一物或大吐
清水腹內有形此真惡阻慎勿作別病治之致損胎元
烏 莎童便浸醋炒 陳 朮土炒各二不半 參一不二分 甘一不　右姜煎　嘔吐甚加丁砂
各五分
○安胎和氣飲治婦人胎氣不和湊上心腹脹滿疼痛或臨產

驚恐氣結連日不下胎前一切諸症　陳 蘓 飯 芍 莎醋炒
芎 腹 參 甘　右姜葱　腹痛加木砂　咳嗽加枳桑　發熱加
柴苓　泄瀉加朮苓　如懷孕月足疼痛連日不產者倍枳莎
車多服為主引內弄加黃楊樹尖九個長流水煎神效
滿世 胎痛加膠延苓　胎漏下血加芐膠朮苓砂艾糯　瘧疾
加栟菓青良守苓葛　七八月前後面肢浮腫加芐苓澤
朮苓梔門朴　小便不通加通車滑　大便閉澁加生地連枳
心痛加延乳　腰痛加紙茴仲　白濁白帶加芐守苓蒼蛎
龍骨　口噤不省人事言語錯亂加生地守参門遠菖茹加
枳朮苓砂名達生散至九ケ月服数劑以保臨產無虞
○育胎達生散孕至八九ケ月服数貼甚好易產腹少痛
飯 芍 朮各一不 参 陳 蘓各五分 甘二不 腹一不 或加砂五分 枳八分
尤炒　右葱煎　春加芎　夏加苓　冬加砂　如胎肥氣喘加
黃楊尖七個乃黃楊樹葉稍兒也此物能瘦胎不長　氣虛加參朮　氣實倍莎陳
血虛倍加歸芐　急性多怒加柴　有熱加苓　食少加砂曲
渴加門　食易饑多加黃楊頭　有痰加半苓　腹痛加木
家傳 ○催生湯　夷台脫撫遺　右煎加酒少服　損生加葱
灸胞衣加醴烏金子霜

胎衣遅滞 蒸 句 菓 冨 椶 鞋 癸 右

児枕痛 還 奴 懐 矮 沟 台 德 鴟 老 右

又方 末 鞋 菓 椶 冨 右

要 冊溪立效飲治産後心腹脹痛悪血不行或児枕作痛危
殆之甚 芎 皈 沟 各三ネ 蒲 芷 桂 灵 没 索 牡 各一ネ 右姜煎
加童便好酒服

回生再造飲治産後去血過多不止昏眩眼黒口禁発熱
芎 皈 芣 各三ネ 参 一ネ 荊 五ネ火煆存性 右如血大下不止加龍骨赤
石脂俱火煆各二ネ為末調入菜内服 外以五倍子為末津
調入臍中即止 秘傳 聖 椶 神 参

家傳 補虚 台 神 貴 文 伽 賸 鹿 兇 老 右姜煎 熱甚加薫
腫加候血暈加童便

十五味湯 神 蔛 喜 参 夷 容 笋 玉金 台 利 葯 薛
便製各一ネ 泉 蜜 各五分 老 少 右或去薛加蔣

要 清心益栄湯治産後失声言語不出心肺二竅破血侵迷又
感傷風名曰産風此薬主之 桔 前 枳 半 蘓 苓 赤芍
皈 生地 升 爪 萹 紅 苓 胆星 天 荊 甘 右姜煎 若産
後不語別無他症者此乃敗血迷入心竅宜四物加辰菖参

紅即愈

幼 浄府散治小児腹中癖塊発熱口乾小便赤渋 紫 苓 半
沢 棱 莪 苓 査 各一ネ 胡連 参 甘 各三分 朮 猪 各七分 右姜棗

香橘餅子治小児面黄不思飲食 木 陳 青 各二ネ半 朴 七ネ半
砂 曲 芽 各五ネ 棱 炒三ネ 共為細末煉蜜作餅如銅銭大毎服
一餅姜棗湯化下

家傳 加味五物湯 泉 蜜 母 妳 郭 唐 小 周 歓 脱 冬 老 中

育嬰 清熱鎮驚湯治小児急驚風 麹 苓 酒炒 門 柴 地皮
膽 鈎藤 連 危 通 赤苓 車 枳 各四分 蔕 甘 各三分 滑 八分
右灯一團竹葉三片

回 醒脾散治吐瀉不止作慢驚風脾困昏沉黙々不食
参 朮 苓 木 蝎 蚕 天 白附 煨各等分 甘 減半 右姜棗二方
去天蚕加星半陳倉米

林 前朴散治心腹結気或吧噦泄瀉腹脹時痛或発驚
悸 前 朴 参 朮 陳 藿 良 甘 各等分 右水煎肚飢
時服

穀 太和散食傷諸疾用之 蘓 陳 莎 査 曲 芽
枳 朮 甘

目録　巻之下

○目病
【風毒】洗肝散　撥雲散　菊花散（和）
【風熱】羚羊角散　清上明目丸　洗肝明目散　潔古柴胡散
【暴赤】四物龍膽湯　散熱飲子　救苦湯　菊花散（林）
明目流氣飲　【虚】當歸湯　益陰腎氣丸　地芝丸
杞苓圓　滋陰地黄丸　明目地黄丸　補肝散
【内障】復明散　沖和養胃湯　益氣聡明湯　保肝散
滋腎明目湯　【洗】湯泡散　荊芥散　秦皮散
【貼】消毒散　【點】光明丹
○耳病
【風聾】桂星散　犀角飲子　解倉飲子
【氣壅】清神散　【肝火】清聰化痰丸　【膽火】龍膽湯　【相火】滋陰地黄湯
【病後】四物湯加栢　【胃虚】肉蓯蓉丸　滋腎通耳湯　【鳴聾】通明利氣湯
清聰丸　大補丸　【風鳴】芷芎散　【上熱】蔓荊子散
【外治】菖蒲圓
○鼻病
辛夷散　【鼻塞】温肺湯　麗澤通氣湯　御寒湯
通竅湯　蓽澄茄丸　人參湯
【鼻衄】防風湯　荊芥連翹湯　抑金散　川椒散
【鼻齆】芎藭散　瓜丁散　【鼻赤】金花丸　【紫黑】當歸活血湯
【酒皶】清血四物湯　硫黄散
○口病
【實熱】升麻散　瀉黄飲子　加減涼膈散
柴胡地骨皮湯　甘露飲　玄參升麻湯　【虚熱】益膽湯
【通治】氷蘗圓　【外治】赴筵散　兼金散　必効散
【舌】黒散子　【口臭】丁香圓　【瘡】薏苡仁湯　白布散
○咽喉
【實熱】荊黄湯　清涼散　拔萃桔梗湯　利膈湯
【風熱】牛蒡子湯　玉鑰匙　【風痰】甘桔湯
【虚火】加味四物湯　【通治】通關飲　【吹】通關散　吹喉散
【急閉】白礬散　二聖散
○牙歯
【風牙】獨活散　定痛散　烏辛散
【風虫】如神散　玉池散　【蛀牙】砂糖丸　【風熱】犀角升麻湯
當歸連翹飲　【熱牙】清胃湯　清胃散　駆毒飲
【寒牙】白芷散　丁香散　【虚牙】安腎丸　宣風牢牙散
揩牙散　香塩散　【塞牙】地龍散

○鬚髮　三聖膏　還精丸　五神還童丹
○損傷　〔陰疔〕勻氣散　通導散　雞鳴散
没薬乳香散　補損當歸散　接骨散　止痛當歸散
接骨丹　〔金瘡〕禁聲飲子　〔鍼灸〕內托黃耆圓　〔湯火〕赤石脂散
〔大咬〕導水丸　高功散
○破傷風　〔表〕羌活防風湯　白朮防風湯　〔裏〕小芎黃湯
大芎黃湯　〔半表〕大羌活湯　白朮湯　養血當歸地黃湯
○瘡瘍　一〔癰疽〕二〔腫瘍〕荊防敗毒散　千金托裏散　呂洞賓化毒湯
內托復煎散　內疏黃連湯　東垣托裏榮衛湯　三〔潰瘍〕千金內托散
八珍湯　黃耆人參湯　聖愈湯　內補黃耆湯
托裏溫中湯　托裏內補散　麥門冬湯　四〔渴〕加減八味圓
忍冬圓　清膻湯　黃耆六一湯　五〔通治〕榮衛返魂湯
蠟礬丸　五香連翹散　九珍散　十六味流氣飲
六〔腦疽〕當歸羌活湯　七〔乳癰〕連翹飲子　百齒霜圓　瓜蔞散
橘皮湯　八〔心癰〕九〔腸癰〕大黃牡丹湯　薏苡仁湯　四聖散
牡丹散　十〔胃癰〕射干湯　十一〔臂癰〕內托羌活湯　十二〔便癰〕双解散

消毒飲　龍膽瀉肝湯　栝蔞散　三物湯
十三〔魚口〕　十四〔囊癰〕三白散　十五〔下疳〕消疳敗毒散　涼血解毒丸
津調散　十六〔楊梅〕消風敗毒散　二十四味風流飲　十七〔附骨〕羌活防己湯
托裏黃耆湯　黃連消毒飲　十八〔疔瘡〕雄黃丸　二活散
通利茶　赤芍茶湯　托裏散　內托連翹散
五聖散　神仙解毒丸　十九〔瘰癧〕散腫潰堅湯　牡蠣大黃湯
救苦化堅湯　升陽調經湯　檳榔散　射干連翹湯
瞿麥飲　抑氣內消散　赤白丸　益氣養榮湯
柴胡通經湯　柴胡連翹湯　廿〔疥癬〕升麻和氣飲　當歸飲子
何首烏散　苦參圓　仙子散　疥昊丹
廿一〔癜風〕追風丹　廿二〔臁瘡〕廿三〔腿瘡〕平血飲　廿四〔凍瘡〕連翹飲　黃連獨活散
廿五〔癩風〕醉仙散　通天再造散　升麻湯　大風丸
○婦人上　月經　一〔調經〕四物湯　調經散　當歸散
活血散　八物湯　桂枝桃仁湯　加味烏沉湯
柴胡丁香湯　逍遙散　二〔經閉〕六合湯　溫經湯
加減四物湯　通經丸　通經湯　四物調經湯

調經丸　通經調氣湯　牡丹皮湯　桃奴飲子
三 【不斷】膠艾湯　柴胡調經湯　升陽舉經湯　茯苓補心湯
四 【崩漏】涼血地黄湯　丁香膠艾湯　加味四物湯　伏龍肝散
五倍子散　當歸地黄丸　五 【帶下】當歸煎　益母丸
苦棟丸　芍薬散　替参丸　加減八物湯
四仙散　香朮丸　双白丸　當歸附子湯
延胡苦棟湯　桂附湯　如聖丹　六 【癥瘕】増味四物湯
琥珀丸　三稜煎　大腹皮飲　香稜丸
七 【血氣】霊寶散　異功散　大調經散　當歸建中湯
六神湯　人参養血丸　抑氣散　玄胡索湯
内灸散　香附一物丸　艾附丸　八 【血風】油煎散
人参荊芥散　九 【求嗣】秦桂丸　誅々丸　烏金散
調經種玉湯　種子済陰丹
○婦人中胎前　一 【驗胎】驗胎散　艾附湯　二 【安胎】安胎丸
芎帰補中湯　千金保胎丸　白朮散　傳 安胎飲
傳 安胎丸　救生散　三 【悪阻】半夏茯苓湯　参橘散

保生湯　加味二陳湯　茯苓圓　全 安胎飲
竹茹湯　四 【胎動】如聖散　桑寄生散　小膠艾湯
膠艾湯　杜仲丸　加減安胎飲　五 【胎漏】當歸芍薬散
火龍散　當帰地黄湯　傳 川芎散　全 川芎散
佛手散　六 【胎滿】加味四物湯　黄芩湯　加味佛手散
七 【半産】芎藭補中湯　奪命丸　安栄湯　安胎散
八 【子懸】紫蘇飲　當帰湯　九 【子煩】麦門冬湯　人参散
柴胡散　竹葉湯　當帰飲　知母飲
十 【子癇】葛根湯　防已湯　羚羊角散　獨活防風湯
防風葛根湯　十一 【傷寒】阿膠湯　黄龍湯　麦門冬湯
芍薬湯　當帰茯苓散　白朮散　白朮散
芎藭散　柴胡散　梔子五物湯　大黄飲子
催生散　十二 【子嗽】天門冬散　傳 百合散　林 百合散
十三 【子腫】木通散　全生白朮散　防已湯　鯉魚湯
赤小豆湯　十四 【子満】澤瀉散　倉公下氣湯　訶梨勒散
十五 【子淋】安栄散　地膚大黄湯　檳榔散　地膚子湯

冬葵子散　大腹皮散　丹溪参朮飲
當歸芎藭湯　芎朮香連丸　白薇散　桑螵蛸散
通氣散　青娥不老丸　無憂散　枳殻散
神寢丸　保氣散　内補丸　仲景當歸散
催生散　催生飲　催生湯　催生散
催生如神散　催生湯　如神散　来甦散
香桂散　芎歸湯　加味芎歸湯　奪命丹
牛膝湯
○婦人下　産後一　加味四君子湯　四順理中圓　當歸散
芎歸調血飲　清魂散　芎歸湯　牡丹皮散
蒲黄散　黒神散　澤蘭湯　當歸養血丸
延胡索散　三聖散　奪魂丹　固經丸
烏金散　牡蠣散　狐鳳散　茯神散
茯苓散　八珍散　愈風散　増損四物湯
大調經散　知母湯　増損四物湯　當歸散
草菓飲子　生熟飲子　熟地黄散　増損柴胡湯

黄耆丸　牡丹散　人参當歸散　玉露散
犀角飲子　加減四物湯　二母散　旋覆湯
當歸黄耆湯　黄耆湯　麻黄根散　門冬飲
熟地黄湯　人参白朮散　千金治産後淋　木通散
桑螵蛸散　麻仁丸　阿膠枳殻丸　橘杏丸
調中湯　抵聖湯　桔梗半夏湯　調經散
加減呉茱萸湯　枳朮湯　奪魂散　漢防己散
正脾散　當歸黄耆湯　如神湯　鍾乳散
母猪蹄湯　醸乳方　栝樓散　消毒犀角飲
當歸黄芪飲　當歸散
○小児上一　定命散　宣風散　香螺膏
醸乳方　生地黄湯　當歸散　白姜散
至聖保命丹　花火膏　錢氏安神丸　蟬花散
黄土散　五味子散　六神散　乳頭散
蒜丸　消積丸　白餅子　安蟲散
茴香散　木香散　紫霜丸　塌氣丸

橘皮飲子 牛黄散 藍葉散 清涼飲子
生地黄湯 惺惺散 神仙黑散 調氣散
人参散 木瓜丸 益黄散 人参散
白朮散 掌中散 硃砂丸 朱沉煎
如聖散 瀉黄散 人参羌活散 解肌湯
導赤散 七寶散 人参前胡湯 地骨皮散
人参黄耆散 生犀散 蘆薈丸 鱉甲散
清肺飲子 胡黄連丸 如聖丸 香蟾丸
祖傳秘御丸 木香丸 使君子丸 肥兒丸
茯苓散 利驚丸 瀉青丸 宣風散
奪命丹 全蝎丸 天麻防風丸 羌活湯
人参湯 蟬蛻散 加味敗毒散 靈砂丸
龍腦安神丸 錢氏安神丸 奪命散 青州白丸子
黄芪湯 益黄散 錢氏白朮散 鉤藤飲
溫白丸 補脾益真湯 銀白散 鉤藤飲
牛黄奪命散 無價散 辰砂膏

○小兒下 痘疹 加減升麻湯 小柴胡湯 消毒飲
安癍散 神功散 黍粘子湯 加味犀角飲
人参麥門冬散 大連翹湯 四妙湯 活血散
紫草木香湯 四聖散 紫草木通湯 快斑散
加味四聖散 絲瓜湯 調解散 肉豆蔻丸
阮氏万全散 透肌散 如聖湯 退陷散
穿山甲散 民望方 通神散 周天散
匀氣散 二物湯 百花膏 補肺散
解毒防風湯 當歸丸 十奇散 荊芥甘草防風湯
連翹防風湯 木香散 異功散 芎歸湯
生地黄散 加味犀角消毒飲 射干湯 五福化毒丹
決明散 撥雲散 蛤粉散 柴胡散
蟬菊散 罩胎散 獨聖散
安胎散 参煎散 白龍散 敗草散

醫方軌範巻之下

目病　一

○要 經曰諸脉者皆屬於目々得血而能視云云聖人雖言目得血能視然亦有太過不及太過則目壅塞而發痛不及則目耗竭而失明故年老之人多不及年少之人多太過但年少之人則無不及年老之人間有太過

○儒 丹溪曰目病属風熱血少神労腎虚

○暴發赤腫芩風為君連歸為臣羌柴升芷甘為使白睛紅加白豆蔻少許

○久病昏暗地歸為君羌風菊之類佐之

○血熱壅痛四物湯加膽艹風羌又云実熱上衝眼痛用連瀉火歸補血

○肥人風熱上壅眼目疼痛羌風荊酒芩水煎服

○瘦人目痛乃是血少兼須用養血薬少加風薬

歸　生地酒洗　玄参　芎　風　荊　菊　水煎服之

○労役飲食不節内障昏暗蔓　参　芪　甘　芍　柏酒炒　水煎

○丹溪治套云東垣謂目能遠視不能近視火盛而水虧也當補腎六味地黄丸主之目能近視而不能遠視有水而無火也當補心定志丸加茯苓主之又曰不能近視晨服地黄丸不能遠視臨臥服定志丸

風毒

○林 洗肝散治風毒上攻目暴腫痛隠澁眵淚

歸　芎　風　羌　梔　大　薄　甘各等分　為末白湯調服　剉煎亦可

○和 撥雲散治風毒上攻眼目昏暗翳膜

羌　風　柴　甘一斤　右水煎　或為末薄荷清茶菊花苗煎湯調皆可

○菊花散治風毒眼目赤腫昏暗瘀肉痛痒漸生翳膜

菊六両　白蒺刺炒去　羌不見火　木賊去節　蟬退去頭足翅各三両　為末食後臨臥茶清調下

風熱

○羚羊角散治風熱上攻眼暴赤腫生瘡疼

羚鎊　芩　升　甘炙　車　決明子各五両　梔　膽各二両半　為末食後白湯調下

○回 清上明目丸治風熱眼疾腫痛

歸尾　芎各六　生地　連　芩　大　梔　柏酒炒　翹　桔　薄　荊　風　羌　獨　芷　草決　菊　賊　甘各五　為末煉蜜丸白湯下

○洗肝明目散治風熱赤腫疼痛翳膜眵淚

歸尾、芎、赤芍、生地、連、芩、梔、膏、麯、風、荊、芎
羌、白蒺、草决、蔓、菊、桔、甘各等分 有翳障加蒺、賊
去芍、風熱肝火甚加膽、柴去芎 大便實加大黃、桔
○洗肝柴胡散治肝風實熱眼赤心煩頭疼、腨
柴、地骨、玄參、羚、菊、赤芍、芩各一兩 甘兩半 右入姜

暴赤

○四物龍膽湯治暴發目赤、雲翳、疼痛不可忍
歸、芎、芍、地各二分半 羌、風各一分半 膽、己各一分 右
○小柴胡湯加大豉生黑豆治熱痛赤腫
○散熱飲子治眼暴赤腫 羌、風、芩、連等分 大便秘加大黃
痛甚加歸、生地 煩不得眠加梔
○救苦湯治眼暴發赤腫瞼高苦疼不可忍者
羌太陽 升陽明 柴少陽 連、風、芎、藁各一分不 蒼、膽各一分不 歸身減半 一不麦
甘炙、芎各六分 生地、栢、芩、知各三分 桔、麯、紅、細各二分 右水煎
如苦疼則多用苦寒之藥兼本經之藥 睛昏加知、栢
○升麻葛根湯加蟬蛻治暴赤腫 如不退敗毒散加大黃 又
不退五膈寬中散調氣須則平

虛

○菊花散治目赤腫痛麻豆傷寒後食熱物腫痛
菊、風、歸、大、芩、甘各等分 右
○明目流氣飲治肝經不足內受風熱上攻眼目當風多淚
隱澀難開或生障翳婦人血風時行暴赤並治
蒼二兩 草決明一兩半 大、炮牛、炒芎、菊、白蒺炒去刺 細、風、玄參
梔、芩、蔓、賊去節根 荊、甘炙各一兩 右為末臨臥用冷酒下或溫酒下
○當歸湯補益腎水瞳子
歸身、白芍各二分 生地三分 柴四分 連酒浸 芩各一分半 甘炙各二分 右
○益陰腎氣丸此壯水之主以鎮陽光
熟地二兩 生地酒洗 牡、山茱、山藥、歸、梢酒洗 五味、柴各半兩 茯神
各二分半 右勿犯鐵器煉蜜丸空心淡塩湯下
○地芝丸治目不能遠視能近視或亦妨近視
生地焙乾 天門各四兩 枳、菊各二兩 右煉蜜丸
○杞苓圓治男子腎虛水不上升眼昏遠視不明漸成內障
白苓八兩酒浸 杞四兩酒浸 兔絲酒浸 歸二兩酒洗各 青塩一兩別研 為末煉蜜丸湯下
○滋陰地黃丸治血弱陰虛瞳子散大視物則花

生地一两半 熟地一两 紫八錢 天門 甘炙 枳 地骨 連 五味各三錢 参二錢
帰身酒浸 苓各五錢 右煉蜜丸茶清下婦人尤宜
○春 明目地黄丸治肝腎虚熱眼見黒花翳膜遮障等證
生地 熟地並酒焙各一斤 石斛 枳 風去芦各四两 膝酒浸三两 杏去皮尖麸炒研去油二两
右煉蜜丸食前温酒或飯飲或塩湯下
○補肝散治睛上有圓翳白中見之差小陰処見之則大 肝腎上虚也
北紫三錢六分 芎二錢七分 熟地 白苓 家菊 細各一錢八分 栢子 甘炙 風各九分 右

内障

○傳 復明散治内障 帰身二錢 香一錢半 生地 麹 紫 甘炙各一錢 陳去白
芎 蒼各半錢 青三分 右水煎去柤稍熱服 忌酒醋湿麺辛熱火料物類
○玉 冲和養胃湯治内障眼脾胃虚弱心火与三焦俱盛因飲食労役得之 香 甘炙 羌各一両半 参 朮 葛 帰酒製 升各一両
紫 苓 連各七錢 白芍六錢 風五錢 白苓三錢 五味二錢 姜一錢 右
○益氣聰明湯治飲食労役脾胃不足内障耳鳴
芍 栢酒炒各一両 香 参 甘各半両 升 葛各三錢 蔓一錢半 右水煎
○回 保肝散治内障肝病也 帰 芎 枸 蒼 白朮 蜜蒙 羌
天麻 苛 紫 藁 膏 賊 麹 細 桔 風 荊各一錢 梔 芷

甘各五分 右水煎先食乾飯後服之
○滋腎明目湯治内障見黒花労心腎虚血少也
生地 熟地 白芍 帰 芎各一錢 桔 参 梔 連 芷 蔓 菊
甘各半錢 右細茶一撮燈心一團水煎 熱甚加膽紫 腎虚加栢知 風熱壅盛加風荊 風熱紅腫加苓麹

洗

○金 洗暴赤熱腫眼 連 栢 赤芍 杏等分 每一錢用水少許入銅銭一箇磁楪盛甑内蒸以青絹片子蘸药汁點眼洗之
○湯泡散治肝経不足風熱上壅目赤睛疼多涙
赤芍 帰焙 連等分 用極滚湯乗熱燻洗冷即再温日三五次
○荊芥散治肝経藴熱眼目赤腫
荊 帰 赤芍各一両半 連一両 水煎去滓洗病眼
○治爛眩風赤眼 五倍 蔓京子同煎水澄清洗目
○春 秦皮散治風毒赤眼腫痛痒澁眵涙昏暗羞明
秦皮 滑 連等分 每用半銭沸湯泡去柤乗熱洗
○治涙出不止 黄連煎濃汁漬帛拭之
○常洗目法 空心用塩末揩歯漱口少時吐水於手中洗目
○付 眼痛 生地黄酒浸搗爛盦眼上 又用草烏 南星 乾姜 桂枝為末醋調貼

兩足心時用牛膝膏洗眼
夜見細字

貼

御 ○消毒散治眼赤腫痛兼治瘡腫不消
芩 柏 各一兩 大生 五錢 為末用生蜜水調攤緋絹隨目赤左
右貼於太陽穴如乾用溫水頻潤

點眼

傳 ○光明丹治一切風熱上壅兩目赤腫澁痛風眼爛弦及內
外翳障等證
白爐甘石 一兩以黃連半兩煎濃汁濾去粗用炭火煅爐甘石通紅淬黃連汁內如此者七次研
辰一錢 鵬二錢 輕五分 片腦三分多至五分 麝一分 如赤眼腫痛加乳
沒各五分 內外翳障加珍朱半錢 玉錢 鴨嘴膽礬二分 熊膽二分 爛弦去
風眼加銅青半錢 飛丹半錢 或以諸藥合為一治諸般眼疾右
各研為極細末和勻再研銀瓶盛貯不泄氣點眼極妙

春閩 ○目中一切諸病 爐甘石 煅童尿淬 螵蛸 硼砂 各一兩 為細末點目
甚妙入朱砂五錢則性不粘也

飛絲

林 ○治飛絲入眼睛脹痛 用新筆兩三管濡好墨更換
頻運眼上飛絲纏筆而出
○又刮爪甲上細屑筯頭蘸津點其絲自聚按去
○又石菖蒲搥碎如飛絲傷左目則塞右鼻傷右目則塞左
鼻百發百中

沙石草木

○治沙石草木入目不得出以書中白衣魚和乳汁注目中
○治稻麥芒入眼取蠐螬以布覆目上持蠐螬於布上摩之
其芒出著布上

春閩 ○雜物眯目不出用生栗米七粒嚼爛取汁洗之即出

拳毛

○赤眼拳毛倒睫者翻轉目瞼以狗尾草一二莖蘸水戛去
惡血甚良 戛 點韻書不字 又戛正義曰 戛猶揩也當作戛

傳 ○治倒睫拳毛 木鱉一个去殼為末綿裹塞鼻中左目
塞右右目塞左一二夜其睫自正

○耳病 二

傳 ○經曰耳為腎之外候 一曰腎通竅于耳 一曰心通竅于耳
其或嗜慾無節勞役過度或中年之後大病之餘腎水枯
涸陰火上炎故耳痒耳鳴治法宜瀉南方之火補北方之

水血有不安者

（回）○厥聾必有眩暈之證流氣飲加菖蒲生薑葱白

○風聾必有頭痛之證桂星散

○憂思傷心虛血耗而聾或鳴當寧心順氣兼補鎮心丹

○房勞過度腎虛精竭而聾或鳴當生精補腎肉蓯蓉丸

（傳）○大病後及陰虛火動而聾者宜補陰降火四物加栢

風聾（必）○桂星散治風虛耳聾 桂 芎 歸 細 菖 通 木

蒺炒 麻 甘炙各一錢半 星 芷各四分 蘇一錢 右入葱白煎食後服

（金）○犀角飲子治風熱上壅兩耳聾閉腫痛膿水流出

犀 錯 菖 通 玄參 赤芍 小豆炒 菊各一兩 甘半兩 右姜五片

○解倉飲子治氣虛熱壅或失飢冒暑風熱上壅耳聾閉膿

血出 赤芍 白芍各半兩 飯 甘 大 木鱉去殼各二兩 水煎食後臨臥服

氣壅 ○秘傳降氣湯加菖治氣壅耳聾 方見氣

（麻）○清神散治氣壅於上頭目不清耳常重聽

甘菊 蠶炒去絲嘴各五錢 荊 羌 風 芎 通各四錢 甘炙 木 菖各一錢半

右爲末食後臨臥茶清調下

胃火（回）○防風通聖散治兩耳俱聾此厚味動胃火也 方見中風 本方加

酒煨大黃再用酒炒三次及諸藥俱用酒炒

胃火肝火 ○清聰化痰丸治耳聾耳鳴乃飲食厚味挾怒氣動肝胃之火

橘鹽水洗去白 赤苓 蔓各一兩 苓酒炒八錢 連酒炒 白芍酒浸煨 生地酒洗 柴 半

各七錢 參六錢 青醋炒五錢 生甘四錢 葱湯浸蒸餅丸姜湯或茶下

膽火 ○龍膽湯治左耳聾此忿怒動膽火也

芩 連 梔 飯 陳 星各一錢 膽 香附各八分 玄參七分 木 黛各五分

姜炒黑三分 右生姜三片水煎入玄明粉三分 痰盛加至五分 食

後服 如作丸加薈五分 麝二分 麵糊丸姜湯下

相火病後 ○滋陰地黃湯治右耳聾此色慾動相火也亦治大病後耳聾

熟地一錢 山茱 山藥 歸酒 芎 白芍煨各八分 白苓 牡 澤 栢酒炒

知酒炒 菖 遠各六分 水煎 如作丸煉蜜丸塩湯下酒亦可

病後陰虛（傳）○四物湯加栢治大病後及陰虛火動而聾

腎虛（憲）○肉蓯蓉丸治房勞過度腎虛精竭而聾或鳴

蓯酒浸切焙 山茱 石龍芮 菖 兔酒蒸 鹿茸酒浸蒸 磁煅醋淬七次 羌

斛 附炮去皮臍各一兩 蝎二十八個去毒 麝一字 煉蜜丸空心塩酒送下

〇滋腎通耳湯治腎虛耳聾而鳴 歸 芎 芍 生地 知酒炒
栢酒炒 芩酒炒 柴 芷 莎各等分 胸膈不快加青 枳少許

鳴聾 〇通明利氣湯治虛火升上痰氣鬱於耳中或閉或鳴煩燥
貝三分 陳塩水浸炒 玄參酒洗 梔炒 栢酒炒各二分 蒼塩水炒 白朮九焙 莎童便炒 檳
生地姜汁炒 連酒炒 芩酒炒各一分 芎八分 木 甘各五分 入姜水煎入瀝同服

〇清聰丸治耳鳴及壅閉至於聾者
橘紅塩水洗 青醋炒 柴 梢 酒芩 玄參 蔓 桔 蝎去毒 連酒炒 菖各一兩半
赤芩 半各一兩 生甘五分 右酒糊丸臨臥茶清下

傳 〇大補丸治耳鳴欲聾 黃栢一味細切塩酒拌炒褐色為末
滴水丸氣虛四君子湯下血虛四物湯下
〇滋腎丸金 治耳鳴耳聾 栢塩酒炒 知去毛酒浸各一兩 桂半分 為末蜜丸淡塩湯下

風鳴 〇芷芎散治風入耳虛鳴
芷 芎 菖 蒼 陳 細 朴 半 桂 通 蘇 甘 右姜葱水煎

陰虛火熱 傳 〇當歸龍膽丸治腎水陰虛風熱鬱積耳鳴 方見癲癇

過酒 〇木香檳榔丸治多飲酒人耳鳴 方見積聚

上熱 〇蔓荊子散治上焦熱耳鳴而聾及出膿汁
炙甘 升 通 赤芍 桑蜜製 門 生地 前 甘菊 赤芩 蔓各半分

〇鼠粘子湯治耳痛生瘡 昆布 蘇木 生甘 蒲黃 胆各三分 鼠粘子 麹 生地 解 精

芩 炙甘 連各三分 柴 芪各四分 桔一分 桃三个去皮尖 紅少許 右
右作一服加生姜三片 大棗一枚 水一盞半煎至一盞去粗食後服

外治 傳 〇治耳痛以白礬枯吹入耳中及青礬燒灰吹之皆効

林 〇又用白塩炒熱重帛包熨耳邊四圍

傳 〇治耳內忽大痛如有虫在內奔走或有血水流出或乾痛
不可忍者蛇退皮燒存性細研以鵝翎管吹入耳中立愈

叠 〇菖蒲圓治耳內卒痛及聾閉 菖 附炮去皮臍 等分為末醋
糊丸如杏仁大綿裹置耳中日二易之

叠 〇治卒聾及耳痛 杏仁七粒去皮尖研 綿裹塞耳

傳 〇治耳痛及聤耳 桑螵蛸炙 為末加麝少許 吹入耳中極妙
或用鱗脂胚子蛀竹末加麝少許吹入妙

林 〇治聤耳底耳膿出不止 陳燈上燒 枣一錢 麝少許 右先用綿杖拭淨
耳中膿末敷於耳內 又香附去毛 為末 掺耳中日三次効
又乾胭脂 枯礬等分 如前法 又枯礬 黃丹等分 亦可
又五倍半兩 蝎燒存性一分半 如前法 又龍骨末吹入耳中

〇治聾 菖一寸 巴一粒 蝎一个去毒 為末葱涎丸綿裹塞耳中
又以醇醋微火煎附子軟削令尖塞耳

又雄硫等分為末綿裹塞耳
又芥菜子搗人乳和綿裹塞耳
惠 ○治聾 草麻四十九粒 棗十枚 入人乳搗膏石上晒乾丸綿裹塞耳中

貼足

傳 ○耳聾 茱萸 烏頭尖 大黄 為末津調貼湧泉穴以引火下行
林 ○治耳聾耳中如風水聲或如鐘鼓声 椒目 巴豆去油殼 菖蒲 松枝各半分
為末以蠟溶化向攤紙上候冷捲作筒子塞耳内日一易効
○通耳法 緊磁石如豆大 穿山甲燒存性為末一字 右新綿裹塞耳中口
中含小生鉄一塊覚耳内如風雨声即効
○治聾用猫尿滴耳中効 取尿法用乾姜末擦於猫牙上其尿自出収用
○治久聾鼠膽汁滴耳中雖一二十年者亦効 又生鼠腦或生鯉魚腦亦可
○百蟲入耳好酒少許灌耳中卻起行自出 又灌脂麻油可
又灌藍青汁少頃虫出 又灌雞冠血 又滴小蒜搗汁
○惡虫入耳用葱涕灌 又用桃葉挼細塞耳 又桃葉枕頭虫自鼻出
傳 用桃葉捲作角子切斉其頭入耳中其虫從角中走出
林 ○蟻虫入耳 猪肉一指許炙香置耳孔边即出
○蜈蚣入耳 生姜汁灌耳中韭汁亦可即出

○鼻病 三

傳 ○經曰鼻者肺之外候 冊溪曰肺之為藏其位高其体脆性
惡寒又惡熱故好飲熱酒者始則傷于肺蔵熱久則見於
外而為鼻齄准赤之候得熱愈紅得寒則黑此謂熱極是
水之象云云 或觸冒風寒始則傷于皮毛而成鼻塞不通
之候或為濁涕或流清汁久不已名曰鼻淵此為外寒束
内熱之證也 原病式曰肺熱則出涕是也

鼻塞 ○温肺湯 治鼻塞不聞香臭多眵涕
麻去根節一分半 升 耆各七分半 風 葛 羌 甘炙各半分 丁香二分 右入葱白
○麗澤通氣湯 治鼻不聞香臭 耆八分 蒼 羌 獨 風 升
葛各六分 炙甘四分 麻不去節冬月加 椒 芷各二分 右作一服加姜三片棗二枚
葱白三寸 水二盞煎至一盞温服食遠 忌一切冷物及風寒涼処坐臥
○禦寒湯 治寒氣風邪傷于皮毛令鼻塞咳嗽上喘
芪一錢 蒼七分 升 參 陳各半分 炙甘 佛耳草 欵冬 芷 風各三分
連 栢 羌各二分 右作一服水二盞煎至一盞去粗食後服
林 ○辛夷散 治肺虚風寒加之鼻塞涕出不已不聞香臭

辛夷仁 細 藁 升 芎 通 風 羌 芷 甘各等分 為末食後
茶清調服

回 ○通竅湯 治感冒風寒鼻塞聲重流清涕 中上
風 羌 藁 升 葛 芎 芷 蒼各一錢 麻 椒 細 甘各三分 右姜三片
葱白三根 水煎熱服 脈有邪火加芩一錢

椿 ○華澄茄丸 治鼻塞不通 華半兩 荊三錢 半 荷三錢 為末煉蜜
丸如櫻桃大 每服一丸 臨臥噙化嚥下

金 ○人參湯 治肺氣上攻鼻塞不通
參 白 苓 芩 陳去白 麻去根節 羌 椒去目及閉口者炒出汗各半兩 右

鼻淵

傳 ○防風湯 治鼻淵腦熱滲下濁涕不止 久不已必成衄無
風一兩 芩半 參 甘炙 芎 門各一兩 右為末沸湯調服

○防風通聖散 治鼻淵 膽移熱於腦 則辛頞鼻淵
本方一兩 加薄荷 黃連各二錢半 煎服

回 ○荊芥連翹湯 治證同前
荊 翹 柴 芎 歸 生地 芍 芷 風 荷 梔 芩 桔 甘各等分 減半 右

椿 ○柳金散 治肺熱鼻塞濁涕 芷 風 細 羌 皈 半 芎

桔 陳 芩等分 入生姜 薄荷 水煎

○川椒散 治鼻流濁涕 椒炒 訶煨取肉 蚕 芎 桂 細 木
各等分 為末食後酒調服

傳 ○祖傳 治鼻時流臭黃水 甚者腦亦痛 此有虫食腦中
絲瓜藤近根三五尺 燒存性為末 酒調服

鼻䶎

椿 ○芎藭散 治鼻塞為䶎
芎 棕 麻去節 桂 芭 通 細 芷 菖 木 椒 甘各等分 右入姜蘇

傳 ○治䶎鼻塞肉 乃肺氣盛 用防風通聖散加三稜 山茱 海藻
並用酒浸炒 為末 每服一錢半 酒調服之

○一方用枯礬為末 面脂綿裹塞鼻中 數日自消 面脂書齊作胭脂
又 通 細 附炮 蜜和綿裹塞鼻中

椿 ○瓜丁散 治鼻䶎息肉不聞香臭 俗呼鼻痔
瓜蒂 細等分 為末 綿裹塞鼻中 即黃水點滴 三四日愈
又 皂角炙末 小豆許 以竹管吹入鼻中
又 乾姜末 蜜和如皂子大 塞鼻中
又 枯礬末 猪脂和 綿裹塞鼻中 數日瘜肉隨藥出

○鼻中生瘡　搗杏仁乳汁和傅之
○治久患鼻瘡膿極臭者　百草霜末毎服一錢食後冷水調服
鼻赤　回 ○金花丸治鼻紅上焦火證也
連芩栢梔大酒煨桔各等分　為末水丸臨臥白湯下
紫黒 ○當歸活血湯治鼻準頭紫黒血冷凝滯
歸芎荊芥芍紅甘牡桔風梔芩連芷各等分
右姜一片細茶一撮水煎食後温服
酒齄 ○清血四物湯治酒齄鼻熱血入肺也
歸酒洗芎酒炒生地酒洗芩酒炒紅酒洗苓陳各等分甘生半 右
生姜一片水煎調五靈末　氣弱加香附酒浸
外治　登 ○治酒瘡赤如瘤　硫輕細乳各等分為末井花水調搽
○硫黄散治酒齄鼻及婦人鼻上生黒粉刺
生硫二錢輕一錢杏十四个麥為末生餅調臨臥塗旱則洗去
又以白塩常擦妙
秘 ○治赤鼻久不瘥　大黄朴硝各等分為末水調敷
○治鼻準赤　新銀杏嚼爛敷不過五七次復舊

○口病 附舌唇　四
傳 ○夫口之為病或為重舌木舌或為糜爛生瘡或見酸苦辛鹹味原其所因未有不由七情煩擾五味過傷之所致也云云肝熱則口酸心熱則口苦脾熱則口甘肺熱則口辛腎熱則口鹹有口淡者知胃熱也外有謀慮不決肝移熱於膽而口苦者亦有脾胃氣弱木乗土位而口酸者或膀胱移熱於小腸膈腸不便上為口糜生瘡潰爛云云
實熱　登 ○升麻散治上膈壅毒口舌生瘡咽喉腫痛乃心脾実熱也
升葛赤芍参桔各一兩甘生半兩　右生姜五片
○瀉黄飲子治風熱蘊於脾經唇燥折裂口舌生瘡
升芩枳芷風半斛各一兩甘生半兩　右姜五片
回 ○加減涼膈散治口舌生瘡痛裂咽喉腫痛此三焦実熱也
翹芩梔連桔荷歸生地芍枳甘各等分　水煎頻々
唅嚥不可頻服恐上熱未除中寒復生
傳 ○柴胡地骨皮湯治膀胱移熱於小腸膈腸不便上為口糜
生瘡潰爛心胃壅熱水穀不化等證

紫地骨各等分 右水煎食後溫服如大段實者加大硝以利之

〔細〕○甘露飲治胃中客熱齒齦腫痛及口舌生瘡咽喉腫痛

杷 熟地 生地 天門 麥門 枳 茵 芩 斛各一錢 甘五分 右

水煎食後服〔回〕本方各一錢加犀三分殊効

〔森〕○玄參升麻湯治心脾壅熱舌上生瘡及木舌重舌或

連頰腫痛 玄參 升 赤芍 犀屑 桔 芩 管仲各一錢

甘半錢 右作一貼入生姜一片水煎食後服

〔傳〕○治口瘡用好酒煮黃連成汁呷下即愈

○實熱口瘡 涼膈散甘桔湯皆効

〔虛熱〕○益膽湯治謀慮不決肝膽虛氣上溢則口苦

芩去朽 甘炙 參各一錢 遠志去骨七分 桂半錢 苦參 神各三分 右水煎

〔回〕○補中益氣湯治口舌生瘡発熱惡寒勞則体倦不思飲

食此中焦虛熱也 方見傷寒 本方加門五味

○白朮散治口舌生瘡口乾飲湯不冷乃胃氣虛而不能

化生津液也 方見傷寒

○理中湯治口舌生瘡飲食少思大便不實此中氣虛也 方見傷寒

如手足逆冷肚腹痛中氣虛寒也加附子

〔付〕○口瘡服涼藥不愈者乃中氣虛也 理中湯甚者加附子或用官桂含之亦妙

○四物湯治口舌生瘡糜爛或晡時內熱脉數而無力此血虛

而有火也 本方加朮苓門五味牡栢知

○八味圓治口舌生瘡食少便滑面黃肢冷此火衰土虛也

〔通治〕〔森〕○氷蘗圓治口舌生瘡 硼 蘗 荷等分 生蜜丸含化甚者加片腦

又牛膝酒浸含之或無酒含牛膝嚥汁亦可

〔外治〕〔金〕○赴筵散治口瘡痛 五味一兩 滑 栢新者蜜炙各半兩 為末乾掺瘡

上良久便可飲食

〔付〕口瘡 焰硝鵬砂含口勿開外以南星為末醋調貼足心湧泉穴上神効

○黑金散治蘊毒上攻口舌生瘡

細 連等分 為末先以布帛蘸水揩淨患処掺藥涎出即愈

〔付〕○一方 細辛 黃栢炙 等分為末掺舌上吐涎乃愈

○治口瘡 縮砂火煆 為末掺瘡即愈

○又檳榔燒灰存性 為末入輕粉掺之

○又朴硝一錢 寒水石火煆過一兩 南人謂之軟石膏 入少朱砂傅患処嚥下不妨

〔森〕○一方生白礬末貼之極効 又白礬甘草等分為末掺之

○又胡連半錢 藿一錢 細二錢 連三錢 為末貼之有涎吐之瘥

○又明礬半錢 栢一錢蜜炙 為末傅患処吐出苦水再傅

○必効散治口糜 明礬 大黃等分 為末臨卧乾掺涎漱之

〔付〕○碧雪治口瘡及咽喉腫痛 蒲黃 青黛 鵬砂 焰硝 生甘等分為末付之

咽喉腫痛吹入

○口瘡發熱腫連喉 蘿蔔自然汁含漱吐涎 或姜汁漱亦可
傳 ○一小兒口瘡不下食衆以狐惑治之必死後以礬石湯於脚上
浸半日頓寬更以黄柏蜜炙 殭蚕炒 為末付之而愈

舌

舍 ○黑散子治血熱舌忽腫硬 釜底煤醋調傅舌上下 先出血傳之 或用塩等分
○又鵬砂為末薄姜汁蘸末揩腫漸消
付 ○舌腫大塞 蒲黄一味頻刷舌上自退 若能嚥末以黄連一味煎濃汁細細呷之
梅 ○治重舌喉閉 朴硝 白礬 為末摻入口中
○舌衄出血名曰舌衄 槐花末炒 乾摻舌上

口臭

釜 ○丁香圓治口内臭氣 丁香三分 芎䓖二分 甘草炙一分 並末 為末煉蜜丸
綿裹含化
梅 ○一方 香薷一把以水一斗煮取三升稍稍含嚥之
○瀉黄飲子治風熱在脾經唇燥沈裂無色 方見前

唇

○薏苡仁湯治風熱在脾唇口瞤動或生結核或為浮腫
薏苡仁炒 防己 小豆 甘草炙各等分 右入姜
○白布散治唇緊口小不能開合飲食不得不急治則死名
曰緊唇又名沈唇 用白布作燈炷如指大安斧刃上燒
令汁出取敷唇日三度 旧青布亦可 或青布燒灰酒調二

錢服亦可 或和猪脂調敷佳
一方 生馬歯莧濃煮汁洗 冬月用乾者
一方 鱉甲及頭燒灰作末傅之
○治唇上生瘡連年不瘥 用八月藍葉一斤搗汁洗之
○治口吻瘡 握經年葵根燒灰傅之妙
又槟榔燒灰細研傅患處妙

○咽喉 五

梅 ○原病式曰喉痺不仁也俗作閉由閉塞也 内經言喉痺
則咽與舌其兩間耳 然其病同於火 故不分也 後之醫者
詳其狀強立八名 熱氣上行 傳於喉之兩傍 近外腫作 以
其形似 是謂乳蛾 一為單 二為双 其比乳蛾差小者名閉
喉 熱結於舌下 後生一小舌子 名曰子舌脹 熱結於舌
中 舌為之腫 名曰木舌脹 木者強而不柔和也 熱結於咽
喉 腫遶於外 且麻且痒 腫而大者 名曰纏喉風 喉痺暴発

暴死者名曰走馬喉痹此八種之名雖詳若不啟之次
則相去遠今之醫者皆有其某至走馬喉痹何待此乎
其生死反掌之間耳無如砭鍼出血
○傳 其會厭之兩傍腫者俗謂之双乳蛾易治一边腫者謂之
單乳蛾難治古方通謂之喉痹皆相火之所衝逆耳又曰
火者痰之本痰者火之標火性急速故病發則暴悍
之法必先大湧其痰或以鈹鍼刺其腫处此急則治標之
法也而某者必須以訓緩從治之法而以桔甘薑参升爪
羌荊参朮苓之類少加姜附等某為鄉導上徐徐頓与
不可頓服又切不可驟服寒涼之某
○林 巢氏病源云脾胃熱其氣上衝喉咽生瘡
○恵 懸癰但在上腭懸門暴腫閉塞喉嚨亦如喉痹

風熱

○全 牛蒡子湯治風熱上攻咽喉腫痛或生癰瘡有如菌上
牛玄参升桔犀鎊苓通甘等分 姜三片
○林 敗毒散治證同前 方見傷寒 本方加苓半麹 痰盛加膏
○全 玉鑰匙治風熱喉閉及纏喉風

焰硝一两半 鵬砂半两 腦子一字 蚕一分 研勻以竹管吹入喉中

風痰

○和 甘桔湯治風痰上壅咽喉腫痛吞吐如有所礙 林治咽喉熱腫不出
桔甘炒 右水煎食後服
○回 解毒雄黄丸治纏喉風及上膈壅熱痰涎不利咽喉腫痛
方見中風

実熱

○和 荊黄湯治臟腑実熱咽喉腫痛大便秘結 荊四両 大一両 右
○回 清涼散治実火咽喉腫痛
梔麹苓風枳連歸生地甘各一銭 桔二銭 苛芷各半銭
右燈心一團細茶一撮水煎 咽喉乾燥加参門天花去芷 咽喉發熱加柴 咽喉腫痛及生瘡加牛玄参去芷
痰火盛加射薑瀝去芷 熱極大便実加大黄去桔 虚火
泛上加知栢去芷
○医 拔萃桔梗湯治熱腫喉痹 桔甘翹梔薄荷入竹葉煎
○本事 利膈湯治脾肺有熱虚煩上壅咽喉生瘡
雞蘇葉荊風桔参牛隔紙炒 甘各一両 為末沸湯點服
咽痛口瘡甚者加殭蚕一両

虛火 ○加味四物湯治虛火上升喉痛生瘡 歸 芎 栢(蜜水微炒) 知 天花(各一錢) 熟地 鳥(各一錢二分) 桔 甘(各三錢) 水煎入竹瀝同服

通治 ○(傳)通關飲治喉痺腫痛不能言語者此從治之法也
桔(二錢) 灸甘(一錢半) 參 朮 苓(各一錢) 風(七分) 荊 葍 姜(炮各半錢) 或加附(炮半錢)
右作一服水二盞煎七分徐徐與之(一方有黍粘子無朮苓 兼附治咽喉生瘡腫痛)

○治咽喉痛腫 荊 歸身 桔 甘(各等分) 右水煎溫漱而服之
有熱加芩 枳 刺少商出血立愈

刺

○治喉乾燥痛 四物加桔 荊 知 栢立已

○(林)治喉痺 桃皮汁含而服之 又射干(新者)擂汁吞之(或末醋同研取汁含出涎)
又牛蒡子(六分) 馬蘭子(八分) 為末空心暖水調下

○喉痺初起腫痛 硼砂含津嚥之

○(傳)治喉痺 新取青艾葉杵汁灌入喉中即愈(或同醋搗爛傅喉上冬月乾艾亦可)

○治喉痺及喉中熱痛 上好消梨杵汁頻頻飲之或自嚼 嚥下亦可多食為良

○又方 蛇牀子燒吸烟入喉內立愈

○(林)治喉痺并時疫毒 桔 甘 升 麹 風 牛 芩(酒炒等分) 水煎

吹 ○(得)聖煙筒治喉痺 草麻子取肉槌碎帛捲作筒燒烟吸之

○通關散治咽喉腫痛水穀不下
青塩(三錢) 枯礬(二錢) 硼(一錢) 為末吹入喉內有涎吐出

○吹喉散治咽喉腫 黛 雄 硼 膽礬 硇硝(等分)為末吹入喉中

○(傳)喉痺 鴨嘴膽礬為末吹入喉中吐痰而愈

纏喉 ○纏喉風 遠志去心為末水調付項上

○治纏喉風 燈心草燒灰吹入喉中 (再)生白礬冷水調下(二錢)

○(本綱)治咽喉卒腫不下食 地龍(十四條)搗塗喉外 又以一條着塩化水入蜜少許服之

急閉 ○(醫)白礬散治纏喉風急喉閉 白礬(三錢) 巴(二枚去殼分作六片) 右將白礬於銚內慢火熬為水置巴豆於其內候乾去巴取礬為末吹入喉中立愈

○二聖散治證同前 鴨嘴膽礬(一錢半) 蠶(炒去絲嘴半両) 為末吹入喉中

○(林)一方陳白梅去核入膽礬綿裹含之 (惠)白梅 硼砂亦可

熏鼻 ○急喉風牙關緊閉 巴豆(去殼紙包去油在紙上以此紙作拈點火吹滅以煙熏入鼻中即時口鼻涎流牙關開)

塞鼻 ○(醫)治走馬喉痺 巴豆去皮綿裹隨左右塞鼻中左右俱有者用二枚立透

穀芒 ○(惠)誤吞穀芒刺在喉中 芝麻炒末湯點細細呷之

吞金 ○誤吞金銀或錢在腹內不下 石灰 硫黃(一皂子大)同研末

酒調服之

咽喉之內如有物哽噎痛症云云如若斷々咽喉之內百物不目眩気塞
壅スルカ如ク無カ如クブラくトシ一年モ二年モ不愈者治妙出ヶ何カハ
凍守一盃百丁子枳砂再煑光　カエタルヨウノモテ持セル者
修入

○牙齒　六

傳
○夫齒者腎之標骨之餘也足陽明胃之脉貫絡於齒上齦
手陽明大腸之脉貫絡於齒下齦手陽明惡寒飲而喜熱
足陽明惡熱飲而喜寒飲故其為痛有惡寒惡熱之不
同也開口吸風則痛甚者腸胃中有風邪也開口則穢臭
不可近者腸胃中有積熱也或痛而齒動搖或痛而虫侵
蝕又有齒縫疎豁飲食不便者大抵齒齦宣露而動搖者
腎元虛也宜滋陰補腎惜寒惡熱而口臭穢者胃氣熱也
宜安胃瀉火其風邪虫蝕之證蓋因熱生風而風生虫也
腸胃之火既平更加以擦牙誅虫之藥以治其標也

風牙
全
○獨活散治風毒攻蛀牙根腫痛　林風牙不怕冷熱
獨活　羌活　風　芎各半两　細　荊　荷　生地各二不　水煎漱嚥
○定痛散治牙風痛　川烏生　芷生各一两　細辛生各一两　乳三不　為末擦牙

引涎吐之須臾以塩水灌漱　嘴生　除川烏芷用全蝎草烏

林
○烏辛散治風牙疼　細　草烏等分為末　先漿水漱口擦患處一方加川椒

○一方　芷一两　石硃二分　為末煉蜜丸擦牙

風虫
林
○如神散治風虫牙攻注疼痛牙齒動搖連頰浮腫
椒炒出汗　蜂房炙各等分　為末水煎熱漱即止

○又方　椒　細　風　荊　獨　蝎等分　水煎熱漱

○玉池散治風蛀牙疼腫痒齦爛宣露出血口氣
歸　藁　地骨　風　芷　槐炒　芎　甘炙　升　細各等分　為末每
用一字揩之　痛甚取三錢加黑豆半合姜三片　水一盞半煎至七分溫漱

蛀牙
○砂糖丸蛀牙必有竅　石灰為末砂糖丸如黄米大塞蛀孔

○一方　川椒五十粒　巴一粒　飯丸如豆大綿包塞蚛穴

○一方　枯礬　滴乳　為末同蠟溶化丸塞蛀穴

○又　雄雀糞　帛裹塞蛀孔日二三次易之　雄雀糞直者是也

○又　嚼薰陸香嚥其汁瘥

○又　雄黄末蜜丸如棗核塞牙間

○又　蘆薈末先以塩揩齒令淨傅少末於上

○又杏仁燒煙未盡研如膏物裹內孔中

○又新摇李樹根取白皮細切水浸濃汁含之良久吐去

風熱

○犀角升麻湯治陽明經受風熱口唇頰車連牙腫痛

犀七分半 升五分 風 羌各三分半 芎 芷 芩 白附各二分半 甘一分半 水煎漱服

○當歸連翹飲治齒口則臭氣不可聞者此腸胃中有積熱也二者俱治

齒口呷風則痛甚此腸胃中有風邪也又

歸 翹 生地 芎 風 荊 芷 羌 芩 梔 枳 甘等分 細辛減半 右

○甘露飲方見口 治風熱上攻齒齦浮腫或連頰車或宣露

出血 本方加升麻 加犀 水煎溫服或漱之

熱牙

○涼膈散治胃有實熱齒痛或上引痛尤甚者方見傷寒 本方

以大黃酒蒸為君加知母升為佐頻頻含嚥即愈 冷水 胃熱牙痛

○清胃湯治牙床腫痛動搖黑爛脫落屬二陽明經之火

梔炒 翹 牡 條芩各一分 生地酒洗 連炒各八分 升 臯五分 桔各七分 藿

甘二分 膏二匙 右水煎

○清胃散治上下牙齒疼痛頭面發熱此因服熱藥所致也

升一兩 歸身 生地酒洗 連倍用 夏月 牡各三錢 痛甚加膏二錢 芩 大酒蒸各一錢

細辛三分 細茶三分 右水煎食後稍冷服

○驅毒飲治熱毒上攻壹露出血牙齦腫痛

屋遊即瓦上青苔洗淨 右水煎澄清入塩一撮頻頻漱

寒牙

○白芷散治大寒犯腦牙疼 寒牙怕熱湯

芷 臯各四分 歸 熟地各三分 麻 草蔻各一分半 香 升各一分 羌八分 藁本三分

枝二分半 右為末先用溫水漱淨以末擦之

○丁香散治牙齒疼痛

丁 捲 蝎梢 大椒各十枚 為末以指擦牙有涎即吐

○一方升 歸 細 撥 芷 荊等分 為末塞孔蛀之緊閉勿泄

氣擦痛處後以荊芥湯漱之古方以草撥為牙疼之要藥也

虛牙

○安腎丸治腎虛牙齒腫疼 蓯蓉酒浸 桃去皮尖麩炒 朮 補炒 白蒺炒去刺

斛 川烏炒去皮 萆 巴戟去心 山藥各等分 煉蜜丸空心塩湯送下

○宣風牢牙散注頰補腎牢牙固齒 芎 歸酒洗各一兩 青塩

細各七分 為末少許清晨擦牙漱滿口連末嚥之

○擦牙散牢牙 芎 芷 參 風 細 升 甘松 香附 捲各一兩

膏二兩 為末少許擦之

回○葱白杵爛炒熱敷患処如冷易之腫痛即止其効如神

金瘡

患○金瘡出血過多四物湯加参耆

○兵器傷血出者必渇不可与水只食乾食肥膩之物不妨如食薄粥則血沸而出必死

林○禁聲飲子治棒瘡刀及傷疼痛不可忍 防風、南星、各等分 右生姜一片水酒煎食遠服

玉○刀傷 五倍子研為末乾貼神効 又桑葉陰乾為末乾貼妙

○金瘡腸出欲入之 磁石、滑石各三両 為末米飲調方寸匕日三服

普済○金瘡犯内血出不止取所交婦人中衣帯三寸焼末水服

林○金瘡弓弩箭中悶絶無所識 琥珀研 童便調服

鍼灸傷

家蔵○内托黄耆圓治鍼灸傷経絡流膿不止 黄耆八両 陳皮二両 桂木 乳香 沉香各一両研制 為末菉豆粉四両姜汁糊丸如梧子毎服五十丸熟水下

普済○灸瘡腫痛 竈中黄土末煮汁淋之

○灸瘡不瘥 烏賊骨、白礬等分末日々塗之

湯火

林○赤石脂散治湯火傷赤爛熱疼 赤石、寒水、大黄等分為末新水調塗

又柳皮焼灰塗之 又石灰水和塗之 又竹虫蛀末傅之

又水煎膠令稀稠得冷塗之 又胡麻生杵如泥厚封之

○捄油及湯火焼瘡痛 石膏末傅之

骨鯁

金○治骨鯁入喉 縮砂、甘草等分為末綿裹含之嚥津久之随痰出

齋○苧麻根搗汁灌之或搗丸点湯下 又乳香水研服

又橘皮常含咽汁即下

林○含水獺骨 又鹿角末含嚥津 又瞿麦末服方寸匕

漆瘡

林○治漆瘡湯溶芒硝令濃搽之 又韮葉研傅之妙

又磨刀石泥塗之妙 又蟹黄塗之 又杉木煎湯洗之

又薄荷一斤水一斗煮取五升洗瘡 又芥菜葉煎湯洗之

又白礬煎湯浸洗 又莧菜煎湯洗 又蓋漆紙焼烟熏之

犬咬

林○犬咬傷 不可便貼膏薬及生肌散之類謂毒不出也先用導水丸禹功散浮下即時減腫然後敷貼之

○導水丸 大、芩各一両 牽牛、滑石各二両 為末水丸白湯下

○禹功散 牽牛四両 茴香一両炒 或加木香一両 為末姜汁調服

○顛犬咬 韮菜根搗汁多服 又桃白皮水煎服

○犬咬人発狂 虎牙虎頭骨末酒服方寸匕

馬咬

山居○馬咬用栗子嚼傅或焼灰油調付

猫咬

林○猫咬搗薄荷汁塗之

鼠咬 ○鼠咬 麝香末津調塗

蛇傷 ○初被傷用鍼挑起咬処皮輕々剪去捏出少血即愈慎
勿妄用雄黄傅瘡恐毒氣不泄攻内仍服後藥
芷 細 各五分 雄 二分 為末入麝少許酒調服
又龍脳薄荷研汁温酒調服又塗傷処露中心出毒氣
又細擦雄為末入麝少許酒調服治蛇毒及悪犬傷
○毒蛇傷人眼黒口噤手足強直 白礬 甘 等分 為末冷水調下
○蛇傷取大蒜塗之又灸咬処

蜈蚣 ○蜈蚣傷 香油點燈火吹滅以烟薫傷処不痛即愈
又雞糞塗之 又雄黄末擦之
又雞冠血塗之 又頭垢塗之 又嚼塩傅之 又塩湯浸瘡

蜂螫 ○蜂螫人 蜂房末猪膏和傅 蜂房煎湯洗亦可

蜘蛛 ○治蜘蛛瘡用清油擦之
○一方 雄一分 麝半分 為末用藍汁塗瘡 如無以青黛五分入水和塗之立愈

蚯蚓 ○蚯蚓咬其形如大風眉鬚皆落以石灰水浸身即愈

諸虫 ○凡蛇虺蜈蚣咬傷灸傷処三五壮抜去毒

○凡一切虫獸咬傷腫毒及杖瘡焮發或透入裏者宜先
用導水丸烏功散或木香檳榔丸下之
○蛇蜂蜈蚣及諸虫傷 雄黄末水調敷仍酒調服
○発明復元活血湯治従高墜下悪血留脇下疼痛不可忍
柴 五分 皈 六分 甘 二分 穿 炮二分 大黄 一两酒浸 桃 去皮尖五十个 紅 栝 各二分 右毎一两水二
盞半酒半盞煎至七分
○元戎加味四物湯治虚人損傷不禁下之者四物湯加川山甲煎服

破傷風 附翻花瘡 九

○若夫破傷風證因事擊破皮肉往々視為尋常殊不知風
邪乗虚而客襲之漸而変為悪候又諸瘡久不合口風邪
亦能内襲或用湯淋洗或着艾焚灸其湯火之毒氣亦与破
傷風邪無異其為證也皆能傳播經絡焼爍真気是以寒
熱間作甚則口噤目斜身体強直如角弓反張之状死在旦
夕治之之法當同傷寒有在表在裏半表半裏之不同
故不離汗下和三法也

表 ○羌活防風湯治破傷風邪初得在表
羌 風 芎 藁 皈 芍 各一分 甘 地楡 細 各五分 右水煎熱服

如熱則加大〻一ネ大便秘加大〻五分

○白朮防風湯如服前藥太過令自汗者宜服此

朮一ネ風〻二ネ芪〻一ネ半右水煎臟腑和而有自汗可用此如破傷風臟腑秘小便赤自汗不止者因服熱藥汗出不休者知無寒也宜速下之先用小芎黄湯二三服後用大芎黄湯下之

裏

○小芎黄湯 芎〻二ネ芩〻一ネ半甘五分右水煎三服即止用後藥

○大芎黄湯 芎〻一ネ芩〻大〻羌〻各一ネ半右水煎服以和為度

半表半裏

○大羌活湯内外風去可服此治半在表半在裏之藥也

羌〻菊〻麻〻芎〻膏〻風〻前〻芩〻細〻甘〻白芩〻枳〻蔓〻各四分荊〻芷〻各二分右作一服入生姜五片水煎稍熱服

○白朮湯治破傷風大汗不止筋攣手足搐搦

朮〻葛〻各二ネ升〻芩〻各一ネ芍〻四ネ甘〻半ネ右

●養血當歸地黄湯治破傷風日久氣血漸虚邪會

歸〻地〻芍〻芎〻藁〻風〻芷〻各一ネ細〻半ネ右

翻花

○治翻花瘡一名綿花瘡一名廣東瘡

川芎天花粉各五分輕粉半ネ雄黄辰砂各一ネ二分半麝五分右

為末蒸餅丸如菉豆大每服八分温酒下日三服

一方無川芎天花粉亦效

玉 外科精要云熱発於皮膚之間浮腫根小至大不過二三寸者為癤六府積熱騰出於外肌肉之間其発暴盛腫皮光軟侵展廣大為癰五藏风毒積熱攻焮肉骨风毒猛暴初生如㾦瘖形色焦枯觸之應者乃疽也

玉 癰淺而大也三因方曰癰者壅也 疽深而悪也三因方曰疽者阻也

癤者節也 瘍有頭小瘡也 疹浮小瘾疹也

○瘡瘍 十

一 癰疽 集驗 ○夫癰疽瘡癤皆由氣血不和喜怒不時飲食不節寒暑不調而發多生於膏粱富貴之人平昔所食肥膩炙煿安坐不勞嗜慾無節以致虛邪熱毒內攻煎熬氣血而成也

精要 ○初發疽之時一粒如麻豆大身体便発熱生疽処肉亦熱腫大而高多生疼痛破後肉色紅紫為外發可治

初發疽之時身体無熱自覺倦怠生疽処亦不熱數日之間漸々開大不腫不高不疼低陷而壞爛破後色黒為內發未發見之先藏府已潰爛百人百不救

傳 ○腫瘍用手按之熱則有膿不熱則無膿

精義 ○凡瘡腫大按之乃痛者膿深少按之便痛者膿淺

傳 ○疽發深不痛者胃氣大虛死肉多而不知痛也

○浮露而淺者為癰宜外消藏伏而深者為疽宜内托

○腫瘍為實宜冩利潰瘍為虛宜補益

○其證善而易治者為順惡而難治者為逆

目視不正黒睛緊小白睛青赤瞳子上看一逆也不能飲食納茶而呕食不知味二逆也傷痛渴甚三逆也膊項轉動不便四肢沉重四逆也聲嘶色脫唇鼻青黒面目四肢浮腫五逆也煩躁時欬腹痛甚泄利無度小便如淋六逆也膿血大洩焮腫尤甚膿水臭敗臭遠七逆也喘麤氣短恍惚嗜卧八逆也未潰先黒陷下青唇黒便污九逆也

又如噫氣痞塞喘咳身冷自汗目瞪耳聾恍惚驚悸語言錯乱皆是悪證

動息自寧飲食知味一順也便利調勻二順也神彩精明語聲清朗三順也膿潰腫消色鮮不臭四順也体氣和平五順也凡五順見三則吉九逆見六則危

精要 ○癰則皮薄腫高疽則皮厚腫堅初發並宜灼艾

○腦疽乃項已上瘡不可直灸々三里氣海穴而漸々服涼膈化血之藥

灸

叢 ○凡疽瘡便宜灸之一二百壯灸後覺焮痛經一宿火氣下徹腫內熱氣隨火而出也若瘡痒宜隔鼓餅子灸之其餅須以椒姜塩葱相加搗爛捏作餅子厚如三錢當瘡頭餅

子上灸之又赤皮蒜搗作餅子如豆豉餅子亦佳餅子若乾更換若瘡痛消急灸壯數多為妙 若瘡膿已成者不可灸即針開之

外恩 ○用大蒜去皮切三文錢厚安瘡上灸之至三壯換蒜片瘡大用蒜搗爛攤患処將艾鋪上燒之蒜敗再換瘡痛者灸至不痛不痛灸至痛未成者即消 最早灸為上一日三日十灸十活三四日六七活五六日三四活過七日則不可灸

二

腫瘍

回 ○荊防敗毒散治癰疽疔腫發背乳癰等増寒壯熱頭痛似傷寒一二日至四五日表其毒輕者自消散

荊 風 羌 獨 柴 前 桔 芎 苓 枳 甘 翹 奇 金銀花 大便不通加大芒 熱甚痛極加芩連 右入姜

傳 ○千金托裏散治背疽併諸惡瘡 三日以前未鍼灸及利大便者則可消

歸身 翹 芩酒浸 大各三ㄨ 門二ㄨ 羌 藁 耆 各ㄨ 甘 参 楮 各一ㄨ半 生地酒洗 桔 梔酒 連各一ㄨ 風酒洗 風梢 生甘 陳 歸梢 蘇 木 五味 酒柏 酒巳 各半ㄨ 右分二貼水三大盞浸半日煎至一盞稍熱服忌冷水如覚病即忙服瘡勢已發三四日或成膿則不消

回 ○呂洞賓仙傳化毒湯癰疽發背乳癰初起服之立消已成已潰立愈 金銀花 芷 天花粉 各一ㄨ二分 風 甘節 皂 芩 貝 芩 翹 芷 各一ㄨ半 乳 没 各五分七 右好酒煎胸前飲前背上飲後上部食後下部空心服出汗為度

傳 ○内托復煎散治腫瘍焮于外根盤不深形證在表脉多浮病在皮肉非氣盛則必侵于内急須内托

撮 芪 風 地骨 各三ㄨ六分 芍 芩 朮 苓 参 甘 歸 巳 各一ㄨ八分 柳桂 淡味者九分 右分四貼先以蒼朮二兩八銭用水十盞煎至六盞去蒼毎用一盞半入某一貼再煎至八分去柤服如大便秘及煩熱少服黄連湯如微利煩熱已退却服復煎散如此栄衛俱行邪氣不能内侵也

○内疎黄連湯治嘔噦心逆発熱而煩脉沉而実毒気在内臓腑秘澁當急疎利之 連 梔 芍 歸 梹 木 芎 各半ㄨ 翹一ㄨ 芩 桔 甘 各半ㄨ 大一ㄨ二分 右如二便不閉者不入大黄

全 ○黄耆建中湯加附 治氣体虚弱之人患背瘡頸疽不知痛

三

痈瘡勢不作急宜服此以生血潰膿有熱者不可服 方見虚損

○東垣托裏榮衛湯 耆 紅 枝各五分 蒼三分 紫 翹各二分 羌 風

皈 甘炙 芩各一分 柏 参一分 右水酒各半煎

潰瘍 四

○十全大補湯癰疽已潰之後与千金内托相間服宜補氣血

○千金内托散 和剤号内補十宣散又名十奇散 癰疽瘡癤未成者速散已成者速潰服薬後疼痛頓減 耆 蜜炙 参 帰 酒洗各二分 芎

風 桔 芷 朴 薄 桂 甘 生各一分 加金銀花亦好 右為末 黄酒

調下 不飲酒木香湯亦可 或作一剤酒煎尤佳 腫痛

倍芷 不腫痛倍桂 不進飲食加砂縮 痛甚加乳没

水不乾加知貝 瘡不穿加皂刺 嗽加半陳杏生姜 大

便閉加大枳 小便澁加門車通燈草

○補中益氣湯治元氣虚損悪寒発熱肢体倦怠飲食

労倦頭痛煩燥作渇脉洪大弦虚或微細軟弱

○四君子湯治脾胃虚弱或因尅伐腫痛不散潰斂不能宜

用此補脾胃諸證自愈

○八珍湯 四君四物合剤 治脾胃傷損瘡瘍潰後膿水清稀久不愈

四

○黄耆人参湯治諸瘡破後食少無睡虚熱

耆一分 参 朮 蒼 陳 門 帰身 升 炙甘各半分 柏 炒四分 麹 炒三分

五味九ケ 右

○聖愈湯治諸瘡血出多而心煩不安不得眠此亡血也

生地 熟地 芎 参各半分 帰身 耆各一分 右

○内補黄耆湯治諸瘡破後体倦無力懶言食無味少睡

自汗口乾脉濇

耆 門各一兩 烏 芎 桂 帰 遠各半兩 熟地 参 苓 甘 炙各三分 右姜棗

●托裏温中湯治瘡為寒変而内陷者膿出清鮮腸鳴切

痛大便微溏呃逆氣短昏憒

附 炮去皮四分 姜 羌各三分 益 丁 沉 木 茴 陳各一分 甘 炙二分 右入姜

○托裏内補散 集驗 治諸瘡膿潰之後

参 朮 苓 甘 帰 酒洗 芎 白芍 芷 桂 風 耆 金銀花 等分 右

○麦門冬湯治癰疽潰後膿水不絶

参 耆 白苓 皈 芎 桂 門 五味 炒 遠各一兩 甘 炙三分 右姜棗

渇

○加減八味圓 精要 癰疽未生或初生或既安渇證出来並用之

地(酒浸蒸)二兩　山茱、山藥(各一兩)　淡桂(半兩)　沢苓、牡(各八ネ)　五味(炒一兩半)
右為末，煉蜜丸，五更初未言已前，溫酒或塩湯下。
○忍冬圓　治癰疽，大能止渴。忍冬(根莖花葉皆用)入瓶內，無灰酒
浸，糖火煨一宿，曬乾，入甘草少許，為末，以所浸酒煮麵
糊丸，如梧子大，每服五七十丸，酒下。
○清膻湯　治癰疽熱盛焮腫疼痛作渴
外春門蓁(各三兩)　生地、芍、苓、參、知、白芩、甘(各三兩)　右
○疊　黃耆六一湯　治癰疽已潰，大渴不止。
綿黃耆(六兩，塩水潤濕，飯上蒸三次，焙)　粉草(一兩，用半生半炙)　為末，白湯調當湯水服。
五
通治
○林　榮衛返魂湯(一名追風通氣散，又名何首烏散)　治癰疽發背、腦疽、流注、腫毒，
於未萠之前拔根，於既潰之後，此藥順氣匀血，扶胃氣。
何首烏(不犯鐵)　白斂　赤芍(炒)　芷(不見火)　通　茴(炒)　烏(炒)　枳(麩炒，如惡心加薑汁炒)
甘(各等分)　酒水各半，煎服。氣血盛者，減當歸；多則生痰，
他所再結癰毒。病在上者，去木通，恐導虛下元。為上
盛下虛，老人虛人，尤去之。癰疽生痰有二：一、胃寒生痰，
加半夏，健脾化痰；二、熱鬱而成風痰，加桔梗。流注者，氣

血凝滯，加獨活。(一方醋調敷貼痛處，以塩熨之即消)　流注傷寒，表未盡，遺毒
流於四肢經絡，如尚有潮熱，則裏有寒，而未盡，散加升
麻。熱不退，加葛。頭痛加芎、羌。惡熱無潮熱，用酒水各
半煎，大能行血生氣。發背久不潰，乃涼藥過也，飲食
必減，顏色瘦瘁，去木通，少用當歸，加朴、陳；盛則加白
豆蔻。有泄瀉，不可便服此藥，先服蠟礬丸止瀉，後用
此。腸肚內癰，十宣散與此方相間服之，宜加忍冬藤。
腫毒堅硬不穿，加芎、獨、麻、連翹，蔥煎服，出汗即穿。
折傷在頭上，去木通，加芎、陳。腳氣加瓜、檳、穿山。痰飲
為患，或喘或欬，或暈頭痛，睛疼，遍身拘急，痺疼，胸背
項腋腰腿手足結硬，或痛或不痛，惟咽喉痰結，作寒
作熱，加南、半。
○同　蠟礬丸　治癰疽及肺癰、腸癰，消毒，固臟腑，止痛止瀉，化膿。
癰疽潰後宜。兼治諸瘡毒，三五年者，半料即消。(不問惡瘡新起者，効)
白礬(三兩)　黃蠟(二兩)　為末，溶蠟丸，梧子大，每服三十丸，酒下；不飲
酒，熟水下，一日三服。肺癰，蜜湯；咳嗽，姜湯下。

金
〇五香連翹散（和劑 另湯）治一切積熱癰疽瘡癤瘰癧結核
沉甘（生） 乳（研） 青木（各一分） 翹 射 桑寄（無則以獨活代） 獨 羌（亦可） 通
升 丁 梗（去枝） 大（蒸各三分） 麝（一ト半研） 右水煎熱服利下惡毒為度
本方有瀝芒隨熱輕重添減ス 和劑曰此方甚多以三両為正 李氏方不用大黄恐虚人老人

玉
〇五香湯治毒氣入腹 丁 木 沉 乳（各一両） 麝（三ト）
〇九珍散治一切癰疽瘡癤腫毒因氣壅血熱而生者ニ
水煎如吧者去麝加藿一両渇加参一両
赤芍 歸 芎 生乾地 芷 苓 蔞 甘 大（各等分） 水二盞滴
一盞煎去滓熱服兼治婦人乳癰等

集驗
〇十六味流氣飲治無名惡瘡癰疽等
防 芎 芍 参 耆 芷 桂 木 烏 桔 朴 檳 枳 蘇 風 甘（各一ト） 右

六
腦疽
傳
〇當歸羌活湯治腦疽 芩（酒炒） 連（酒炒） 歸（各二ト） 梔（酒炒） 翹 羌 風
梔 甘（各一ト） 獨 蔓（各七分） 澤（半ト） 右作一服水二盞先浸一時
許入酒一匙煎八分去粗食後稍熱服日二服俱將某汁
調檳榔散下ス 檳 木（各三ト）為末用前湯下 能飲者或油調塗瘡

七
乳癰
婦
〇乳癰足陽明經滞不通血氣不散結聚成癰四十歳以下
治之而愈五十歳以上難療又姙娠乳癰無害

傳
〇妳岩始有核腫結如鱉碁子大不痛不痒五七年方成瘡
初便宜多服疎氣行血之某須情思如意則可愈未破者
尚可治成瘡者不可治也

集驗
〇連翹飲子治乳癰 翹 芎 蔞 皂刺 橘葉 桃 青
甘節（各二ト） 右 玉 未破者加柴 已破者加参 耆 歸 皂 芍

玉
〇東垣内托升麻湯治婦人乳中結核 蔞（三ト） 翹（三ト） 甘節 青皮（各一ト） 水煎食後細々呷之
〇百齒霜圓治吹乳結核腫痛及乳癌 百齒霜（即梳齒上頭垢） 右
為圓如雞頭子大黄丹為衣每服一圓好酒送下如不飲酒
白湯下不可化開亦不可令病人知極有効

金
〇瓜蔞散 蔞（三ト酒擂） 乳（一ト赤） 熱酒調服熱甚加膏末少許

集驗
〇又方 蔞（一个去皮焙為末） 生甘 歸（各半両） 没（二ト半） 乳（一ト） 酒煎食後服

醫
〇橘皮湯初發即散已潰即効因小兒吹妳者並治ス
橘（湯浸去白晒乾麸炒微黄色）為末入麝少許 每服二錢酒調下
〇一方 青 陳 翹 金銀花（各一両） 穿（炙） 桔（各三両） 甘（一両生熟）為末熱酒調下

傳
〇十六味流氣飲治妳岩

八
心癰
金
〇心癰作寒熱口乾ニ身痛胺内熱頭面赤先何首烏散次ニ
乳香散五香連翹散已潰者多服内補十宣散何首烏散

九
腸癰
傳
〇腸癰者小腹腫強按之則痛小便数淋時々汗出復惡寒ニ

身皮甲錯腹皮急如腫狀脉洪數已有膿脉遅緊者未有膿甚者腹脹大轉側有水声或遶臍生瘡或膿自臍出或大便膿血

○大黄牡丹湯治腸癰有膿即下膿無膿即下血

大四两 牡一两 桃五十枚去皮尖 芒三合 蕫半升 右水六升煎一升去粗内芒再煎

林 ○薏苡仁湯治腸癰腹中疞痛煩毒不安或脹滿不食小便澁婦人產後虛熱多有此病縱非是癰疑似亦服之

薏五錢 牡 桃各三錢去皮尖炒 蔞四錢 右水煎

集驗 ○四聖散治腸癰便毒 生黄栝蔞一枚去皮 乾則用二枚 粉草四錢研末 沒三錢研 乳一錢研 右用好酒慢火煎兩日服盡大便下惡物

○牡丹散治腸癰冷證腹濡而痛時時利膿

牡 參 天麻 白苓 蒼木 皷 芎 桂 桃各三分去皮尖 芷 薏 甘各五分 右

十 胃癰 林 ○射干湯治胃脘癰熱作癰身皮甲錯咳嗽膿血

射 梔 赤苓 升各二錢 赤芍三錢 朮一錢半 水煎入地黄汁一合蜜少許服

十一 腎癰 傳 ○丹溪曰中年之後尤慮患此證但見虛弱便与滋補氣血

○內托羌活湯治尻臀生癰堅硬腫痛大作

羌 栢各二錢酒炒 耆一錢半 風 藁 歸尾各一錢 翹 甘各五分 蒼 陳各五分 桂三分

右作一服水二盞酒一盞煎至一盞去粗稍熱空心服以衣覆蓋癰上使藥力行去衣

十二 便癰 林 ○便癰者血疝也俗呼為便毒乃足厥陰肝之經絡及衝任督脉亦屬肝之傍絡是氣血流行之道路也遂壅而為癰

○双解散治便毒内蘊熱氣外挾寒邪精血交錯腫結疼痛

桂 大 白芍 澤 牽炒 桃二錢去皮尖各 姜一錢 甘半錢 右水煎

○消毒飲治便毒初發三四日可消 歸 大 風 姜 皂針 金銀花 甘節等分 水酒各半煎食前溫服 服此藥仍頻提掣頂中髮立効

○便毒初起 胡桃七个燒研酒服不過三服見効

傳 ○射干三寸同生姜煎食前服得利二三行効 射干紫花者是 紅花者勿用

○一方 破力 黒丑炒 大酒蒸焙乾 等分為末每服一両酒調下

回 ○便毒初起 大三錢 芒 蚕各二錢 歸尾 赤芍 金銀花 天花 芷 梢各一錢 木鱉十个 穿山甲三片土炒成珠 右酒煎入硝黄再煎二沸連渣罐露一宿五更溫服厚蓋出汗利一二次即愈

○龍膽瀉肝湯治便毒囊癰懸癰下疳小便澁或婦人陰
內痛蝕皆是肝經濕熱
膽草酒洗炒 澤瀉各一錢半 車 通 生地酒拌 歸尾酒拌 梔 芩 甘各五分 右
集驗○栝蔞散治便癰等惡瘡 蔞一个 [illegible] 金銀花 牛炒各三錢 甘
生姜各半兩 右不犯銅鐵酒煎空心溫服微利為度
○三物湯 蛎 大 梔等分 酒水煎露一宿空心溫服 一方無梔有姜
傳○便毒已成膿 大黃酒拌 麹各五錢 實三錢 朴 甘節各三錢 桃二十个
姜三片 水煎

十三
魚口
回○便毒潰破即魚口瘡 大 金銀花各二錢 蚕 穿炒 吳 脂炒各一錢 為末空
心黃酒調下

十四
囊癰
傳○丹溪曰囊癰者濕熱下注也有作膿者膿盡自安又曰癰
疽入囊者濕熱入肝經雖膿潰皮脫睪丸懸掛者皆不死
林○陰腫者由膀胱蘊熱或疝氣攻作或暴風客熱所致也
○三白散治膀胱蘊熱風濕相乘陰囊腫脹二便不利
白丑二兩 桑炒 木通 陳各五錢 為末姜湯調下
○一方 蔥炒 蝎炒 穿炒 木各等分 為末每服二錢空心酒調下痛止

十五
下疳
林○陰頭生瘡因年少陽道興起當泄不泄不當泄強泄脹斷
嫩皮初如針眼大畏痛不敢洗日久攻入皮肉連莖潰爛用
荊梢 鞭 蒼耳 生蔥煎湯洗去膿穢以訶子燒灰入麝少
許乾摻臨睡喫冷水兩三口勿令陽興脹
回○消疳敗毒散治下疳瘡乃厥陰肝經主病
柴一錢半 赤苓 赤芍 梢 通 膽各九分 麹 荊 連 蒼 知各七分 風
獨各六分 甘梢三分 燈草二十根 水煎空心熱服量虛實加大黃三錢
○涼血解毒丸先服升麻葛根湯發毒後服此即愈不消者輕粉之類
苦八兩 連四兩 麹三兩 牛 生地 芷各二兩 風 膏各一兩 大二兩半 為末荊芥
煎湯打糊丸如梧子大每服百丸空心溫水送下
林○津調散治妬精瘡膿汁臭爛 連 款等分 為末先用地骨蛇床
煎湯洗拭乾津調末敷之
又大田螺和殼燒存性 為末入輕少許傳之又蜜煎甘草塗之善

十六
楊梅
患○楊梅瘡 一名天疱瘡一名綿花瘡一名翻花瘡 近年極多庸醫務速効以輕
粉丹麝等劫氣血盛者得愈怯弱之人變生壞證不知戒
守成痼風又輕粉多用蒸以麝香透入骨節遂成風癱經

年痛痒膿爛輕粉但量人虚実用之可也
疑 〇素無天疱瘡故無治法丹溪於通聖中加減量人厚薄治
得効雖速十無一壊
四 〇清風敗毒散楊梅天疱者風湿熱毒也初起宜服
帰尾 芎 赤芍 生地 升 葛 芩 各一ホ 連 梔 翹 風 各六分 羌
金銀花 甘 各五分 蟬退 二个 初服加芒 一ホ半 大 二ホ 通利悪物後勿加用 右
〇二十四味風流飲瘡毒発出宜此
風 荊 翹 芷 精 帰尾 芎 上部瘡多宜倍用 赤芍 芩 連 梔 地骨
五加 白鮮皮 通 下部瘡多宜倍用 风 苦 金銀花 皂刺 薏 蟬退
蚕 梔 白蒺 甘 土茯苓 白実者三斤 瘡痛加羌独 体虚加参
芩 麦 梔 右作五十剤毎日服二剤水煎
〇茯苓湯 土茯苓 四両搗砕 桔 風 各一両 乳 没 各五分 水煎 忌鉄器 忌茶水

十七

附骨

傳 〇丹溪曰附骨疽者因久得厚味及労役与酒後渉水得之
又曰環跳穴 足少陽 痛不止防生附骨疽
〇羌活防已湯治附骨疽初発太陽厥陰太陰分者
羌 已 芎 蒼木 翹 射 皂 通 帰尾 檳木 甘 各七分 水酒各半

〇托裏黄耆湯治附骨疽初発於足少陽明分者
帰尾 一ホ半 柴 一ホ 黄耆 桂 翹 力 各八分 栢 升 甘 各四分 芷 一ホ 右作一
服酒一盞水一盞半煎空心服以养膳壓之
〇黄連消毒飲一老人因寒湿地氣得附骨疽於左腿外涠六
七寸長一小尺堅硬漫腫以指按至骨大痛与此薬即愈
連 羌 各一ホ 芩 梔 桔 已 藁 各五分 生地 知 栢 風 飯尾 各四分 檳木
耆 参 澤 各二分 陳 甘 各三分 右水煎 翹
悲 〇加味八味丸治附骨癰疽真氣不足虚火炎上之證及疽愈
後発渇者 方見癰疽

十八

疔瘡

精義 〇夫丁瘡以其瘡形如丁蓋之状者是也古人論皆不離於氣
聚兮洽抑凹下也 客於経絡五臓内蘊毒熱初生一頭凹腫痛青黄赤黒無復
定色便令煩躁悶乱或増寒頭痛或吧吐心逆以針刺瘡不
痛無血是其候也急用艾灸之若不覚痛者針下四边令血
出或針之不痛無血者以猛火焼鉄針於瘡上烙之令如焦
炭取痛為効如針不痛眼黒或見火光者不可治也
〇丁腫十三種一曰麻子丁状肉起頭如黍米色稍黒四邊

徵赤多痒忌食麻子油衣布衣并入麻田中　二曰石丁狀皮
肉相連色如黑豆甚硬剌之不入肉微痛忌瓦礫塼石之屬
三曰雄丁狀皰頭黑黶四畔仰皰漿起有水出色黄大如錢
孔形高者忌房室　四曰雌丁狀瘡稍黄向裏黶亦似灸瘡
四面皰漿起心凹色赤如錢孔者忌房室　五曰火丁狀如
湯火燒灼瘡頭黑黶四邊有煙焰又如赤粟米者忌火燒
烙　六曰爛丁狀色稍黑有白斑瘡中潰有膿水流出瘡形
大小如匙面者忌沸熱食爛物　七曰三十六丁狀頭黑浮
起形如黑豆四畔起赤色今日生一明日生二及至十若
滿三十六不能治未滿可治忌嗔怒愁恨　八曰蛇眼丁狀
瘡頭黑皮浮生形如小豆似蛇眼大体硬忌惡眼人看并
嫉妬人見忌毒藥　九曰塩膚丁狀大如匙面四邊皆赤有
黑粟粒起忌食塩味　十曰水洗丁狀大如錢形中如錢孔
瘡頭白裡黑黶汁出中硬忌飲漿水々洗渡河　十一曰刀
鐮丁狀闊狹如薤葉大長一寸在側肉黑如燒烙忌刺及
刀鐮切割可以藥治不可乱攻　十二曰浮漚丁狀瘡体曲

圓少許不合長而狹如薤葉大内黄外黑々処剌之不痛
黄処剌之痛　十三曰牛狗丁狀肉色皰起掐不破　右十三
種丁瘡初起瘡心先痒後痛先寒後熱四肢沉重心驚眼
花重則吧逆々々者難治麻子丁一種始末惟痒録忌者
不可犯々者作難治浮漚丁牛狗丁無禁忌不療不殺人
又曰十三疔雖異皆熱毒之甚也先以雄黄丸下之去毒
勢次服二活散病勢緩而用引經藥

韻會洽
掐乞洽切
抓也
增爪刺也

傳
○雄黄丸　雄黄　皂角　各一錢　巴豆十四枚　麝香少許　為末滴水丸茶清下
○二活散　羌活　獨活　烏藥　赤芍　金銀花　酒洗　麴　天花　芷　甘節　各四錢
紅花　木　荊芥　蟬蛻　葛　各三錢　檀二錢　為末蒼耳煎湯下
○通利藥　秘　黑丑　末一兩　巴豆　十五粒去油　大黄五錢　為末水丸白湯下
○赤芍藥湯治疔瘡癰疽初覚憎寒疼痛
赤芍　金銀花　各五錢　大黄七錢　蔞二个　歸尾　甘　枳　各三錢　右水酒煎
○托裏散治惡瘡発背疔疽便毒始発脉洪数腫甚欲作
膿者三服消尽　大黄　牡蠣　栝蔞　皂刺　朴硝　麴　各三錢　歸　金銀
花　各一兩　赤芍　芩　各二錢　右水酒各一盞煎

集驗
○内托連翹散 疔瘡出皮色不变不疼用鍼刺仍服此散
朴硝二兩 翹 芷 生地 赤芍各一兩 大梔 黄芩各七分 芩半兩 甘一兩 右
入燈心竹葉煎 如喘加参少許
○五聖散 治疔瘡 皂刺二兩 蔞一个 大金銀花 生姜 甘節各一兩 酒煎
回
○神仙解毒丸 治疔瘡発背魚口悪瘡妄名腫毒 初発一服即
消 白礬 丸如菉豆大 硃砂為衣 每服十丸 連鬚葱七
八根水煎送下 汗出立愈 已成者不傷 未成者即消
本綱
○疔腫垂死者 菊花搗汁一升入口即活 神方也 冬月用根
又端午采豨薟草 日乾 為末 每服半兩 熱酒調下 汗出即愈

十九
瘰癧 林
○夫瘰癧者 結核是也 或在耳後 或耳前 或耳下連及頤頷 或
在頸下連及缺盆 皆謂之瘰癧 或在胸及胸之側 或兩脇 皆
謂之馬刀 乃手足少陽経 多氣少血之病也
傳
○丹溪曰 瘰癧必起於少陽一経 不守禁忌 延及陽明 大抵
食味之厚 鬱氣之積 須分虚実 実者易治 虚者難治
集驗
○初覚憎寒壮熱 咽項強痛 腫結不消者 便當服散腫潰堅
湯 或五香連翹湯散之 或用牡蛎大黄湯疎利之

傳
○散腫潰堅湯 治馬刀瘡結硬如石 或在耳下缺盆 或肩上脇
下及瘰癧遍於頬 或至頬車 堅而不潰 或破流膿水並治之
芩八分 酒洗 半炒半生 膽 酒洗炒 四次 桔 酒洗 栢 酒炒 知 酒炒 昆布 酒洗 桔各五分 柴四分 炙甘
稜 酒洗 莪 酒炒 翹各三分 白芍 葛 帰梢各二分 連 升各一分 右作一服
水二盞 先浸半日 煎至一盞 去粗 食後稍熱服 於臥処伸
足在高処 頭低 垂每含一口 作十次咽下 服畢少頃 依常
安臥 取薬在膈上停畱故也 別製一料為末 蜜丸 以煎薬
送下 或加海藻五分 炒 亦妙
集驗
○牡蛎大黄湯 治諸腫毒悪瘡便毒 一服立愈
大黄 牡蛎各半兩 蔞二个 梔子 赤芍 甘三分 右
傳
○救苦化堅湯 治瘰癧馬刀 春 漏芦 升 翹 羌 藁各一分
参 牡 生地 帰身 熟地 白芍 牛 莪 連 栢各三分 炙甘 葛
獨 風各半分 桂 昆布 益 稜各二分 柴八分 朴一分 麹二分 右為末
湯浸蒸餅 裡作餅子 日乾 搗如米粒大 白湯下 如氣不
順 加橘紅 甚者加木香少許 如止在陽明分者 去柴 牛蒡
如在少陽分者 去獨 漏 升 葛 加瞿三分 如人素氣弱 病勢

來時氣盛而不短促者不可考其手素宜作氣盛加芩連
栢知已之類在上焦芩在中焦連並半酒洗半生用在下焦酒製栢
知已如大便不通而其邪盛者加酒製大黃以利之如血
燥而大便乾燥者加桃仁酒製大黃風燥加麻仁如風深
而大便不行加煨皂角仁大黃秦艽如人素氣弱去苦寒
之藥多加參耆甘之類凡母芩荊防姑飲食大治之法也
又冬寒不可用芍如煩躁去桂無膿不可用牛如瘡堅
硬甚者用栽不甚堅硬不用如嘔多吐食用益智如煩
燥用栢
○升陽調經湯治瘰癧 升八分 葛 膽酒製炒四分 芩酒炒 莪酒炒 稜
炙甘酒炒四分 歸梢 芍各三分 栢酒炒二分 知酒炒一錢 右水浸半日煎臨
臥稍熱服外為末煉蜜丸以煎藥送下
集驗 ○檳榔散治氣毒瘰癧心壅飲食不下
枳前 赤苓 牛炒各一兩 參 枳炒 沉 風各半兩 甘炙二分 右入姜
○射干連翹湯治瘰癧寒熱 射 翹 玄參 赤芍 木 升
前 梔 歸 甘炙各一兩 大炒二兩 水煎入芒少許食後溫服

○瞿麥飲治瘰癧馬刀 瞿穗半斤 翹一斤 右水煎服累効
但不能速驗待歲月除
同 ○柳氣内消散治瘰癧并諸瘤結 藭一兩半 風 芩 烏藥 莎
枳各一兩 歸 芍酒炒 芎 朮 青 陳 半 桔 羌 獨 芷 朴各八分 木
參 甘各五錢 沉三錢 右水煎或酒糊丸溫酒下
○赤白丸治瘰癧未破 白礬三兩 朱砂九錢 為末酒糊丸茶清下日三服
○益氣養榮湯治虛弱人瘰癧或日晡潮熱或潰不斂
耆 參 朮各一錢半 歸 芎 白芍炒 生地 陳 莎 貝各一錢 柴 桔炒
地骨 甘炙各五分 有痰加橘紅 脇下刺痛加木青 午後熱
或頭微眩加炒栢 膿水清倍參耆歸 女人鬱氣胸塞
倍莎貝 月水不通加牡歸
○紫胡通經湯治馬刀瘡項側有瘡堅而不潰是也 紫 連 芩 鼠尾 翹
牛 稜各一錢 桔二錢 生甘一錢 紅少許 水煎忌苦藥泄大便
同 ○紫胡連翹湯治男婦馬刀瘡
瞿二錢 紫 翹 知酒 芩炒各一錢半 牛 甘炙 栢酒 生地各一錢 歸五分 桂一分 右
書 ○治瘰癧 蛎四兩 玄參三兩 麪糊丸梧子大每服三十丸酒下日三服

又蛎四两甘一两為末毎食後臘茶湯下一不効如神
又牡蛎以茶引之能消項上結核
又白殭蚕末水服服五分日三

疥癬

集驗 ○夫疥癬者皆由脾經湿热肺氣風毒浅浮者為疥深沈者
為癬久而不愈延及遍身浸淫潰爛或痒或痛二者有細
虫而能傳染人也
○升麻和氣飲治瘡疥発於四肢痛痒寒热
升 桔 蒼 葛各一两 陳 甘各一两半 芍七钱半 帰半 苓 芷各二不 枳
姜各半 大两 煨半 右生姜燈心同煎
○當帰飲子治心血凝滞内蘊風热遍身瘡疥或腫或痒或膿水浸淫
帰 芎 芍 生地 甘炙 何首 耆各半两 風 白蒺炒去刺各二两 右姜五片
○何首烏散治脾肺風毒遍身癬疥肌肉癮疹并紫白癜風
何首 荊 風 蔓 蔵 蛔蝦 草 甘等分 為末温酒調下
集驗 ○苦参圓治遍身瘙痒癬疥 苦四两 玄参 獨 連 大黄炒 枳炒
風各二两 芩 梔 菊各一两 為末煉蜜丸食後漿水或茶酒下
○防風通聖散治風热瘡疥久不愈 方見中風

○仙子散治遍身瘡疥經年不愈者
蔵 蔓 何首 荊 苦等分 為末食前酒調服日三服忌発風物
○疥霊丹服此可除根 苦糯米泔浸一日晒乾二両 芷 白蘚皮炒各一両 梔炒 枳
麹 羌 帰 荊各七分 為末煉蜜丸如梧子大毎服五十丸滚水下
○又方田螺水煮熟去腸厚取肉 酒酵炒熟食之 未患瘡疥之前食之不生瘡
○風瘙癮疹及瘖癗 牛膝末酒服方寸匕日三服
○白癩風瘡 馬鞭草為末毎服一銭食前荊芥薄荷湯下日三忌鉄
○婦人風瘙癮疹身痒 蒼耳花葉子等分為末豆淋酒調
服二銭匕

癜風

○枳実膏治風瘡燥痒癬疥 大楓子肉半两 輕粉 枯礬各些小 右搗為膏擦瘡上
○追風丹治癜風 何首 苦 蒼 荊等分 為末皂角膏丸如
梧子大毎服五十丸空心酒下忌動風物 或茶清下
○白癜風 白蒺藜子生搗末湯或酒下二銭日二服一月絶根
○紫白癜風 桑枝十斤 益母三斤 水五斗慢煮至五斤去滓再
煎成膏毎卧時温酒調服半合以愈為度

腂瘡

集驗 ○夫腂瘡者由腎臓虚実風邪毒氣外攻三里之傍灌於
阝亥之側風热毒氣流注两脚生瘡腫

○面 荊防敗毒散治膿瘡腫痛此風熱湿毒也 方見癰疽

○撮 五積散治湿脚氣生瘡 方見傷寒 酒煎服

六三 膿瘡 ○平血飲治遍身生瘡膿血瞖腫極痛且痒

敗毒散加葛升芎甘天麻蟬蛻生地門入姜棗

六四 惡瘡 集驗 ○凡人体虚感風湿発瘡瘍痒痛焮腫身熱多汗是為惡瘡

○連翹飲治悪瘡紅赤痛痒心煩口乾及婦人血風赤斑圓點開爛成瘡痒痛流黄汁 翹 帰 桔 生地 赤芍 生芎炒

荊芥 門 瞿 通 梔 風 芎 甘等分入燈心二十茎水煎

○撮 黄連獨活散治悪瘡初発腫甚者三四服而消散

連 獨 羌 風 藁 芩 風 梢酒洗 帰梢 参 陳 蒼木已 甘梢各半 知母酒浸 桔各三 生地二 帰身 翹各三 苓 甘身 梢各一 沢瀉七分 右毎服八錢水二盞煎八分入好酒半盞臨卧服

○五香連翹湯治一切悪瘡 方見癰疽

六五 癘風 傳 ○經曰風之傷人也或為寒熱或為熱中或為寒中或為癘風又曰癘者因栄衛熱腐其氣不清故使鼻柱壊而色敗皮膚瘍潰風寒客於脉而不去名曰癘風

○丹溪曰是受天地間殺物之風故也氣受之則在上血受之則在下皆不外陽明一經云其疣瘡与瘡上体先見者多者在上也下体先見者多者在下也在上者以醉仙散取涎血於歯縫中出在下者以通天再造散取悪物虫積於穀道中出後用防風通聖散調之更用三稜鍼於委中出血

○近見粗工用某佗以大風子油此某性熱有燥痰之功而傷血有病将愈而先失明者

○大風有五黒色不治餘皆可治

○撮 醉仙散治大風疾遍身癮疹瘙痒麻木

胡麻 牛 枸 蔓各一両同炒 白蒺 苦参 栝 風各半両 右為末毎十五錢末入軽粉一錢拌匀毎服一錢茶清調下晨午夕各一服後五七日先於牙縫内出臭黄涎渾身疼痛昏悶如醉次後利下膿血悪臭病根乃去

○通天再造散治大風悪疾 鬱金半両 大黄炮 皂刺経年者 白牽牛炒六 生各一両 右為末毎服五錢日未出面東以無灰酒調服尽量為度至晩必利黒頭小虫或如魚腸臭悪物忌食塩

醬醋諸魚肉椒料果實煨燒炙煿等，止可食稠粥軟飯，乃
煮熟時菜亦須淡食，茄亦不可食，惟諸般蛇以淡酒蒸熟
食之可以助藥。須戒房室勞力，及終身不可食牛馬犬肉等。
○升麻湯治諸風熱癩，肌肉極熱，体上如鼠走，亦及縱皮色紫上。
升三兩 神參 風 犀鎊 羚鎊 羌各一兩 桂半兩，為末，入生姜、竹瀝水煎。
○大風丸治疥癩。大楓子一斤 苦參 風 羌 荊 烏蛇肉各二兩
蝎 芎各一兩半 獨一兩 歸鬚 大各五 蟬 蚕各二兩半，為末，米飯丸，茶清下。
僧 ○一方 荊穗 梔 大黃 地 仲 風 羌 獨 白蒺等分，為末，
以大風子油入熟蜜丸，茶清下，日三。日誦觀音千万声，以攝其心，禁其慾。

一婦人血瘀[illegible]大小便時通時止腹滿[illegible]過多時或生脂[illegible]通[illegible]

婦人科上 月經 十一

傳 ○難經曰：心出血，肝納血；肺出氣，腎納氣。蓋婦人百病皆自心生云云。若夫經閉不通之證，先因心事不足，由是心血虧耗，故乏血以歸肝，而出納之用已竭。經曰：母能令子虛。是以脾不磨而食亦少，因食少故肺金亦失所養而氣滯不行，則無以滋腎，腎虛況月經全藉腎水施化，腎水既乏，則經血日以乾涸，以致或先或後，淋瀝無時。若不早治，漸而至於閉塞不通，甚則為癥瘕血膈勞極之證，不易治也。

又如崩漏不止之證，先因心火亢甚，於是血脉泛溢，以致肝實而不納血，出納之道遂廢。經曰：子能令母實。是以肝腎之相火挾心火之勢亦從而相扇，所以月水錯經妄行，無時而泛溢也。若不早治，漸而至於崩中，不甚則化為白濁白淫、血枯發熱勞極之證，不可治矣。

調經 ○四物湯 婦人衆疾之總司也。金 治衝任虛損，月水不調，常服調榮衛，養血氣。

歸 芎 白芍 熟地 酒蒸焙 各等分 右水煎服

○調經散 治經水或前或後，或多或少，或踰月不至，或一月兩

來。當服 門二不 皈 酒洗一不半 芎 芍 牡 參 半 各一不 膠珠 甘 各七分半 呉 揀去閉目者沸湯泡七次焙乾 桂 各半不 右加姜煎，空心稍熱服

金 ○當歸散 治經脉不勻，或三四月不行，或一月再至

歸 芎 芍 朮 芩 山茱 一同剉炒各一兩 如冷證去芩加桂 為末，酒調下

○治血散 治衝任經虛，經事不調，不以多少前後並治

歸 芎 芍 桂 索 各二兩 右水煎

傳 ○月水常不及期者，血熱也，四物加芩連莎，肥人多兼痰藥

○又先期而來宜服 皈身 一不半 生地 條芩 香附 各一不 白芍 連 姜汁拌炒 各八分 膠 艾 甘 梔 知 芎 各半不 右水煎，空心服

○常過期者，血少也，芎歸參朮兼痰藥

○又過期不行宜服 歸 一不半 熟地 白芍 酒炒 莎 稜木 莪 各一不 通 八分 芎 桂 各半不 紅 三分 桃 二十个去皮尖研 甘 五分 右

○過期紫黑有塊作痛，血熱也，四物加莎連 回又加桃紅牡延

○過期色淡挾痰者，二陳加芎歸

○經水未行臨經將來作疼者，血實也，四物加桃莎連紅，或加延莪木，有熱加柴芩

○八物湯治經事欲行臍腹疼痛乃血澁也四物加朮桃延
練子
○桂枝桃仁湯治月候前先腹痛不可忍枝芍生地桃等分入姜棗
○加味烏沉湯治經水欲來臍腹疼痛莎二兩烏縮延甘炙各一兩
右入姜
○一方歸米醋炒延紅沒等分為末空心酒下
○柴胡丁香湯治三十歲左右臨經先腰臍痛
柴一不二分歸風羌各一不生地五分丁香四分蝎一枚右
○經水行後作痛者氣血俱虛也八物加減煎服四八物加炒姜
○逍遙散治血虛煩熱月水不調臍腹脹痛痰嗽潮熱
歸芍朮苓柴各一兩甘炙半兩右入煨姜一塊薄荷少許水煎
骨加知地骨丸妙或加苓渴加栝心煩加門冬嗽加款五味梅
○經行身痛痺寒熱頭疼者乃感冒也五積散去姜加羌獨膝入姜葱煎服
○月水久不行腹脹有塊作痛者是血結癥瘕也
歸芎縮木茴乳实朴桃紅牡桂莎延膝右
○月水久不行發腫者是瘀血滲入脾經也

○飯芎鳥桃紅牡姜桂朴枳木莎膝延右
○月水去多久不止發腫滿者是脾經血虛也
歸芎白芍酒炒地苓朮縮腹木陳朴蘊子猪通
莎延膝甘右
二
經閉
○六合湯治經事不行腹中結塊腰腿重痛
歸芎芍熟地桂莪炮各等分右
○溫經湯治血海虛寒月水不利
歸芎芍桂牡莪各半兩參膝甘各一兩右
○加減四物湯治衝任虛損月水不行發熱如瘵狀
四物各一兩柴半兩苓半二不右
○通經丸治經候不通臍腹疼痛或成血瘕
椒炒出汗莪炮乾漆炒出煙歸青姜炮大桃炒川烏炮桂各等分
為末一半米醋熬成膏和餘末一半丸陰乾醋湯溫酒
空心任下 濟生無川烏有紅花等分
○通經湯治經閉半虛半实者歸芎鳥生地桂
朴大枳殼枳実苓蘊木紅烏梅右入姜棗

○四物調經湯治經脉不行寒熱麻痺飲食少進
莎童便炒一不二分 歸酒洗 芎 芍酒炒 柴 苓 枳各八分 地酒浸 陳 莪醋炒
棱醋炒 朮 芷 茴塩水炒 延各五分 青 縮 紅 甘各四分 右姜三片
葱白三根 身痛加羌獨 肚痛加乾漆 有塊不通 与調經丸間服
○調經丸 莎醋炒五兩 歸酒洗二兩 芎 地姜汁炒 青 陳 枳 朮 朴 茴炒
艾去筋 棱醋炒 莪醋炒 縮 芷 膝酒洗 延各一兩 甘 琥別研各五不 右爲末醋
糊丸米湯下酒亦可 肚痛去白朮用蒼朮
○通經調氣湯治婦人虛弱血脉枯竭經閉者
白芍酒洗 芎 芍酒炒 生地酒浸 莎童便炒各一兩 牡 知酒炒 膝酒洗各八不 柴
栢酒炒 苓酒炒各六不 桃 紅二味量 右水煎空心臨卧服
○牡丹皮湯治經閉咳嗽發熱
牡 歸各一不半 芍 生地 陳 朮 莎各一不 芎八分 柴 苓各七分 甘 右
傳○桃奴飲子治月經不通漸成脹滿及治男子墜馬跌撲瘀
血停積欲成血蠱病者 桃奴冬月樹上嫩桃乾朽不落者冬月及正月收 猳鼠糞兩頭尖者 延 桂 莎 五靈已上各炒 縮 桃仁去皮尖別研 右等分爲末 空心溫酒下
○一方治月經不通 鼠糞一合略炒研細 溫酒調下立効

○又方馬鞭草杵汁熬膏丸或燒存性丸紅花當歸煎湯送下
三 經不斷 和○膠艾湯治勞傷血氣月水過多不斷及姙娠胎不安或漏
血傷胎上 膠 芎 甘各二兩 歸 艾各三兩炒 地 芍各四兩 右水一盞酒
六分煎服
傳○柴胡調經湯治經水不止色鮮項筋急腦痛脊強
羌 蒼各一不 柴七分 獨 藁 升各半不 歸 葛 甘各三分 紅少許 右
○升陽舉經湯 治經水不止右尺脉按之空虛是氣血俱
脱大寒之證輕手數疾舉指弦緊或澀皆陽脱之證陰火
亦亡見熱證於口鼻眼或渴此陰躁陽欲先去也當溫之
舉之升之浮之燥之乃升浮血氣補命門之下脱
柴 蒼 朮 歸各一不二分 羌 藁 風各一不 獨 附炮 甘炙各七分半 參 地
芎 紅各半分 桂去皮月 白芍各三分 細三分 桃少許 右水煎空心熱服
濟蘂○茯苓補心湯治去血過多虛勞發熱
四物湯一兩半 參蘇飲三兩 和匀入生姜五片
回○治經水過多久不止
白芍 芎 芍酒炒 生地 朮 條芩 膠炒 阿 梔炒 地楡 荊 莎 甘 右

四

崩漏

傳 ○涼血地黄湯 崩漏、是腎陰虚不能守胞絡相火故血走而崩也

生地 歸各半分 連 羌 柴 升 風各三分 栢 知 藁 細 芎各二分

芩 荊 蔓各一分 甘一分 紅少許 右

回 ○崩漏初起屬実熱者 連 芩 栢 生地 蒲黄 水煎

○一婦年四十已上悲哀大甚心悶急肺葉举焦而上焦不通

熱氣在中故血走而崩面黄肌瘦不可服燥熱之薬先用

黄連解毒湯後涼膈散合四物湯調治

傳 ○崩漏有虚有熱、虚則下溜熱則流通急則治其標用白芷

煎湯調下百草霜或棕櫚灰或狗頭骨燒存性或伍靈脂

半生半炒稹以酒調服後四物加乾姜調補緩則治其本

四物加芩連参香附乾姜之類 概因熱芩 因労参耆

○四物加荊芥穗條芩止血神効

○崩漏多因氣所使而下 香附末一分炒黒 敗身一分 白芍一分酒炒

熟地一分 朮一分 芎 蒼 蒲黄 地楡 参各半分 升三分 煎服 甚者

加棕梠灰為末酒調服

○丁香膠艾湯 治崩漏不止蓋心氣不足労役及飲食不節

所得臍下如冰冷白帯及白滑之物多間有如屋漏水時或

有鮮血

秘 ○加味四物湯 治血崩 歸酒洗 芎 生地 白芍 膠蛤粉炒 艾葉各二分

熟地 白芍各三分 芎 丁各四分 膠六分 生艾葉一分 歸一分二分 右

右一方用熟地加乾姜

○伏龍肝散 治氣血労傷衝任脉虚崩下或如豆汁或五色相

雜臍腹冷痛久不止虚煩驚悸

伏龍 赤石各一両 熟地一両酒浸 艾葉二両微炒 甘炙 桂各五分 歸炒 姜炮各七分半

芎三両 門一両去心 右毎服七錢 棗三枚去核 水煎

○五倍子散 治血崩帯下

五倍二両炒赤色 艾葉一両醋煮 烏梅去核 芎各五分 右為末米湯下

○當歸地黄丸 治産後所下過多及崩中傷損虚弱少氣

地五両 歸 芷 膠 姜 續各三両 附一両炮 為末煉蜜丸空心温酒下

○治崩中不止 棕櫚 絲瓜各焼存性等分 為末毎服二錢 塩酒或塩湯食前調下

又方 塩梅焼存性 為末米飲下

五

帯下

傳 ○帯下是湿熱白属氣赤属血二陳加蒼朮治湿為主氣虚

入参朮血虚入芎归又曰東垣治崩漏帶下多主於寒宜
弃恩之不可一途而論
○帶下是胃中痰積流下滲入膀胱當升之二陳加二朮外
紫甚者上用吐法以提其氣下用二陳加二朮仍用龍
子以燥其濕痰
金○當歸煎治赤白帶下腹痛日漸羸瘦不飲食
归酒浸 赤芍 地酒浸 白芍 蛎 膠 續酒浸各一兩 地榆五 右醋糊丸米湯下
傳○益母丸治赤白帶下又久無子常服驗 益母草五月採陰乾為
末煉蜜丸酒加童便化下兼氣者木香湯化下
○苦練丸治赤白帶下最妙 練碎酒浸 茴炒 归各等分 右為細末
酒糊為丸如梧桐子大每服五十丸空心溫酒送下
綠○芍茱散治赤白帶下臍腹痛神効
白芍二兩 乾姜一兩 為末微炒黃空心臨卧米飲下
○替灸丸治久冷赤白帶下腹痛面色痿黃久無子息
苓 艾各八兩 莎 归各四兩 呉炒三兩 芎 白芍各二兩 右沙鍋醋煮乾
為末醋糊丸醋湯下日三服

回○加減八物湯治下赤白帶下屬氣血虛者
归 芎 白芍酒炒 生地 参 朮 苓 山 仲酒炒 莎各等分 甘減半
烏梅一箇 右入姜棗 肥人加半 瘦人加栢 飽悶去参加縮
腹痛去参加茴延 冬加煨姜少許
○五積散治下赤白帶下屬虛寒者上本方加莎茴呉方見傷寒
○四仙散治白帶 蒼一兩酒浸 芷 芎 附去皮臍各五分 右為末酒調下
○香朮丸治白帶臍腹脹痛 莎醋浸煮乾八兩 蒼四兩 归酒洗 芎
白芍酒炒 地姜汁酒浸焙各二兩 陳二兩 為末面糊丸空心溫酒下
○燮白丸治白帶如神 白苓二兩 石灰一兩 為末水丸白水下
○赤白帶下 蕎麥麵雞子清丸白湯下即愈
○治帶下水和雲母粉方寸匕服立効
傳○當歸附子湯治臍下冷痛赤白帶下
归四分 附一分 柴七分 甘炙六分 蠍梢 升各五分 乾姜 良姜炙各八分 炒
塩三分 栢少許為引用 右煎服或為末酒麪糊丸亦可
○延胡苦練湯治臍下冷撮痛陰冷大寒白帶下
延 練子各二分 附 地各三分 桂 熟地一分 甘炙五分 栢一分 右

○桂附湯治白帶腥臭多悲不樂大寒證

梔（為引用） 知 桂（各五分） 附（炮三分） 如少食常飽腹中滿悶加良薑（各半分）

如不思飲食加五味子（二十个） 如煩惱面上如虫行乃胃中元

氣極虛加黄芪（一分） 人参（七分） 炙甘 升麻（各半分）

○如聖丹（梅）治赤白帶下月經不來 枯礬 蛇床（等分） 為末醋

糊丸如彈子大 燕脂為衣綿包納陰中 熱極再換

瘕癥

○增味四物湯（儒）治婦人血積血瘕

○歸 芎 白芍 熟地 稜 乾漆（炒烟尽 別研） 桂 莪（各等分） 右水煎

○琥珀丸（金）治血瘕腹中有塊攻刺小腹痛引腰背

琥珀（別研） 白芍 川烏（炮去皮） 膝（酒浸） 鱉 莪 歸 朴（各一兩） 澤蘭 桂

木（各半兩） 麝（別研半分） 為細末酒糊丸温酒米飲任下

○三稜煎治婦人癥瘕食積痰滯 稜 莪（各四兩） 青 半 藥

（各三兩） 右醋煮乾為末醋糊丸醋湯下 痰積姜湯下

○大腹皮飲治婦人血瘕單單腹痛

腹皮 通 朴 薑 香 枳 桒 大黄 陳 青 五味（各等分）

每服五錢水盞半煎六分去滓入酒一分温服

○香稜丸治一切積聚破痰癖消癥塊 莪（一兩巴三十粒同炒黄去巴） 青（去白）

丁 練子（炒） 茴（炒） 稜（酒浸） 枳（去白麩炒） 木（各半兩） 為末醋煮麪糊丸如

梧子朱砂為衣姜塩湯温酒任下

七

血氣

○靈寶散（金）治血氣刺痛引兩脇并治痃癖冷氣

没 良姜 延（各半兩） 丁 木 気（各一分半） 為末温酒調下

○異功散治婦人血氣虛冷時發刺痛頭目昏眩寒熱似勞倦

牡 芍 芷 姜（各一分） 歸 延 陳 桂 芎 烏 桔（各半兩） 右生為末

每服二錢入姜三片酒水煎

○大調經散治榮衛不調陰陽相乗寒熱自汗腫滿

大豆（炒去皮一兩半） 神（一兩） 琥（一分） 為末濃煎烏豆紫蘇湯調下

○當歸建中湯治婦人血氣不足虛損羸乏

歸（四兩） 桂 甘（各二兩） 白芍（六兩） 右姜棗

○六神湯治血氣不足肌体煩熱四肢倦怠不進飲食

歸 芎 芍 地 耆 地骨（各一兩） 右

○人参養血丸治女人稟受素弱血氣虛損常服補衝任調

月經 熟地（五兩） 烏梅（三兩） 歸（二兩） 参 芎 赤芍 蒲黄（炒各一兩） 煉蜜丸 温湯米飲任下

抑氣散治婦人氣盛於血變生諸證頭暈膈滿皆可服之
莎(炒四兩)神(一兩)甘(炙各一兩)橘紅(二兩)為末食前沸湯調服
玄胡索湯治七情所感心腹痛或引腰脇甚作搐搦
延、歸、赤芍、姜黄、蒲黄、桂(各半兩)乳、沒、木(各三錢)甘(二錢半)右
每服四錢姜七片吐逆加半、橘紅(各半兩)
内灸散治血氣虚損崩漏不已或凝積腰脇痛血暈
白芍(十兩)歸、芷、木、山、甘(炙各八兩)藿、丁皮、熟地、桂、茴(各一兩半)陳
(去白四兩)芎、姜(炮)藁、木、香(各一兩)右每服三錢姜五片艾十葉水
煎為末酒調下亦可産後去血過多加蒲黄上熱下冷加荊
傳 香附一物丸治經候不調血氣刺痛脇腹彭脹頭眩悪心
崩漏帶下 香附(去毛醋浸一日夜 丸銚煮熟焙乾)為末醋糊丸淡醋湯下
艾附丸治證如前 香附(一斤 醋煮)艾葉(四兩)歸(二兩)醋糊丸服

八

血風 油煎散治婦人血風勞形容惟悴肢節困倦喘滿虚煩噏
々少氣発熱汗多口乾舌渋不思飲食
五加、牡、赤芍、歸(各一兩)為末每服一錢水一盞將青銅一文
蘸油入藥同煎七分溫服煎不得攪喫不得吹日三服常

服能肥婦人
人参荊芥散治婦人血風発熱体痛頭昏目渋煩渇盗汗
或月水不調臍腹疙痛痃癖並治之
参、荊、朮、桂、生乾地、枳、酸、羚、鼈、柴(各七兩半)赤芍、歸
牡、風、芎、甘(各五兩)右每服三錢姜三片

九

求嗣 傳 婦人無子者多由血少俗醫悉謂子宮虚冷以辛熱之薬
煎熬藏府血氣沸騰禍不旋踵
瘦怯婦人子宮乾渋宜滋陰養血四物加莎参之類
肥盛者乃軀脂滿溢閉塞子宮宜行湿燥痰 半、星、蒼
滑、風、羌(一本有蒼朮 無羌活防風) 或導痰湯之類
秦桂丸治婦人無子 丸、桂、仲(炒)風、朴(各七 不半)細(二兩 一分)附(炮)
白茯(各一兩半)膝、白薇、生乾姜、沙参、半(各五 不)参(一兩)右
為末煉蜜丸如桐子大每服五十丸空心醋湯下米飲
亦可未効加丸数已覺有娠便不可服
誂々丸治衝任虚寒胎孕不成或損墮
澤蘭葉、朮(各一兩半)熟地、歸(酒浸)斛(各二兩)芎、白芍、牡

延各一两 桂、姜炮各半两 為末，醋煮麪糊丸，空心酒下

○烏金散 治婦人久無子息及数墮胎，或經水不時，一月內再行，或崩漏帶下，臍下冷痛

敗棕、烏梅、乾姜各五两，三味並燒存性 為末，烏梅湯調下

圖○調經種玉湯 調經種子，百發百中

莎、地各六钱 歸酒洗 芎、吳炒各四钱 白芍酒炒 白苓、陳、延、牡各三钱

如過期而經水色淡者，乃血虛有寒，加桂、姜炒、艾各二钱

如先期三五日色紫者，加條苓三钱 右作四劑，每劑姜三片，水煎，空心溫服，待經至之日服起，一日一服，藥盡經止，則當交媾即成孕

○種子濟陰丹 順氣養血，調經除帶下，種子

香附米四两，二两醋，一两酒，一两米泔，一两童便，各浸三日，焙乾為末 益母、地姜汁炒、膠蛤粉炒各二两 歸酒洗 朮土炒各一两半 白芍塩酒炒一两三钱 芎、陳去白、半姜汁浸香油炒、艾醋煮、苓、條苓酒炒、門、牡酒洗、續酒洗各一两 茴塩酒炒 沒、吳泡炒各五钱 延四钱 甘叁二钱

右為末，酒糊丸梧桐子大，每服百丸，米湯下

○婦人科中 胎前 十二

傳○機要曰：治胎產之病，當從厥陰經論之，毋犯胃氣及上二焦，謂之三禁。不可汗，不可下，不可利小便。若發汗者，如傷寒下早之證；利大便者，則脉数已動于脾；利小便者，則內亡津液，胃中枯燥。不犯三禁，則榮衛自和，而寒熱止矣。皆毉者之繩墨也。其為妊娠之婦，當絕去嗜慾，安養胎元。性宜靜而不宜躁，体宜動而不宜安，味宜凉而不宜熱，衣宜溫而不宜寒。毋久立，毋久坐，毋久行，毋久卧。又宜却去一切肥甘煎煿油膩辛辣醎酸水果魚鱉狐兔鴿雀之類，即無胎漏胎痛胎動下血子腫子癇等證，及橫產逆生胎死腹中之患矣。

一 驗胎

圖○驗胎散 川芎為末，每服一錢，空心艾葉煎湯調下，覺腹內微動，則有胎也；如服後一日不動，經閉也。

○艾醋湯 用好醋煮艾，服半盞後，腹中大痛，有孕也；不痛，定無孕。

二 安胎

傳○丹溪曰：茺蔚子活血行氣，有補陰之妙，名益母，以其行中有

補也故曰胎前無滯產後無虛 條芩白朮乃安胎之聖
藥俗以黃芩為寒而不用又謂溫熱藥能養胎殊不知胎
孕宜清熱養血使血循經而不妄行乃能養胎黃芩必取
細挺沉實者用之 縮砂安胎以其止痛行氣故也 砂仁非八
九箇月內不宜多用
回 ○安胎丸 妊娠常宜服之 歸芎白芍條芩各一兩 朮五錢 為末
酒糊丸茶湯任下 此方瘦人血少有熱胎動不安素慣半產者皆宜服之
玉 慣墮胎習也
○芎歸補中湯 治懷孕素血氣虛弱數月而墮者預服養氣血
芎歸白芍酒炒 耆蜜炙 參朮木姜 膠炒 五味 杜仲酒炒 甘 右
○千金保胎丸 凡三月而胎墮者預服之可以保全
地姜汁炒 杜仲姜汁酒炒 朮土炒各四兩 歸酒洗 膠 條芩炒 益母草 續斷酒洗
香附米酒醋塩水童便各浸三日炒各二兩 芎 艾醋煮 陳各一兩 縮炒五錢 為末棗肉
丸米湯下
金 ○白朮散 治胎氣不和飲食不進
朮炒 藭各一兩 芷炒 參各二兩 訶 青去白 芎各三分 甘炙一分 右入姜三片
傳 ○安胎飲 胎氣不安或胺腰痛或飲食不美宜服 至五六个月常服甚好

朮歸白芍地各一錢 芎 參 條芩 陳各半錢 甘 縮 藭各三分 右
姜三片
○安胎丸 朮 條芩 麴炒各等分 為末粥丸米湯下
金 ○救生散 治胎氣本怯不宜瘦胎服此安胎益氣易產
參 訶 芽 麴 朮 陳各炒各等分 右為末水煎
三 惡阻
傳 ○惡阻乃有孕而惡心阻其飲食者是也多從痰治之二陳湯
之類 又方以白朮為丸服 一曰肥人是痰瘦人是熱
○半夏茯苓湯 治惡阻不食吐逆頭眩惡情煩疾惡寒自汗
半湯炮七次透過姜汁拌炒黃色 生姜各一錢 苓七分 熟地 陳 桔 參 全覆 香各錢
芍 芎 甘各半錢 右水煎 千金有藭 細各半錢
○參橘散 治妊娠三月內惡阻吐逆不食或心虛煩悶
橘紅 苓各一錢 門 朮 朴 甘各半錢 右作一服加姜三片 茹一錢 或加參一錢
婦 ○保生湯 治經水不行身無病而似病脈滑大而六脈俱匀
乃是孕胎也精神如故惡聞食臭或吐清水此名惡阻
橘紅 朮 砂 烏各半兩 參 甘各一分 右姜五片 惡阻嘔吐加丁香生姜
楊 ○加味二陳湯 治受胎二三月嘔吐擇食肉中脘痛有痰飲

陳、皂苓各四 半不炒三 术二不四分炒 甘炙一 右姜五片 烏梅一箇 有娠雖
忌半夏然用姜製其毒服之利痰逐飲必見功効
○和 茯苓圓治妊娠惡阻
赤苓 术 參 实 姜炮 葛 桂 陳 半 甘炙各二兩 煉蜜丸 米飲下
○金 安胎飲治惡阻嘔吐不食胎動或下血
地榆 芍炙 苓 熟地酒蒸焙 歸 芎 术 半 膠 蒼 皂等分
○竹茹湯治妊娠吐嘔頭疼眩暈
橘紅 參 术 門各一兩 白苓 朴各半兩 甘二分 右姜五片 茹一塊

四

胎動

○傳 胎動者因火逼動胎逆上作喘急用條芩香附之類
○胎動沖心煩悶欲死安胎止痛
歸酒洗 芎 參 膠炒 甘炙各一兩 葱白切一 外 右水煎
○如聖散治妊娠腹痛胎動不安 鯉魚皮 歸 熟地 膠珠炒
皂 芎 續酒浸 甘炙各等分 右每服四錢 姜三片 苧麻根半不 水煎
一方加乾姜 竹茹 无續斷
○桑寄生散治妊娠下血不止胎動不安
寄 歸 續 芎 香附 膠炒 神 术 參 甘各半不 右作一服 姜三片

○小膠艾湯治妊婦因頓仆挫跌胎動不安或胎搶上腹痛無下
膠炒成珠一兩 艾葉二兩 指迷方加秦艽一兩 右水煎
○膠艾湯不問月数淺深安胎
膠 艾葉 熟地 歸 甘炙 芎各半不 芪半二分 右水煎
○杜 杜仲丸妊娠三月胎動不安若下血腹痛盖由子宮久虚致
令胎墜宜服此以養胎 仲姜汁炒去絲 續酒浸各一兩 為末煮棗肉
丸如梧子大每服三五十丸空心米飲下
○一方 苓 术 歸身 縮炒各二不 右煎服
○加減安胎飲治胎動不安腹痛漏下或胎上刺心短氣 氣血弱者服此尤效
參 香 芍 芎 熟地 續 側 膠蛤粉炒 歸 甘炙各等分 右每貼七
錢 姜三片 漏下不止加艾葉

五

胎痛

○林 胎動腹痛皆因飲食冷热或因交合傷犯其候多呕氣不
調和変成漏胎則難安矣
○當歸芍药散治妊娠腹中疞痛心下急滿
歸 苓 术各一不 芎 澤各二不 白芍四不 右水煎為末酒調服亦可
如胎動口噤唇青下痢加減安胎飲加熟艾 酒煎

○火龍散治妊娠心氣痛 艾塩炒五不半 茴炒 練肉炒各五不 水煎

傳 ○當歸地黄湯治胎痛 歸一不 熟地二不 右

○妊婦偶有所傷胶痛不安或從高墜下觸動胎元痛不
可忍及下血者甚妙 砂仁和皮界炒令干分焦黒去皮取仁 為末熱酒調
服不飲酒者米飲或艾湯塩湯皆可如覚胎中熱其胎
即安矣大抵妊婦常服安胎易産

○妊娠二三箇月忽心腹疞痛不安 歸三不 膠炒二不 甘炙二不
葱白四不 右分作二服毎服水二盞煎至一小盞温服

○妊婦四五箇月忽心腹疞痛 棗十四枚炒黒 塩一不燒令赤 為末取
一撮酒調服立愈

○妊婦心腹大痛氣欲絶者 芎 皈 苓 朴各一両 水煎

○川芎散治婦素有冷氣冲心如刀刺者

○芎 歸各一不 芍七分半 参 呉 朴各半不 苓 桔各四分 枳 炙草各三分 右

金 ○川芎散從高墜下腹痛 芎末温酒調下 傳 死胎即下

○佛手散治胎動不安血氣衝心痛欲絶 皈酒浸 芎各二両 毎服
四錢酒一盞煎乾再入水一盞煎服或為末水煎服 名立効散

八

胎漏 傳 ○胎漏謂有胎而血漏下也屬氣虚有熱四物加膠珠 朮
條苓 縮炒 香附炒黒 加糯米白水煎服

○又胎漏下血 朮一両 條苓五不 縮炒 膠珠各三不 艾湯調 水煎亦可

金 ○又方 朮一両 枳 苓各半両 水煎

○妊娠下血不止胎上冲心而股厥冷悶仆欲死

○膠炒 艾各一両 茹如拳大 白砂蜜二合 右水二升煎至一升入蜜更
煎一二沸分二服

○妊娠下血如月信來者如致胞乾非特損子亦能損母
熟地 乾姜一両炮 右為末毎服三錢一日夜三四服

○加味四物湯治妊娠下血不止 本方加艾葉三十片 膠珠一不
加烏梅少許水煎連進三四服即止

回 桂 ○黄芩湯治漏血 芩 朮 歸酒浸 縮各等分 水煎

○加味佛手散治妊娠五七个月因事胎動下血口噤欲絶
歸六不 芎四不 益母五不 水煎入酒一盞再煎一沸温服

七

半産 桂 ○臟腑虚弱或氣血衰敗或先因婚嫁失時或酔酒飽食觸
○熱冒寒疲極勞傷月數未周便墮落

○芎歸補中湯養新血去瘀血補虛扶危 傳治小產
芎、膠蛤粉炒、姜炮、五味各一ネ二分、香蜜水炙、歸酒浸、赤芍、朮各一ネ八分、參
木、仲炒去絲、甘炙各六分 右
○奪命丸治小產下血子死惛寒手指唇口爪甲青黑面色
黃黑或胎上搶心悶絕欲死冷汗出或食毒物傷動胎氣下
血不已胎未損服之可安已死服之可下
牡、皂苓、桂、桃去皮炒、赤芍各等分 為末煉蜜丸如彈子大每服
一丸細嚼醋湯下連進兩服不効加三丸
傳 ○安榮湯治胎氣不固時常小產宜預服此以固胎元
四物加膠珠、朮、條芩、莎、縮、糯米、桑寄 白水煎服
○安胎散治胎寒腹痛胎熱多驚腰痛腹滿胞急卒有
所下或因頓仆或食毒物或感冒時疾致傷胎
熟地三ネ、芎、枳各一ネ半、糯米一合 右作一服姜三片棗一枚更加金銀
三五錢同煎
○治小產後心腹疼痛 歸、芎、熟地、皂芍各一ネ、延七分、桑
紅各三分、莎、青炒黑、澤蘭、牡各半ネ 右水一盞半童便酒各

半盞煎至一盞溫服
○治小產後下血不止 參、芪、朮、皈、芎、皂芍、艾葉
甘炙、膠炒、青、莎、縮 右等分煎服
八
子懸 婦 ○紫蘇飲治胎氣不和胎上逼脹疼謂之子懸兼治臨產數日不下
蘇一兩、歸三分、皂芍、芎、橘、參、腹各半兩、甘一分 右入姜葱
○當歸湯治胎動心悶上衝下築迷悶唇青手足冷
皈、膠、甘一兩、參一兩半、葱連根一握 右一方無甘有芎朴
傳 ○治姙娠遍身痛或衝心欲死不能飲食 朮五ネ、芍四ネ、芩二ネ 水煎
○胎動沖心煩悶欲死 皈酒洗、芎、參、膠炒、甘炙各一兩、葱白切一寸 水煎
○治姙娠下血不止胎上沖心面肢厥冷悶仆欲死
膠炒、艾葉各一兩、茹如拳大 白沙蜜二合 用水二升煎至一升入蜜更煎
秘 ○胎上衝心 葡萄煎湯飲之即下
九
子煩 婦 ○麥門冬湯治胎氣本怯心驚膽虛煩悶名曰子煩
門、風、皂苓各一兩、參半兩 右姜五片淡竹葉十片
○人參散治姙娠熱氣乘於心脾津液枯少煩躁乾渴
參、門、赤苓、地骨、葛、芩、犀屑各三分、甘半兩 右 無參葛名犀角散

○柴胡散治妊娠心煩頭目昏重心胸煩悶不思飲食
柴胡一兩 赤苓 門各一兩 杷 參 橘紅 甘各半兩 右
○竹葉湯治子煩 苓 門 風各三兩 白苓四兩 右竹葉數片水煎忌酢物
傳 ○治妊娠若煩不安謂之子煩 門 苓 風 知各一 水煎入竹瀝一二匙
○當歸飲治子煩 歸一 芎 膠 桑寄 豆豉各七分半 葱白七莖
水煎
樣 ○知母飲治娠婦心胖壅热口乾渴若煩悶
知 門 甘各一兩六分 赤苓 苓 芪各二半 桑半 右入竹瀝
一方去芪知加地骨 葛犀各一

十 子癇 傳 ○葛根湯治妊娠臨月忽發風痓悶乱不省人事吐逆瞸
少時醒後復發謂之子癇 葛 貝 牡 巳 风 皈 芎 桂
苓 澤各半 獨 膏 參各一 甘炙二分半 右煎服日三服其貝
毋令人易産未臨月者以外麻代之忌菘菜
○防巳湯治妊娠中風口噤四肢強直角弓反張
巳五 羌一 右為末別用黑豆一合炒焦黑投好酒中沸
定去豆調末不撥開口灌之稍醒再灌有効

婦 ○羚羊角散治有娠忽不知人角弓反張如中風曰風痓又名
子癇 羚 独 酸 五加各半兩 薏炒 風 歸 芎 神 杏去皮尖各四分
木 甘炙各二分半 右姜五片
樣 ○獨活防風湯治妊娠角弓反張口噤謂之風痓又曰子癇
獨 風 麻去節各一分六分 桂 羚 升 甘炙 酸炒 芃各八分 芎 皈 杏各六分
右每服七分姜四片竹瀝一合水煎
○防風葛根湯治妊娠中風腰背強直時反張
風 葛 芎 生地各二分 杏 麻去節各一分半 桂 獨 巳 甘炙各一分 右
○孕而服毒藥攻胎牙関緊急強直自汗身微热与中风
相似宜服白扁豆一味生為末新汲水調灌之清米飲亦可

十一 傷寒 婦 ○阿膠湯姙婦傷寒瘟疫時氣先服此以安胎却以治病薬
相間服 膠 朮 參 白苓 寄等分 為末糯米飲調服
○黃龍湯治姙婦寒热頭疼不食脇痛呕痰及産後风
热如瘧 柴一兩 苓 參 甘各一分半 右
○麥門冬湯治姙婦傷寒壮热呕逆頭疼不食胎氣不安
門 葛各半兩 參 膏各一兩 前 苓各三分 右姜棗竹茹

林胎痛當歸芍茱散也

○芍茱湯治妊娠傷寒五个月已前用此 產後百病皆主之 常服易產

芍 歸 芩 各四兩 芎 十六兩 朮 八兩 為末溫酒調下

○當歸茯苓散治婦人傷寒腹中隱痛

歸 芩 朮 各二兩 白芍 半斤 芎 澤 各四兩 為末酒服方寸匕日三七

○白朮散治妊婦傷寒煩熱頭痛胎氣不安或嘔逆不食

朮 橘紅 門 參 前 赤苓 芎 各一兩 甘 半兩 各半 右入生姜竹茹

○白朮散治孕婦傷寒値頭痛發熱宜用四肢厥逆陰證不可用

朮 芩 等分新瓦上炒 為散姜棗煎服

○芎藭散治妊娠感風寒壯熱頭痛眼暈心胸煩悶

藭 芎 白芍 朮 門 陳 葛 各一兩 甘 各半兩 右生姜葱白

○參藭飲治證同上 去木香

○柴胡散治孕婦傷寒

柴 前 芎 歸 參 芍 生地 甘 等分 右姜棗要出汗加葱

○梔子五物湯治妊婦傷寒壯熱頭痛 梔 前 知 各三兩 芩 一兩 膏 四兩 右

○大黃飲子治妊娠熱病六七日熱入臟中大小便秘澁

大 微炒 膏 各一兩 知 前 赤苓 各三分 梔 芩 甘 各半兩 生地 一分 右

貼

又方 伏龍肝末水調下一錢亦可調為泥塗臍下

○妊娠傷寒骨節疼痛壯熱不急治則胎落 凡葛根宜用家葛 晒乾野葛能動胎

前 家葛 膏 各十分 黛 六分 升 八分 梔 十二分 葱白 切一升 水煎

傳

○催生散治妊娠傷寒熱病胎死腹中身冷唇青不能自出

蒼 一兩 桔 半兩 橘紅 三分 芷 桂 甘 炙各一分半 歸 酒洗 姜 炮 朴 芍 半

芎 枳 炒各三分半 南木香 杏仁 炒各一分 右作二服姜三片棗一枚水煎

十二 子嗽 傳

○天門冬飲治妊娠外感風寒久嗽不已謂之子嗽

天門 紫菀 知 酒洗 去毛 桑 蜜炙 各一兩 五味 桔 各半兩 嗽血加膠 半兩

大便澁者加苦葶藶子半兩

○百合散治妊娠咳嗽心煩不欲飲食 百合 紫菀 麥門

桔 桑 各一兩 甘 半兩 茹 一兩 右水煎入蜜半匙再煎二沸去柤服

林

○百合散治風壅咳嗽痰多心胸滿悶

百合 紫菀 貝 白芍 前 赤苓 桔 炒各二兩 甘 炙一兩 右入姜

傳

○治妊娠咳嗽不止胎動不安

天門 紫菀 各一兩 桔 三分 桑 杏 甘 各二分 茹 一塊 右水煎入蜜服

十三 子腫 傳

○木通散治妊娠身体浮腫四肢脹急小便不利謂之子腫

通、壽、桑、蘇莖葉各三錢一 枳炒、梹、條芩各半錢 木、訶各三分 右姜三片
○全生白朮散治妊娠面目虛浮肢体腫脹名曰子腫
朮一兩 姜皮、腹皮、陳皮、苓各半兩 為末米飲調下 猪避用苓皮多桑白皮金末
椿 ○防己湯治妊娠脾胃虛遍身浮腫心腹脹滿喘促尿不利
己二錢 芎、桑、赤苓、蘇各三錢六分 木九分 右分二貼加姜三片
○鯉魚湯治妊娠止兩脚浮腫名曰皺脚遍身腫滿心腹氣
脹名曰胎水皆治之 傳或胎死腹中此方甚驗
朮二錢 白苓一錢半 歸、白芍各一錢 橘紅半錢 鯉魚一尾不拘大小 右作一服鯉
魚去鱗腸白水煮熟去魚用汁一盞半生姜七片煎至
一盞空心服當見胎水下如水去未盡或胎死腹中脹悶
未除再合一劑服之水盡脹除為度
○平胃散治皺脚 加姜棗蘇葉煎服 方見內傷
○赤小豆湯治手脚腫 小豆、商陸各等分 煎服忌食塩
○八正散治妊娠心氣壅手足浮腫 方見淋 入茴一撮
傳 ○妊娠腰脚腫痛 白苓、朮、姜、甘各一錢 杏去皮尖三錢 右水煎
○有胎手足或頭面遍身浮腫名曰胎腫 梔子炒為末米湯調下九服亦可

十五

撮 ○妊娠浮腫 羌活、蘿蔔子同炒香只取羌活 為末每服二錢溫酒調下
子滿 傳 ○澤浮散治妊娠氣壅身体腹脇浮腫喘急小便不利 謂之子滿
澤、桑、枳、梹、通、赤苓各等分 右每服四錢加姜五片水煎
婦 ○倉公下氣湯治妊娠心腹脹滿不下飲食四肢無力
羌、赤芍、甘、梹、青、陳、腹、赤苓、半、桑、桂各半兩 蘇莖二兩 姜棗
○訶梨勒散治妊娠心腹脹滿胸膈煩悶四肢无力不思飲食
訶、赤苓、前各一兩 陳、腹、桑各三分 枳、朮、芎各半兩 右姜棗
○藿香正氣散治證同前 方見傷寒
子淋 椿 ○安榮散治妊娠酒色過度或飲食積熱致水道閉澁名曰子淋
通草、滑、門各一兩 歸酒浸 燈心、甘炙 細洗参各五錢 俱各等分 右為末麦
門冬煎湯調下甚妙
婦 ○地膚大黃湯治妊娠胃腑虛熱而成淋甚者悬煩悶亂 謂之子淋
膚草、大黃各三兩 知、苓、猪、赤芍、通、升、实、甘各二兩 右
椿 ○檳榔散妊娠淋澁小便不通作轉脬治不効此方屡効
檳、赤芍各等分 水煎一應男女血淋水道澁痛皆効
傳 ○地膚子湯治子淋小便澁數

十六

膚車各一 知炒 苓 赤苓 白芍 枳各七分 升 甘 通草各三分 右

又方地膚草四兩水四升煮取二升分三服 或新膚草自然汁亦可 治子淋諸淋皆効

冬葵子散治子淋小腹疼胎動不安

葵炒 紫蘇 赤苓 赤芍 歸等分 每服四錢入葱白七寸

林 大腹皮散治妊娠大小便赤澁

腹 枳炒 甘炙各半兩 赤苓一兩 為末每服三錢葱白湯下

轉胞

金 八味圓治妊孕小便不通名轉胞 方見痰飲

傳 丹溪參朮飲治妊轉胞 四物加參朮半陳甘加薑

丹溪曰轉胞之證稟受弱者憂悶者性急躁者食味

厚者有之古方皆用滑利藥鮮有効因思胞不自轉

為胎所壓轉在一邊胞系了戾不通耳

婦 一方杏二十个去皮 去皮炒令變色 右一味搗丸如大豆燈心煎湯呑七粒

又滑末 杏等分 先搗杏仁入滑末飯丸白湯送下

一方滑末水和泥臍下 又用車前草汁調滑末塗臍四畔方四寸熱即易之

回 一方葵 梔 滑各五分 通三分 右煎服外以葵梔滑末田

螺肉膏或生葱汁調貼臍中立通

貼

十七

二便秘

婦 治妊娠大小便不通腹脹不欲飲食手足煩熱

枳 赤苓 腹 通 郁去皮 五味各一兩 寄 桔 甘各半兩 右水煎

又方大 枳 通各一兩 枳三分 腹 子三枚 訶四个去核 半生半煨 右為末童便

一盞葱白二寸同煎至六分調下二錢

十八

大便秘

婦 治妊娠大便秘澁 枳三兩 風二兩 甘炙一兩 為末沸湯點服

治虛羸大便秘 枳 膠炒等分 為末煉蜜丸滑末為衣溫水下

又方 車一兩 大炒半兩 為末蜜湯調下

十九

痢

傳 當歸芍藥湯治妊娠下痢赤白腹中㽲痛

白芍一兩 歸 白苓 澤 朮 條芩各半兩 甘 連 木 檳各三分 右

妊白痢腹痛甚者恐有寒也去芩連加乾姜三分

芎朮香連丸治證同前 膠珠 朮 縮炒 芎各五分 連一兩茱炒

枳麩炒 乾姜炮各二分 乳 木各二分半 右為末醋糊丸白湯下

廿

泄瀉

治妊娠泄瀉兩股虛鳴臍下冷痛由食瓜果生冷物及當風

取涼所致者

訶煨 朮各一分 陳 良炒 木 白芍酒炒 炙甘 蔻麪裹煨各半分 右加生姜五片

廿一

遺溺

林 白薇散治妊娠遺溺不知出 白薇 白芍等分 為末酒調食前下

○桑螵蛸散治證同前　螵蛸炙　為末空心米飲下

六二 腰痛 婦 ○治姙娠腰痛因勞損腎經虛風冷乘之則腰痛甚則胎墮上

歸三兩　甘一兩　水煎入膠珠二兩　葱白一升再煎

○一方　大黑豆二合炒熟以酒煮熟去豆空心頓服

傳 ○姙娠腰痛不能轉側　鹿角半兩火燒令赤酒淬再燒再淬以碎為度細末酒調服

赫 ○通氣散治姙娠腰痛　補骨炒香為末　嚼胡桃仁一个空心溫酒調下

○青娥不老丸治腎氣虛弱風冷乘之腰痛

胡桃二十枚去皮　破故酒浸炒八兩　杜仲去皮姜汁浸炒二斤　蒜研膏四兩　右為末蒜膏

丸如梧子大每服五十丸空心醋湯下

六三 兒哭 傳 ○治兒在腹中叫哭　用多年空屋下鼠穴中土一塊令婦含即止

○又方　黃連三五錢濃煎汁時々呷下自止

臍帶上疙瘩乃兒口中含者因姙婦登高取物脫出兒口以

此作聲令姙婦曲腰向地拾物使兒復得含入口中即止

六四 滑胎 婦 ○無憂散姙婦身居富貴口厭甘肥飽便卧令胎肥行動艱難

入月服此則易產　歸　芎　白芍　枳　乳各三錢　木　甘

血餘即髮灰以猪心血和之各一錢半　右為末水煎

○枳殼散瘦胎易生　枳二兩　甘一兩　為末百沸湯點服六七个月

已上服之易生　食加香附尤佳　肥体弱加白朮　大便秘加防風

○神寢丸瘦胎滑利易產九月已後可服

枳一兩　通明乳香半兩　為末煉蜜丸溫酒下

○保氣散安胎寬氣進食瘦胎易產　如頓仆胎動下血　煎服佛手散

莎四兩　山二兩　甘一兩一分　縮一兩　益藿穗各半兩　木四分　為末白湯點服

○內補丸治姙婦衝任脉虛補血安胎

熟地二兩　當歸一兩微炒　為末煉蜜丸溫酒下　枳殼散單服之恐有胎寒腹痛內補丸佐之

食 ○救生散方見安胎　治胎氣不怯安胎益氣易產　赫令子累小每無痛

傳 ○仲景當歸散安胎養血清熱孕婦常宜服

歸　芎　芍　朮　條芩等分　為末溫酒或湯調下

六五 難產 傳 ○難產多是氣血虛亦有氣血凝滯而不能轉運者亦有

因八九箇月內不能謹慾者又曰難產多見於安逸富

閑之人富貴奉養之婦其貧賤者未之有也　又曰臨事倉惶用力失宜遂有難產之危

○催生散　白芷炒焦　百草霜　白滑石各等分　為末芎歸湯調下

回 ○催生飲產難者燥澀緊斂也　催生只用芎歸湯最穩當又効捷

歸、芎、芷、枳、腹等分水煎此五味下胎催生立應

○催生湯候腹痛腰痛見胞漿水下方服

桃仁炒去皮赤芍、牡桂、白苓各一水煎

○催生散治難産并胞衣不下 芷、伏龍、百草霜、滑石各等分

甘草為末芎歸湯入酒童便調前末服之三次立効

婦○催生如神散治逆産横生瘦胎兼治産前産後虛損月

脉不調崩漏 百草霜、白芷不見火等分 為末以童便并少米

醋打為膏沸湯調下

○産難經日不生 雲母粉半兩温酒調服入口即産不順者即順

○又方當歸末酒調方寸匕服

○催生湯欲産痛尚疎經三兩日不生或産母氣乏産道

乾澁難産但破水後可服未經破水者不可服

蒼二兩 枳、桔、陳、芍、芎、歸、芷各一兩 桂半、甘、麻、姜、朴

木、杏、苓各半兩 為末順流水温調或姜棗煎服 暑月難輕服

○又治胎死或産母氣乏委頓産道乾澁

蒼二兩 桔一兩 陳六 枳四 芷、桂、甘各三 川烏、歸、姜炮 附炮去皮

朴、芍、苓半 星炮各二 芎一 木一 杏去皮尖 膠炒各一分 右為末

温酒調下 熱悶加白蜜新汲水調服

○治難産及胞衣不下又治死胎 蓖麻子七粒去殼研成膏塗脚

心如胞衣下速洗去不洗腸出却用此膏塗頂上腸自縮入

○一方蓖麻百粒雄黄末一同研如上法

香油○産難 蓖麻子兩手各把七枚立産

婦○一方臘月兔頭一枚燒灰為末葱白煎湯調二錢立生

○又兔皮和毛燒灰為末酒調方寸匕服即産胞衣不下者即下

○横逆不順子死腹中 伏龍肝末每服一錢酒調服之以土

着兒頭上戴出妙白湯調亦可

○逆産燒錢令赤納酒中飲之

○姙娠三五箇月胎死在腹内不出 大腹子、赤芍、榆各三兩

歸炒一兩 滑三分末 瞿、葵炒、苓、子芩、甘各半兩 石

○産經數日不出或子死腹中母氣欲絶

瞿六兩 滕四兩 桂、通草各三兩 榆一斤 右水煎

○下死胎 水銀如彈子大以棗肉均研如大豆永呑下立出

又水銀半両桂末一錢作一服温酒調下粥飲亦可

又好辰砂一両水煮数沸研細酒調二錢服

又朴消二錢為末温童便調下

一方雄鼠屎七枚水三升煮一升去柤取汁作粥食之即下

以牛屎塗母腹上立出 傳死胎不出黄牸牛屎炒令大熱入醋半盞青布包熨母臍上下立下

倒産及死胎 艾葉半両酒四升煮取一升服即下

如神散催生累功灵妙於理難通於事殊功

臨産時令人路邊尋草鞋一隻取耳燒灰温酒調下三錢如得左足者生男右足者生女覆者兒死側者有驚

来甦散治臨産用力太過暈悶不省人事

苧根 甘草各三錢 木香 陳皮去白 麯 蘗 香 生姜炒黒 膠蛤粉炒

白芍各一錢 糯米一合半 水煎開口灌連進

胞漿先破悪水来多胎乾先与四物湯補養血氣次濃煎葱湯放冷淋産戸令氣上下通暢仍用酥調滑石末塗産戸裏次服催生薬

死胎之證指甲青舌青脹悶甚者口中作屎臭先以平胃散酒水各一盞煎至一盞却投朴消半両再煎服胎即化爛而下

面赤舌青子死母活与至寶丹二粒胎即落

香桂散下死胎 麝香半錢別研 桂三錢為末 作一服温酒調下

芎帰湯一名佛手散 治姙娠因事跌仆子死腹中悪露妄下腹痛口噤欲絶用此薬探之如子死腹中立便下如腹痛隨止又治臨産難生胞衣未下及胎前産後血暈危急並治

帰一両酒浸 芎七錢 右作四服水一盞煎水將乾投酒一盞半煎五七沸温服如口噤灌之如人行五里許再灌尽四服者

加味芎帰湯治産難三五日不下垂死

芎 帰各一両 乾亀殻一個酥炙 婦人髪一握燒存性 為末毎服三錢水一盞煎七分服約行五里生胎死胎皆下

令易産 亀甲燒末酒服方寸匕 又方用鼈甲

又羚羊角一枚刮尖為末酒調服方寸匕

又珍珠末一両和酒服之立生

又赤小豆生呑七枚即生

六六

胞衣 婦

○奪命丹 胎衣不下，母生子訖，流血入衣中，為血脹，故不下。服此，逐衣中血，血散脹消，衣自下。

牡丹一兩 附子炮，半兩 乾漆炒烟尽，二分半 為末，釅醋一升熬大黄末一兩，成膏，和末丸如桐子大，每服五七丸，温酒下。衣爛下。

○牛膝湯 治胎衣不出，臍腹堅脹，及下死胎。

牛膝、瞿麥各四兩 當歸三兩 通草六兩 即木通 滑石八兩 葵子五兩 右

○下胞衣 赤小豆男七粒，女十四粒，東流水下。又皂莢一挺，燒末，温酒調下。

○一方 米醋七升，慢火熬至一升，入百草霜末一兩，大黄末二兩，熬成膏，丸如彈子大，每服一丸，温童便化開服。治胎衣不下，惡露不行，腹中血塊。名黑神丸，代黑神散用，大効。

傳

○婦人科 下 產後 十三

○若夫難產之婦，皆是產前淫欲所致，非独難產，且產後諸疾皆由是而生焉。或有乍寒乍熱，似瘧非瘧，或大熱頭疼体痛，如傷寒狀，或卒中口噤，如痓如癇，或左癱右瘓，角弓反張，或妄言見鬼，心神惶惑，或耳目口鼻忽覚黑氣如烟薰之狀，或腹中作痛，綿綿不絶。已上諸證，若非惡露未盡，即是労傷血氣大虚之證。丹溪曰：凡產前當清熱養血為主，產後宜大補氣血為要，雖有雜證，以末治之云云。雖然亦有離褥太早，或澡浴身垢，以致感冒風湿，或多喫雞子糍糕難消之物，皆能惡寒發熱，変證多端云云。

○產後補虚，用参朮芪陳帰芎炙甘，如發熱輕則加茯苓淡滲之，其熱自除，重則加乾姜。

○產後発熱惡寒，或口眼歪邪等證，皆是血氣虚甚，當以大補氣血為主。左脉不足，補血薬多於補氣薬；右脉不足，補氣薬多於補血薬。切不可用小續命湯表散之剤。

○產後惡寒發熱腹痛者，當去惡血；若腹不滿者，非惡血也。

新產後不可用芍藥以其酸寒能伐發生之氣也十日之內忌之
只以黃芪四物湯爲補虛之要藥以芪易芍也又曰腹痛
者非芍藥不可雖新產以酒炒用不妨

一 調理

（婦）加味四君子湯新產後雖無疾宜調理脾胃
參 朮 苓 甘 陳 藿 縮 香（各等分） 右姜棗煎服

（產）四順理中圓新產血氣俱傷脾胃不調百日內宜常服
參 朮 姜（炮） 甘（炙） 爲末煉蜜丸米飲下

（婦）當歸散產後氣血俱虛無大補恐增客熱致他病（常令惡露收利爲佳）
歸 芎 芍 苓（各一兩） 朮（半兩） 爲末溫童便或酒調下二錢

五積散新產後以此除敗血生新血無寒熱之患（去麻黃熱加苓）

二 通治

（回）芎歸調血飲治產後一切病氣血虛損脾胃怯弱或惡露
不行或去血過多或怒氣相冲以致寒熱自汗口乾心煩喘
急腹痛頭暈眼花耳鳴昏憒等證
芎 歸 朮 白苓 陳 熟地 烏 莎（童便炒） 姜（黑炒） 益母 牡 甘
右姜棗 寒熱頭疼体痛脉大無力氣血俱虛加參香去
芎牡益母 早起勞動寒熱加參香 惡露不盡胸腹悶痛

或有塊寒熱加桃紅桂膝枳木延童便姜汁去熟地
惡血去後腹不滿硬不痛但虛熱不退加參去牡益母
惡露不盡瘀血上冲昏迷腹滿痛加桃紅桂延膝童便
姜汁 惡露不盡敗血流入肝胃二經或腹脇痛或發腫滿
加蓬紅朴延桂木青去地 血去不止加參苓生地梔
荊膠烏梅去益母牡烏藥 去血過多腸燥大便不通加
麻仁生地桃杏苓枳朴紅去芎朮苓烏藥乾姜益母
陳皮 氣大脫血虛極昏暈加參芪去益母牡烏藥（將抵醋煮）
（算可用熱米湯）泄瀉脾虛加參蒼縮朴豬通腹白芍（炒）去地芎
烏益母牡 瀉甚不止加豆蔻訶梅去朴 食傷泄瀉後變痢者
難治加縮木山蒼朴白芍（炒）去熟地芎益母牡烏 惡心呃噦
不止乃去血過多脾胃虛寒加參半烏梅去益母牡莎烏
藥 惡露去少呃噦胸脇脹痛加桂縮朴紅去地朮苓
血虛煩燥虛驚錯語失神加參酸茹梔門辰去烏牡姜
益母去血過多發腫者加縮腹朴豬通去牡益母烏姜
脾虛飽悶不進飲食加縮白蔻益朴木去芎益母牡烏姜

三

血暈 傳 ○産後血暈因氣血俱虚痰火泛上作運二陳導痰隨氣血
加減硃砂安神丸亦可服以麥門冬湯下
婦 ○血暈其因有三一有用心使力過多而暈者二有下血多
而暈者三有下血少而暈者
○生漆一匙燒硬炭或江中黄石令通赤置器於床前以醋沃
之得醋氣除血暈産後一臈時々作妙 一臈者謂一七日也
○一法燒乾漆令烟濃熏母面
○清魂散治産後氣血暴虚血隨氣上迷乱心神眼前生花
甚者悶絶口噤氣冷 凡昏暈敗血上冲者牡丹散蒲黄散 血虚者清魂湯芎帰湯為主對
澤蘭 參各一分 荊一两 芎半两 為末温酒熱湯各半琖調灌
全 ○芎帰湯治去血過多暈煩不醒一切去血並治
芎 帰各二分 水煎 腹中刺痛加白芍 口乾渇加烏梅門冬
寒熱加姜白芍 虚煩不眠加參竹葉 大便閉渋加杏熟
地橘紅 小便不利加車 腹脹加朴 血崩不止加莎
咳痰加苑半生姜 心下痛加延 腰脚痛加膝 悪血
不下腰腹重痛加牡

○牡丹皮散治産後血隨熱上充心昏暈悶絶
牡 大黄 芒各三分 冬瓜子 桃去皮尖各七粒 右分二貼水一盞半煎至
一盞入芒再煎一二沸去粗服口噤灌之
○蒲黄散治悪露不快血上搶心煩悶昏迷或狂言
蒲生二两 乾荷葉炙 延 牡 生地 甘炙各三分 右水煎入蜜少許服
○治産後血上忘已死 真爵金燒存性 為末温米醋調灌下立活
傳 ○治血暈 鹿角燒存性出火毒 為末酒調灌即甦
婦 ○一方 神麹末熟水調二示 又赤小豆生末東流水和方寸匕下
又半夏末如大豆内鼻中即省
○血暈狂言煩渇 香附生去毛 為末姜棗煎服

四

悪露 傳 ○黒神散治産後悪露不尽或胎衣不下血氣攻冲心腹疼
痛及血迷血運等證 黒豆炒半升 熟地 帰酒浸 白芍 桂 姜炮
甘炙 蒲黄各四两 右為末毎服二錢童便和酒調服
○四物湯煎調香附五霊脂末服治悪露不尽作痛甚者
加桃仁
婦 ○澤蘭湯治産後悪露不尽腹痛及胸満少氣

澤蘭葉 生乾地 歸各三分 芎 生姜各一分 甘六分 棗三十个 煎服 欲死望身得差
又方 荷葉燒灰 朡水和服 煮取汁亦良
又 歸 芎 桂各三兩 桃仁一百二十枚去皮 水煎服 如未差加大黄三兩
又 莎一兩 歸三分 琥 沒 赤芍 桂 木 青各半兩 為末 豆淋酒調下
又 桂 姜黄等分 為末 酒調方寸匕服 血下盡即愈
和 當歸養血丸 治產後惡血不散 發熱腹痛及帶下腹痛
歸 赤芍 牡 延各二兩 桂一兩 為末 煉蜜丸 溫酒米飲任下
傳 產後腹痛不息 四物加莎 烏藥 桂 良 陳 童便和醋煎服甚効

五

兒枕

婦 產母胎中宿有血塊 產時破散 與兒俱下則無患 如蔵府
風冷 血凝滯在小腹 則結痰 名曰兒枕
延胡索散 延 歸各一兩 琥 蒲炒各一分 赤芍半兩 桂二分 紅二分 為末
童便合酒調下
三聖散 治兒枕痛 歸 桂 延 右等分為末 每服二錢 熱酒或童便調下
婦 又 歸 芎 良姜等分 為末 酒調下 一方加延 用赤芍 和劑白芍
又 桃半分 芍 歸 芎 桂 干漆研熬 甘各二兩 水煎
林 治兒枕痛 伏龍肝為末 溫酒調二錢服 効アリ

產後血塊 滑石三分 沒藥二分 血竭二分 如無 牡丹代之 為末醋丸 醋湯下
傳 惡露不盡 小腹痛 名兒枕痛 五靈 香附 為末 醋糊丸 甚
者加留夫 桃仁 一云神麹糊丸 米陳煎湯下 氣虛四君子湯下
血刺痛 用當歸 和血 如因積血而刺痛 桃 紅 歸尾
產後惡血不去 發寒熱 或癥瘕者 四物加稜 莪 乳 沒 莎
五靈 乾漆 桃 紅之類

六

惡露不止

婦 逐塊丹 治惡露不絕 又治婦人百病 胎前產後諸疾
益母草四五月採 陰乾用葉及子 為末 煉蜜丸 米飲下 臨產催生 或死胎
不下 胎衣不下 產後中風 牙関緊急 產后血暈 如見鬼
神 或惡露腹痛 或惡露不下 並童便入酒少許化下 惡
露太過 淋瀝不止 當歸湯或米飲化下 大便下血 或赤白帶
膠艾煎湯下 月水不調 血崩漏下 酒化下
傳 產後月餘 經血淋瀝不止 四物加芷 升 調血餘灰
婦 治產後七八日惡露不止
芍 續各八分 歸六分 芎 茹各四分 生地炒十二分 水煎 空心頓服

七

血崩

林 因產血氣暴虛 或因勞役 或因驚怒 致血暴崩 又有氣

八

裏血弱亦変崩中如小腹痛甚肝経已壊難治俱固経丸
止之如小腹脹満此内有瘀血未可止之且服芎帰湯

儒 ○固経丸治産後血氣未復而有房事及労役血暴崩或淋瀝
没 赤石 柿骨 木賊 各半両 附一隻炮去皮尖 為末米糊丸 温酒陳米飲下

様 ○烏金散治産後敗血不止腹痛又治崩中下血不止
血竭 百草霜 男子髪灰 松墨醋淬煆 鯉鱗焼 帰 延 桂
赤芍 右等分為末空心温酒調服

○牡蛎散治悪露淋瀝不絶心悶短氣不食面黄体瘦
蛎 芎 熟地 白苓 龍骨 各二分 帰炒 続 艾酒炒 参 地楡
五味 各一分 甘炙半分 右分二貼水二盞姜三片棗二枚煎服

顛狂

様 ○因産走耗其血敗血奔沖逆於心所以乍見鬼神言語不
正顛倒非風邪但服調経散加生龍脳一捻煎服 得睡即安

婦 ○因血虚心氣不足驚悸顛倒蘇合香丸童便調服

○妙香散治産後顛倒錯語用生乾地当帰煎湯調服

○産後敗血衝心発熱狂言奔走脉虚大者
乾荷葉 生乾地 牡丹 等分 濃煎湯調生蒲黄服

九

○狐風散治産後閉目不語 白礬生研 毎服一分熟水調下
一方 参 菖 蓮意 去心 右等分水煎

○茯神散治産後恍惚言語失度睡臥不安
神一両 参 龍歯研 琥研 赤芍 耆 膝 各三分 生地一両半 桂半両 右

○産後臓虚驚悸言語錯乱
神 遠 参 門 甘 生地 帰 龍歯 桂 身 羚 等分 姜棗

儒 ○茯苓散治産後心虚怔忡言語錯乱
参 甘 帰 山 各一分 遠 苓 桂 門 各半分 右姜棗

会 ○八珍散治産後血迷心竅錯語如顛狂或不語
参 菖 生地 芎 各一両 朱砂別研 風 甘炙各半両 細一分 為末薄荷湯
下地黄多悪膈脾胃不快者以当帰代之

面 ○産後牙関緊急腰背反張四肢抽搐両目連劄此去血過
多元氣虧損陰火熾盛十全大補加炮姜

中風

様 ○産後風邪乗虚而入或身体緩急或不仁或口目不正或怒
悶乱乃中風候宜小続命 又有産後五七日強力下床或
月裏房室或懐憂発怒得病之初眼渋口噤肌肉瞤搐腰

背筋急強直者不可治此乃非的尒風也
又曰産後中風小續命爲要某但手足搐搦者當去附子
婦
○愈風散治産後中風牙関緊急瘈瘲及血暈四肢強直
荆 畧炒為末 豆淋酒調下童便亦可 口噤者灌之甚者吹鼻
○又治不省人事口吐涎手足瘈瘲 荆 帰 等分為末水一盞 酒少許煎灌之
○産後中風腰背強直時々反張名風痓
風 蒿 芎 地 各八分 桂 甘 麻 去節 獨 已 各六両 杏 五个去皮尖炒 水煎
○産後中風身背拘急如縛弁渴 羌 芎 羚 酸 芍 各四両
朮 六分 风 五分 右水煎
○産後中風四肢節脉牽急疼痛背項強直
風 一両 羚 芎 羌 帰 酸 牛蒡子 炒各三分 赤芍 桂 各半両 右
傳
○産後中風口眼喎斜八物加附荆少加羌風
纂
○産後中風口眼喎斜等證不可作風治大補氣血然後治痰
十
寒熱
林
○因産勞傷血氣陰陽互相乗為乍寒乍熱亦有悪露下少
留滞經絡亦令人寒熱必小腹急痛 陰陽不和増損四物 敗血停留奪命丹
○増損四物湯 帰 芎 白芍 参 姜 炮 甘 各 右
○奪命丹 方見胞衣 如無奪命丹可用五積散 加醋煎服 或黒神散
○大調經散治産後血虚悪露未消栄衛不調陰陽相乗
増寒発熱或自汗腫滿皆血氣未平所致
大豆 炒去皮一両半 神 一両 琥 一分 右為末每服三分濃煎紫蘇煨豆
湯空心調服 喘急煩悶小便不利者亦効
○知母湯治産後乍寒乍熱通身温壯心胸煩悶
知 四分 知 八分 赤芍 芩 各三分 二分 桂 一分 六分 甘 炙一分 右或四物加柴芩亦可
○小柴胡湯加生地治産後悪露方下忽然斷絶寒熱往来
昼静暮劇狂言此乃熱入血室也
傳
○増損四物湯産後陰虚発熱或日間明了暮發寒熱
帰 芎 生地 柴 各等分 右
○當帰散治産後氣血倶虚恐増客熱宜服此以去悪露
帰 芎 白芍 芩 各一両 朮 半両 為末童便入温酒調下
十一
瘧
婦
○草菓飲子治産後瘧寒熱相半或多熱者
菓 炮去皮 赤苓 半 陳 芎 芷 甘 各二分 良 青 蘇 各一分 葛 四分
右姜棗水煎發日侵早連進三服

十二

○生熟飲子治產後瘧多寒者　肉蔻　菓　朴　半　陳　甘
棗去核　生姜各等分　和匀一半生一半用濕皮紙裹煨令香熟
去紙与一半生者和匀每服五錢水煎　食前一服　食後一服
○產後瘧熱多寒少者清脾湯寒多熱少者養胃湯久不已
者七寶飲截之

蓐勞

婦 ○產理不順疲極筋力憂勞心慮令虛羸容悴食不消肺感
邪咳嗽口乾痰逆喘乏頭昏筋痛腹中絞刺榮衛虛羸頻
發時盜汗寒熱如瘧背膊煩悶肢重着床名曰蓐勞
○熟地黃散治產後体虛氣力未復勞動四肢煩疼寒熱不思飲食
熟地　芍　參　朮　苓各一兩　歸　芎　耆　桂　門　五味　續各三分
右姜棗　去桂五味續加紫苓半名三分散
治產後虛勞日久針灸俱不効
○增損紫胡湯治產後虛羸寒熱飲食少腹脹
紫　參　半　甘　芍　陳　芎各等分　右姜棗
○黃耆丸治蓐勞寒熱頭目眩痛骨節痠疼氣力乏
耆　鱉　歸各一兩　桂　芍　芎　續　膝　蓯　沉　栢子　枳各三分
五味　熟地各半兩　為末煉蜜丸食後粥飲下

○牡丹散治產後虛羸發熱自汗欲變蓐勞
芍　歸　五加　地骨　參各半兩　牡三分　没　桂各二分　為末酒水童
不飲酒只用水一盞　開通錢一錢麻油蘸之同煎至七分去滓通
口服煎不得攪喫不得吹
楊 ○人參當歸散治去血過多陰虛生內熱心煩短氣頭痛骨
節痛晡時甚　參　歸　桂　門　生乾地各一兩　虛甚用熟　白芍二兩
右先粳米一合　竹葉十片　水二盞煎至一盞去米葉入藥四
錢棗三枚再煎至七分去滓食前服
婦 ○玉露散治產後乳脉行頭身熱痛大便澁滯涼膈壓熱
下乳　桔炒　芎　芷各一兩　參　苓　甘各半兩　芍三分　敗一分　右　熱甚大便秘者加大黃二錢半
楊 ○犀角飲子治產後亡血液耗自汗發熱困倦口乾
紫三錢二分　苓　地骨　枳　生地　歸　參　耆　苓　甘炙各二錢三分　犀　門
朮各一錢六分　右分二貼水二盞姜三片浮麦七十粒同煎

十三

頭痛

楊 ○加減四物湯治產後頭痛血虛氣弱痰癖寒厥皆令頭痛
羌　芎　風　蒡炒　熟地各一錢　細　芷　蒼各一錢半　歸　甘炙各半錢　膏二錢半
右水煎　如有汗是氣弱頭痛也加芍三錢　桂一錢半　生姜三片

如痰癖頭痛加半三不苓一不半生姜二片如热厥頭痛加芷
膏各三不知一不知半如寒厥頭痛加天雄炮三不附一不半姜三片

十四 咳嗽

○二母散治産後悪露上攻流入肺經咳嗽
知貝参白苓桃杏並去皮尖右等分水煎
○旋覆湯治産後血風感寒暑湿喘滿咳痰坐臥不安
旋赤芍前半杏荊五味苓麻甘各等分右姜棗
○一方治産後咳嗽痰唾稠粘氣急
前五味菀貝各六分桑苓各八分竹葉二十片水煎

十五 自汗

○當帰黄耆湯治産後自汗壮热氣短腰脚痛
帰六不耆芍各四不右入生姜
○黄耆湯治産後虚汗不止
芪二不朮風熟地蛎白苓門甘各半不炙右入大棗一枚
○麻黄根散 麻根芪飯蛎粉参甘炙小麥各等分水煎

十六 渇

○門冬飲治産後血虚煩渇不止 蘆根切一升 栝参苓甘各三両 門四両生用 大棗二十个 右煎服四剤而瘥忌菘菜
○熟地黄湯治産後虚渇口乾少氣脚弱眼昏飲食無味
熟地酒浸焙一不半参四不半門三不栝六不甘二不糯米一撮姜五片棗二枚右
○人参白朮散治産後労傷虚羸怒氣上逆口乾煩悶
参朮縮生地苓甘炙苓滑茸藿各等分水煎

十七 淋

○産婦損破尿脬而淋瀝不禁脉虚甚与峻補参朮為君佐芎為臣芪陳苓桃為佐以猪羊脬煎湯熬藥付極飢飲之
○千金治産後淋 滑五分 通車葵各四分 為末煎水調方寸匕
○産後小便澁痛或血淋 通草三両 瞿葵苓各二両 棗十二枚 水煎
○治血淋 車瞿各四両 苓三両 蔚末一両 水煎入蔚金末分三服

十八 溺閉

○木通散治産後小便不通 麻仁通葵滑檳実甘各一両 右
○又方 陳去白為末空心温酒調二不
○又方 杏仁十四个去皮尖炒為末和飲頓服

灸

○灸産後小便不通腹脹悶乱用塩於臍中与臍平却用葱白去麁皮十餘根作一縛切作一指厚安臍上用大艾炷滿葱餅子上以火灸之覚热直入腹内即時便通神驗

十九 遺溺

○桑螵蛸散治産後小便数及遺溺
桑螵十五个炒 鹿茸酥炙 芪各一両 蛎煆 参赤石朴各二不半 為末米湯下

不禁者加龍骨

〇治産後小便不禁 雞屎燒灰空心酒服方寸匕 或用雞尾毛燒末

婦 〇治産後尿數并遺尿 益智為末米飲下

廿六

秘結 〇麻仁丸治産後秘結此腸胃虚竭津液不足故也

麻仁 枳 参各四分 大黄二分 為末煉蜜丸温酒下 傳有當歸各等分

〇産後五七日不大便 大麥芽炒黄 為末每服三銭沸湯調 與粥間服

〇阿膠枳殻丸治産後虚羸大便秘澀 膠 枳各等分 為末煉蜜丸如梧子大 滑石末為衣温水下二十丸半日以来不通再服

林 〇橘杏丸治産後津液暴竭弱人氣秘 方見秘結

六十一

泻利 杣 〇調中湯治産後腸胃虚怯飲冷當風腹痛腸鳴洞泻或下赤白

歸 白芍 桂 芎 附炮 良各一両 甘半両 右 林有参半両 傳加姜三片

林 〇胃風湯治産後當風泄泻腹痛 方見泄泻

〇治中湯治産後因傷食而腹痛泄痢 方見傷寒 加砂仁

醫 〇産後泻利 陳 朮 苓 芎 芍 各一両炒 滑 苓 甘各半 煎服 一方有乾姜

婦 〇産後赤白痢腹痛 芍 乾地 各四両 膠 艾 歸 甘各二両 水煎

〇産後赤白痢臍下氣痛 連 朴 各十二分 歸八分 葱五枚 甘六分 水煎

六十二

腹脹 婦 〇抵聖湯治産後腹脹悶滿或嘔吐此敗血散脾胃脾受之則腹脹胃受之則吐逆 赤芍 半 澤蘭 参 陳 各一分 甘一分 生姜焙乾半両 右水煎 赤有悪露過多氣血所生蒙脾胃而脹満嘔逆者去赤芍澤蘭倍陳姜

林 〇桔梗半夏湯治腹脹吐逆調和陰陽

桔 半 陳 各五分 一方加枳 右分二貼水二盞姜三片

〇一方 陳三分 半 甘 各一分 藿八分 右分二貼姜五片

六十三

浮腫 婦 〇有自懷妊腫至産後不退者有産後外感内傷血与氣搏者

産後浮腫大補氣血少佐以蒼苓使水自降

留滞經絡氣分血分不可不辨調經散治血分但力淺不如

大劑白朮補脾壅満者用半陳香附監之

呉茱萸湯枳朮湯奪魂散大調經散皆要藥也

有熱當清肺金門苓之属

〇調經散治産後敗血流入於四肢腐壞如水身体面目浮腫

歸 桂 赤芍 没 琥 各一両 細 麝 各半両 為末温酒入姜汁調服

〇加減呉茱萸湯治臓氣本虚身面虚浮嘔吐胸満痛或寒戰泄不止不食羸困

呉一両 桔 姜 甘 門 風 半 細 帰 赤 苓 牡 桂 各半両 右

〇枳朮湯治心腹堅大水飲所致名曰氣分 実一両半 朮三両 右

〇奪魂散治産後虚腫喘促利小便則愈

生姜三兩取汁 白麪三兩 半七个 右以姜汁溲麪裹半夏為七餅
子炙焦熟為末水調一盞小便利為効
○大調經散治產後腫滿喘急煩渴小便不利 方見寒熱
○漢防己散產後勞傷氣血為風所乘令虛腫是邪搏氣
也氣腫者發汗即愈水腫者利小便差也此方主之
己、猪、枳、桑各一兩 陸、甘各三分 右加姜水煎
傳 ○正脾散治產後通身浮腫及婦人大病後脾氣虛腫脹 多
莪炮 香附米童便浸 茴 陳 甘各等分炙 為末燈草木通煎湯調下
○沸奎 產後浮腫四物加乳没桂通腹良枳血竭海金
六四 腰痛 婦 ○產則勞腎損胞諸虛未復感風乘腰故腰痛
一方 歸 風各八分 獨 芎 芍 桂 續 生姜 桑寄各六分 水煎
拾 ○當歸黃芪湯治產後失血過多腰痛身熱自汗 方見產後自汗
六五 身痛 林 ○因產走動血氣升降失常留滯關節是以遍身疼痛宜服
會震 趂丑忍 逐也 俗作趂
○趂痛散 歸 膝並酒浸 桂 朮 芪 獨 生姜各半 薤白一不二分半 甘
炙一不半 右水煎加桑寄生尤佳
○如神湯治產後餘血不盡流入腰脚疼痛

蒼三不 朴半 芍 枳 木 桂 陳 白姜 桔 甘炙各 莎炒 茴炒、
参 苓 芎 歸 芷 桃炒去皮尖 瓜各六分 右入姜水煎
六六 脚氣 林 ○產後熱悶轉為脚氣亦有感四氣兼虛而發兩足痛痺
○服小續命兩三劑愈惡附子者宜服獨活寄生湯 吼者去地倍姜
六七 乳汁 婦 ○乳汁不行有二種氣血盛乳脉壅閉而不行 通草 漏芦
土瓜根 血少氣弱乳汁絶少者猪蹄 鯽魚 鍾乳 年少初
產乳雖脹汁不行有風熱服清利藥則乳行 累經產而
無乳亡津液故也服滋溢之藥以動之 雖有乳不多者服
通經之藥以動之仍以羹臛引之
○一方下乳汁 粳 糯各半合 萵苣子一合 甘生半兩 水煎
○又 通十分 鍾乳粉 門各六分 為末食后酒服方寸匕日三兩服
○又 土瓜根末酒調方寸匕日兩三服
傳 ○治乳汁不通 桔二不 瞿 柴 天花各一不 通草七分 芷 青 木通
赤芍 麹 甘各半不 水煎食後細細飲之更摩乳房
○鍾乳散治婦人氣虛血少脉澁不行乳汁絶少
鍾乳粉細研 每服二不濃煎漏芦湯調下

○母猪蹄湯 治乳汁不通 母猪蹄一隻 通草四両 用水一斗煮取四五升飲之 未下更作一料服之 林 服訖仍梳頭乳自下

林 ○玉露散 治産後乳脉不行身熱頭目昏痛大便澁滞 方見産書

○醸乳方 澤四分 生地三分 二分 猪赤苓 天花各二分 四分 茵甘各一分 六分 水煎

本綱 ○治乳汁不通 赤小豆煮汁飲之

○又 絲瓜連子焼存性 研酒服一二錢 被覆取汗即通

○又 穿山甲炮研末 酒服方寸匕 日二服 外以油梳梳乳即通

○又 乳少者 脂麻炒研 入塩少許食之

○又 栝樓根焼存性 研末飲服方寸匕 或酒水煎服

○又 萵苣菜煎酒服 又萵苣子研末酒服

○又 鯉魚一頭焼末 酒調下 又鼠肉作羹食 勿令知之

○乳汁清少 死鼠一頭焼末 酒服方寸匕 勿令婦知

○又 臘月鍊過野猪脂 和酒 日三服 令乳汁多

六八 吹妳 婦 ○乳子忽睡乳不時泄結痛 赤有不痒不痛腫硬如石 名曰吹妳 不急治則癰腫急 与栝樓散 以手揉之則散

○栝樓散 乳香一分研 栝樓根末一両 右酒調下

○又 陳皮一両 甘草一分 水煎服 次用荊芥穂煎湯熏洗

林 ○消毒犀角飲 治産後吹乳 荊穂四分 防風一分 甘草各三分 鼠粘子八分 水煎食後頻服 以手揉之 仍用芙蓉葉搗爛 井水調稀塗之 加蜜少許調尤妙

六九 断乳 傳 ○無子食乳者要消乳 麦蘖二両炒末 右作四服 白湯調下

本綱 ○産後欲回乳者 神麹炒末 酒調二錢 下日二

○又 用男子裹足布 勒住經宿即止

六十 陰脱 傳 ○當帰黄芪飲 治産後陰脱 謂陰戸中宮脱下也 白芍 當帰 黄芪 参各二分 升半分 水煎

○當帰散 治婦人陰脱 當帰 白芍 黄芩各一両 蝟皮半両焼存性 牡蠣煅二両 右為末 温酒或米湯調下 忌登高挙重

婦 ○産後陰脱如脱肛腫痛 以鐵精粉上推内之 又灸臍下横文二七壮

○又 桃仁去皮尖研膏 枯礬 五倍各等分 為膏傳之

○又 以枳殻煎湯浸良久即入 又五倍白礬煎湯浸亦可

○又 以温水洗軟 用雄鼠糞焼煙熏入

○又 草麻十四枚去殻 研爛塗頂心 如入即洗去

脉經曰小兒四五歲脉八至者平九至者傷十至者困
脉訣啓蒙曰凡診小兒脉當大指按三部一息六七至為平和八九至為発熱

小兒科上 十四

一

初生 惠 ○凡生下炙甘草細切水煎去滓綿裹揩齦灌口中令嚥吐痰涎及乘血方与乳汁智磨無病

○初生氣欲絶不能啼者急以綿絮包裹未可斷臍帶且將胞衣置炭火上燒之仍以大紙撚蘸油點火燒臍帶得火氣入腹須臾氣回方可斷臍帶

○斷帶之後水湿所傷臍腫多哭 髮灰 黄栢 金墨等分為末傳之

纂 ○臍中汁出并痛 枯礬傳之或黄栢末傳之

二

臍風 全 ○定命散治因剪臍傷風湿令唇青撮口 上

赤脚蜈蚣半條酒炙 川烏頭尖生三个 麝少許別研 為末每服半字薄荷湯下

○又牛黄一字末 竹瀝一合 研匀滴入口中 林 殭蚕炒去絲嘴 為末蜜調塗口

回 ○宣風散治臍風撮口多啼不乳口出白沫

全蝎十二个頭尾全者去毒酒炙為末 麝一字別研 右和匀每用半字金銀煎湯調服

養閫 ○治臍風撮口 猴屎燒末 和生蜜少許灌之

林 ○面目黄赤喘急啼声不出舌強唇青撮口飲乳有妨 真殭蚕炒去絲嘴 為末蜜調塗口 又牛黄一字研 竹瀝調抹口中

回 ○香螺膏治臍風腫硬 田螺三个入麝少許搗爛搭臍上再易

養閫 ○艾葉燒灰填臍中以帛縛定効或隔蒜灸之候口中有艾氣立愈

○治臍瘡 伏龍肝末傳之 又綿灰傳之

會 ○治臍瘡不乾 白礬煅 白龍骨煅各等分 研傳之

三

胎熱 ○釀乳方解胎中受熱生下面赤眼閉二便不通不能乳食 方見産後乳汁

澤瀉二兩 生地二兩 猪苓 赤苓 天花粉各一兩 茵陳 甘草各一兩 水煎乳母食後服 去滓乳服

○生地黄湯治生下体黄身熱二便不通乳食不進

生乾地 帰 芎 赤芍 天花粉等分 水煎乳母宜服略与兒

四

胎寒 ○當帰散治胎中受寒面青白晶肢冷大便青黒

帰微炒 香蜜炙 細辛 龍骨研 桂 白芍 赤芍各半兩 為末乳汁調下

林 ○白姜散治胎中受寒腹痛不飲乳

木香 陳皮各一分 桂 白姜 甘炙各半分 水煎綿蘸与之咽 加瓜丁香

五

胎驚 惠 ○胎中受驚故未滿月而発驚目上視腹硬手足抽掣角弓反張痰涎壅盛名胎驚 辰砂研 牛黄少許 乳汁調抹入口中太妙 母服防風通聖散

林 ○至聖保命丹治胎驚及急慢驚風

蝎十四个 天麻 風各二分 白附 星炮 蚕炒 辰 麝 蟬蛻各一分 金箔十片

右為細末粳米飯丸每両作四十丸初生児半丸乳汁化下周

歳児一丸金銀薄荷湯化下十歳丸右有急候者二丸

六

夜啼 傳

○夜啼者心經有熱有虚 参 連姜汁炒各一分 甘五分 竹葉二十片 加姜 水煎

○花火膏 燈花顆三 乳汁調抹児口或抹母乳令児吮之

○鐵皮安神丸治邪熱驚心驚啼 硃一両 馬牙硝 寒水 山梔

白苓 門 甘各半両 腦一字 為末煉蜜丸如芡実大半丸水下

○蟬花散治夜啼不止状如鬼祟 蟬退七个下半截 為末薄荷湯

調入酒少許食後服 或者不信以上半截依前法服 復啼如初古人立法莫知其妙

○一方蟬蛻二七枚全者去翅足 為末入硃砂一字蜜調為丸吮之

○治夜啼 焼尸場土置枕邊 又白雄雞翎安席下切令母知

○又五倍子末津調填臍内 又黒牽牛末一分水調傅臍上

七

客忤 林

○小児神微弱外邪客氣觸忤口吐青黄白沫面色変易喘

腹痛反側瘈瘲似驚癇但眼不上竄視口中上腭左右如

有小泡以竹針刺之或以指甲摘破宜服蘇合香圓姜湯

化開頻与之仍以皂角焼煙熏鼻次用淡豉三合水湿搗爛

如雞子大摩児顖上及足心各五六遍次摩臍心良

○鐵皮安神丸 方見夜啼 治客忤驚啼

○黄土散 竈中黄土 蚯蚓屎等分 為末水和塗頂五心良

○五味子散治夜啼及腹痛似有鬼祟

五味 帰 赤芍 朮各五分 神 陳 桂 甘炙各二分半 右水煎

八

腹痛 林 惠

○小児中悪卒死以葱白内下部及鼻中立活

○六神散治腹痛夜啼面青口中冷四肢冷或瀉青白不吮乳

白苓 扁炒各一両 参 朮 山薬炒各 甘炙二分 右入姜棗

○乳頭散治夜啼不止腹痛

香 甘炙 帰 赤芍 木香等分 為末塗乳頭与吮

○蒜丸治冷證腹痛夜啼面青手冷 大蒜一枚慢火煨熟研日晒或火乾研

乳香半銭研 右研匀丸如芥子大毎服七粒乳汁空時服

傳 ○腹痛多是飲食所傷 朮 半 陳去白 青各七分 査去核 麹炒 蘖炒

縮各一分 甘炙半分 有実加薑呉茱有熱加芩為末飲或白湯下

○腹痛口中温面黄白無精彩或白睛多及多睡畏食或大便

酸臭者當磨積宜消積丸甚者白餅子下之後和胃白朮散

。消積丸 丁香(九粒) 縮砂(十二箇) 巴(二箇去心膜及去油) 爲末麪糊丸如黍米大
三歲已上三五丸 已下一二丸 溫水下

。白餅子 滑 輕 半 星(各一錢) 巴(二十四粒去皮膜用水一升煮水盡爲度 一作水三升)
右研巴豆後入衆藥 以糯米飯丸如菉豆大 捏作餅子 三歲
已上三五餅 已下一二餅 薄荷湯臨卧下

。心腹痛面皖白 口中沫及清水出 發痛有時 蚘虫也

。安虫散 胡粉(炒黃色) 檳 練子(去核) 鶴虱(各二兩) 白礬(二錢半火枯) 爲末
每服一字 大者半錢 或一錢 臨痛時米飲下(蜜湯) 米糊丸 名安虫丸

。集効丸 治虫痛 (方見諸虫)

。一方 治蚘虫作痛 二陳加苦練根煎服 或只以苦練根向
東南不出土者 去麁皮 取白皮細切 濃煎汁一盞 徐徐飲
之 不可飲多 先以糖蜜或炒肉食之 引虫頭向上 然後服之

九

盤腸 (林)

。茴香散 治盤腸氣痛 茴(炒) 木(炮) 附(炮) 金鈴子(去核) 蘿蔔子(炒)
檳 神(炒) 白姜(炮) 右入塩水煎

。木香散 治盤腸氣痛不已 面青 手冷 啼叫 尿如米泔
川練子(七箇去皮核 用巴豆三十五粒同炒令豆黃 去豆不用) 使君 木 延 茴(各二錢半) 右爲末

十

腹脹

清米飲空心調下 量兒大小與之

。腹脹 肉乱喘滿者實也 可下之 宜紫霜丸 白餅子 不喘滿 (傳)
者 由脾胃虛氣攻作也 不可下 用搨氣丸漸消之

。紫霜丸 杏(五十枚去皮尖) 赤石 代赭(各一兩 煆醋淬) 巴(三十粒去膜油) 右各別研和勻
湯浸蒸餅丸如黍米大 三歲以下三丸 八歲以上十數丸 食前
米飲或乳汁下

。搨氣丸 胡椒(一兩) 蝎尾(去毒半兩) 爲末 麪糊丸如粟米大 每服五
七丸至一二十丸 陳米飲下 無時 一方二味各四十九箇 一方有
木一錢 如腹大者加蘿蔔子

。腹虛脹 服搨氣丸不愈 腹中有食積結糞 小便黃 微喘 脉
伏而實 時欲飲水 能食者 可下之 宜消積丸 紫霜丸 (消積丸見腹痛)

。一方 腹脹 蘿 蘇梗 葛 陳(各等分) 甘(少許) 水煎 食少者加朮

。(合) 橘皮飲子 治食不化 腹脹 嘔逆 不進乳食
陳(去白) 参 良(米泔煮) 檳(各一分) 苓 甘(各半分) 右姜棗

十一

生赤

。(林) 初生月裏 生赤 肌膚如丹塗 先用牛黃散 其次用藍葉
散塗 外乳母服清涼飲子三服

。牛黃散 蔚 甘(炙) 桔 天花 葛(各等分) 爲末 薄荷湯入蜜調服

○藍葉散 藍青 知母 杏 梔各五分 芩 升 柴 寒水 膏
赤芍各四分 羚羊三分 右水煎塗之
○清涼飲子 帰酒洗 芍 大 甘各等分 水煎乳母宜服

十二 生黄 ○胎黄之證生下遍体黄色如金身熱二便不通乳食不進
啼不止母受湿熱或衣被太暖所致漸々減衣被服
○生地黄湯 生地 赤芍 芎 帰 栝各等分 水煎子母俱服之

十三 変蒸 傳 ○自生之日始每三十二日一変 每変発為虚熱諸證此
骨節蔵府由変而全胎毒亦因変而散

変者上氣 蒸者体熱

會 ○惺々散治変蒸発熱或咳嗽痰涎鼻塞聲重
参 朮 苓 甘 白芍 天花 桔各半両 細辛一分 右生姜三片 薄荷一葉
○神仙黒散 変蒸与傷寒相似上唇中心有白點子者為変
蒸宜服此薬 麻黄去節 大 杏各一分 右焼存性為末每一字煎
服微汗出即瘥
得 ○調氣散治変蒸吐瀉不乳多啼
参 陳 朴 藿 莎 木 甘各一分 水煎
○人参散治変蒸骨熱心煩啼叫

参 甘炙 門冬 北柴胡各二分 膽 風 右煎服

十四 吐瀉 傳 ○初生吐蓋拭口中穢悪不尽嚥入喉中故吐可用木瓜丸

入門 治初生兒吐不止 五倍子二个一生一熟 甘草一寸炙 為末米泔下 三分立止

○木瓜丸 瓜 檳 木 麝 膩粉各一字 研勻麪糊丸如黍米大每服二三
丸甘草湯送下
○初生三日内吐瀉壮熱不乳大便乳食不消或白色當下之而
後和胃 下以白餅子 方見腹痛 和胃益黄散
會 ○益黄散治脾胃虚冷嘔吐不止或泄瀉腹痛
陳皮一両 甘炙 訶子炮去核 青皮各一両 丁香二両 右水煎 傳加参朮各二両尤効
○人参散治小兒虚熱煩渴因吐瀉煩渴不止
参一両半 苓二両半 生犀 桔各二両半 葛 甘各半両 入燈心水煎
得 ○白朮散治脾胃久虚吐瀉不止煩渴飲水乳食不進困羸
参 朮 苓 甘炙 藿 木各一分 葛二分 水煎
○掌中散治吐乳 白姜 縮砂各十四粒 甘半両半生半炙 為末安掌中 擦兒口中乾咽
○硃砂丸初生月裏生嘔先用此下之後用朱沉煎悪物下而止
辰 星 巴霜各半分 為末麪糊丸如黍米大每服二丸薄荷湯下
○朱沉煎 硃二分研 藿三分 滑五分 丁香十四粒 為末每服半分新汲水一盞

香油滴成花抄末在上須臾墜下澄去水削用水空心送下

十五 口瘡 林

○如聖散治小兒口瘡不能吮乳者 巴（三粒研入硃砂或黄丹赤土少許）剝開顖門貼上如四面起粟泡便温水洗去恐成瘡用菖蒲湯洗便安其効如神

傳

○口瘡 黄連為末蜜水調服 又方 柏 細（等分）為末付之

十六 鵝口

○白屑滿舌及兩腮名鵝口用髮纏指頭蘸井花水拭舌令淨

○又用濃煮粟米汁以綿纏筋頭拭之以煅過黄丹摻之即愈

林

○治鵝口 柰白皮汁和胡粉傅之

十七 重舌

○重舌乃心脾熱也刺去其血以蒲黄敷之或髮灰或牙硝散之

○又黄丹如豆大內管中安舌下 又釜下土苦酒和塗舌下

十八 弄舌

○脾臟微熱令舌絡微緊時時舒舌𦧲之宜瀉黄散或飲水者誤為熱非也飲水者脾胃虛津液少也如面黄肌瘦五心煩熱弄舌為痏黄宜胡黄連丸大病後弄舌者凶

傳

○瀉黄散 梔一（不） 藿七（分） 膏半（不） 風四（分） 甘七分半 右用蜜酒炒香水煎

○胡黄連丸治肥熱痏（方見痏）

十九 魃病 林

○聖惠方小兒生十餘月後母有娠令兒精神不爽身体萎瘁為魃病用伏翼燒灰細研粥飲調下半不日四五服効

廿 吞錢

○治小兒誤吞錢 燒火炭末白湯調方寸匕服即出

○治吞銅鉄物在咽喉不下 南燭根燒末白湯調一不服

廿一 諸熱 會

○人参羌活散治傷寒發熱及瘡疹未發亦可服

参羌獨柴芎苓枳甘（炙各一兩） 前桔地骨天麻（酒浸焙各半两）

右每服一錢水半盞姜一片棗半枚薄荷一葉煎服

○解肌湯治傷寒發熱心煩燥渴

麻（去節半兩 冬月三分） 参芍獨（各半两） 芎前（各一分） 右每服一不姜一片苛一葉

○導赤散治傷寒煩熱小便赤大便褐色面赤

生地通甘（各等分） 右每服二錢竹葉三五片水煎

○七寶散治感冒頭昏体熱小兒乳母同服

蘇香附（各三兩） 橘甘桔芎芷（各一兩） 加麻少許入姜棗

○人参前胡湯治感冒發熱

前（一两） 参桔半甘（炙） 柴苓（各半兩） 右姜棗 加地骨治瘧

○地骨皮散治虛熱潮作亦治傷寒壯熱

地骨柴知参赤苓半甘（等分） 每服二不姜五片

○人参黄耆散治發熱自汗虛煩
参、耆、芍、甘 各炙 等分 每服二錢 姜三片 棗二枚 更加蝉子二粒 炒
○生犀散治小兒骨蒸肌瘦煩赤口乾潮熱及病後餘熱
犀 鎊 大黄 蒸焙 鱉 醋炙 門冬 花、桑、参、苓、地骨、赤芍、柴
胡 各等分 右入青蒿少許水煎 有痰加半夏 一方有知母
○瀉黄散治脾熱目黄肚大口唇生瘡眼生偷針等證 方見上弄舌
○甘露飲子治胃熱口臭齒齦腫痛咽口有瘡赤眼及瘡疹
熱盛者 方見口瘡 一方加連

六二 諸疳

○蘆薈丸治脾胃積熱遂成疳疾
膽、連、蕪 各一兩 去皮 先炒黄 次入前藥一处炒赤 為末入蘆薈末一分 飯飲丸 空心米湯下
○鱉甲散治疳勞骨蒸
鱉 九肋者湯洗 用童便浸炙 耆 蜜炙 烏 各一兩 生乾地、地骨、歸、参 各半兩 水煎
○清肺飲子治[illegible]鼻涼腦 秦、苓、地骨、生乾地 等分 水煎
○胡黄連丸治肥熱疳 胡連、川連 各半兩 硃砂 二錢半 為末和勻入
猪膽内 用淡漿煮 以杖子置銚子上 用線釣之 勿著底 候
一炊久 取出研入 蘆薈、麝 各一分 飯丸 米飲下 様有青黛半錢 蝦蟆去足炙二錢

○如聖丸治冷熱疳瀉 胡連、川連、白蕪 去扇炒 各二兩 使君 去殼 一兩
乾蝦蟆 五个 酒煮作膏 麝 一錢半 右為末 蝦蟆膏丸 人参湯下
○香蟾丸治疳消食積虫積肉積及治腹脹大
术 一兩 稜、莪、青、陳、曲 炒、蘗 炒、膽、椽 各五錢 練子 去核、胡連、川連
使君 各四錢 木 二錢 乾蟾 五个 右為末 以乾蟾醋煮成膏和藥 如乾加醋丸 清米飲下
○祖傳檳榔丸治疳疾積塊腹大有虫等證
檳 一兩 稜 醋炒 莪 醋炒 青 麸炒 陳 去白 雷 去殼 漆 炒無煙 蘗 炒 麯 炒黄 各半兩
夙 炒黑 木、胡連、甘 各炙 三錢 蕪 二錢半 良 東壁土炒 二錢 縮 一錢 肉 五錢 右為末
醋糊丸 空心淡姜湯下
○木香丸治冷疳煩渴啼叫乳食不進好卧冷地
木、黛、椽、蔻 去殼 各二分 麝 一錢 續隨 一兩 去殼 小蝦蟆 三个 晒乾 燒存性 右為末
煉蜜丸 薄荷湯下 傳無青黛 有青皮
○使君子丸治疳瘦下痢虛滑腹脹痛不思乳食常服 補胃消疳
使 肉二兩 麸煨 厚 去皮 薑汁炙 訶 半生半煨 去核 陳、甘 炙 黛 各半兩 疳熱及驚帶熱渴者用此一味 如藏府不調不用
右為末 煉蜜丸 米飲化下
○肥兒丸消疳進食 連、麹、蘗 微炒各一兩 使君 去殼 蔻 煨 各半兩 木 一錢 炮

檳一分 為末麪糊丸飯飲下
○茯苓散治尿白久而成疳亦心膈伏熱裹而得之
赤苓 縮 稜煨 莪各五分 青 陳 滑 甘炙各二分半 右為末每
服二錢麥門冬燈心煎湯調下
六三 急驚傳
○急驚痰熱慢驚脾虛 急驚十生一死慢驚十死一生
○利驚丸治急驚風神効 天竺黃二分 輕 青黛各一分 黑丑頭末半兩
右研勻煉蜜丸如梧子大一歲一丸三歲二丸食後溫薄荷水下
○瀉青丸治肝熱急驚搐搦等證 羌 大溫帋裹煨一本無大黃 芎
梔 膽 歸 風各等分 為末煉蜜丸竹葉湯下
○宣風散治急驚風搐搦不定
檳二枚 陳 甘各五分 黑丑四兩半生半炒一本頭末一兩 為末蜜湯調下
○奪命丹治急驚不省人事目直視牙関不開唇白或黑者
星 半各為末姜汁和作餅子焙干 石 硃各四分 珍新白者二分 巴霜一分 輕 麝各半分
金箔 銀箔各十片 為末麵糊丸燈心湯化下
○金箔丸治急慢驚風痰涎壅盛
星煨裂 半 白附炮 風各半兩 雄 硃各二分半 犀一分 牛 腦 麝各半分

金箔二十片 為末姜汁打麪糊丸人參湯下慢驚去腦
○天麻防風丸治驚風壯熱痰盛驚悸
天麻 風 參各一兩 蚕去絲嘴炒 全蝎去毒炒 硃 雄 麝各二分半 牛一分
甘炙三分 為末煉蜜丸薄荷湯化下
○芎活湯治急驚風角弓反張 芎 獨 歸 升 葛 桂
麻去節 甘炙各三分 參 苓 杏 膏各一分 右入姜
○人參湯最能利驚 小柴胡加風棕
○蟬蛻散治驚風天瘹熱夜啼驚癎 蟬去足翅六十个 荊一兩
甘炙 蜜 大煨 苓各五分 蝎梢去毒五十个 右入白茅根少許水煎
○加味敗毒散治急驚風初起発熱手足搐搦反張
本方加天麻 全蝎去毒 蚕炒 白附煨 地骨各等分
○靈砂丸治小兒風痰驚積至危篤者 巴去殼油煮乾三次 星炮
半各五分 全蝎 朱砂一半入末一半為衣各三分 蚕炒七分 輕少許 為末水丸驚
風金銀湯其餘姜湯下
○龍腦安神丸治驚風癲癎骨蒸勞熱咳嗽語澁舌強
犀 硃 麦 參 地骨 門 桑 甘各二分 白茯神三分 牛黃五分 腦

麝各三分 馬牙硝二分 為末煉蜜丸金箔為衣

傳

○錢氏安神丸 治邪熱驚啼心肺面黄頰赤壯熱

辰一兩 寒、牙硝、門、㕘、山、甘各半兩 腦一字 為末煉蜜丸如

芡實大每服半丸砂糖水化下 慢驚人參木煎濃汁化下

○奪命散 治急慢驚風痰潮塞於咽喉命在須臾

青礞石一兩入砂鍋內同焰消一兩用白炭火煅令通紅候消盡為度候冷如金色取出研為細末 急驚風痰

發熱薄荷自然汁入蜜調服 慢驚脾虛以青州白圓子

碾煎稀糊入熟蜜調下神效

○青州白丸子 治男婦手足癱瘓風痰吐涎及小兒驚風

半夏生七兩 白附生二兩 南星生三兩 川烏頭去皮臍半兩 為末生絹袋盛於井

花水內擺出未出者更以手揉令出以滓更研再入絹袋 擺補買切兩手擊也

擺盡為度放甆盆中日曬夜露每日一換新水攪而復

澄春五夏三秋七冬十日去水曬乾如玉片研以糯米粉

煎粥清為丸姜湯下 癱瘓風溫酒 小兒驚風薄荷湯下

○硃砂丸 治急慢驚風之熱生涎喉咽不利 取驚積方見吐瀉

六四 慢驚 傳

○黄芪湯 治慢驚風神茶也 慢驚風皆由久浮脾胃虛而成也

芪二分 參一分 甘炙半分 加白芍一分 水煎

○益黄散 治胃中風熱

芪二分 參 陳去白各一分 白芍七分 生甘 炙甘各五分 連少許 水煎

○錢氏白朮散 治積痛和胃生津止瀉頻瀉利將成慢驚者

服之決效 參、朮、白苓、木、藿、甘炙各一分 乾葛二分 冊漢加肉

蔻煨 山茱、白扁各一分 姜一片水煎 若慢驚已作加細天麻各一分

蝎三枚去毒 白附八分煨 同煎服

○又方 治慢驚風子母俱服 參、朮各一分 天麻半各七分 苓陳各半分

細辛三分 芎 甘各二分 全蝎去毒炒一枚 右作一服 姜三片 水煎

○鈎藤飲 治吐利脾胃氣弱虛風慢驚 鈎鈎藤半分 風去蘆

蟬、參、麻去節 蚕炒 天麻、蝎尾去毒炒各二分 甘炙 芎各一分半 右作一服

水一盞煎至六分溫服 量人大小加減分數 虛寒加附半分

○溫白丸 治脾虛泄瀉瘦怯冷痢及吐瀉久病成慢驚 身冷瘈瘲上

天麻半兩 蚕炒 白附生 全蝎去毒炒 星湯泡七次焙 各二分半 為末湯浸寒

食麵丸如菉豆大每服五七丸空心姜米湯下 与為方積聚之溫白圓則也

標

○補脾益真湯 治胎稟怯弱吐乳糞青成慢驚涎潮直視

氣逆面脹抽掣上　參、香、木、朮、苓半　陳、朴、歸、桂
訶、丁、蔻、附炮、甘炙、果各七分　全蝎去毒微炒一　服用一箇　右每服三不
姜二片、棗一枚　水煎　肚飢稍熱服々訖　心腹揉動　以助藥力一
時久喫乳食　渴去附、丁、蔻，加參、苓　瀉加丁、訶　吧吐加
陳、丁半　腹痛加朴、良　腹脹加朴、枳、丁、煎　咳嗽加前、五
味，去附、桂、果、蔻　痰喘加前、枳、赤苓，去附、丁、蔻、果　足冷
加附、丁、朴　氣逆不下加前、枳，去歸、附、蔻　惡風自汗加桂、香
○銀白散　治吐瀉涎鳴　微喘　露睛　驚跳　助胃袪風　慢驚通用
蓮、扁炒、苓各一不　參、天、白附炮、全蝎去毒、木、甘炙、藿各半不
陳、米炒香三不　右每服二錢　冬瓜仁七粒　姜一片　水煎
六五　天瘹　与正傳慢驚之鉤藤飲殊
○鉤藤飲　治天吊潮熱　小兒壯熱翻眼手足搐掣如魚之上鉤謂之天瘹，皆由乳母過食熱毒，乳兒挾風邪
鉤藤、參各半分　蝎、天麻各一分　犀、甘炙各半分　每服一不　水煎
六六　馬脾
○小兒肺脹　喘滿　兩肋扇動　鼻竅張悶　乱嗽　渴　声嗄　痰涎
潮塞　俗呼馬脾風　不急治　死在旦夕　牛黄奪命散、無價
散主之　又曰暴喘　曰馬脾風　大小便硬　宜急下之　用牛
黄奪命散下之　次用白虎湯平之

○牛黄奪命散　白牽、黑牽各半生半熟取頭末五不　大、檳各一兩　右為末
三歲兒一錢　冷漿水調下　涎多加輕粉　如無加蜜少許
○無價散　治風熱　喘促　悶乱不安　俗呼馬脾風
硃二不半　甘遂一不半麵包煮焙乾　輕半不　右為末　每服一字　用溫漿水少
許滴香油一點　抄藥在油上　沉下　去卻漿水　灌之　一方
加滑石二不　名油墜膏
六七　噤風
○小兒眼閉　口噤　啼声漸少　舌上聚肉如粟米狀　吮乳不得
口吐白沫　二便不通　盖由胎中感熱氣　流毒於心脾　故見
於喉舌　或為風邪所搏致　宜辰砂膏
○辰砂膏　辰三不　玄明粉二不　硼砂、牙硝各一不半　蝎、真珠各一不　麝一字
右為末　油紙包　自然成膏　每用一豆許　乳汁調　敷乳頭　吮
金銀薄荷湯下　亦可　有潮熱　甘草湯下
○治初生七日口噤　牛黄一不　細研　以竹瀝調一字　灌之
閻孝忠曰：急慢驚風，古人無之，惟曰陰陽癇。陽動而速，故陽病曰急驚；陰靜而緩，故陰病曰慢驚。
慄赤　症出於臟，其症寒熱備有也，宜內實用補劑；參出於腑，其症多實熱而

無寒世忌內實宜解散惟材發之時略相似而痘則補實以生血療宜
補陰以制陽燥悍之劑當深忌也

〇小兒科下痘疹 十五

一

疑似 傳 〇凡瘡疹但覺身熱似傷寒疑似未明先与惺惺散(見表)或參
蘇飲熱甚者升麻葛根湯人參敗毒散(已上三方見傷寒)如見紅點
忌葛根湯恐發得表虛(醫方以升麻葛根湯治未發已發盖葛根升麻性寒凝血脉不能起發)
〇痘瘡初欲出時身熱耳尻冷呵欠咳嗽面赤必是出痘之
候便宜升麻葛根湯加山査大力子瘡出稀少而易愈
〇凡熱不可驟遏但輕解之若無熱則瘡又不能發也
(醫鑑) 〇加減升麻湯治傷風頭痛寒熱及斑疹疑似之間宜服
升 粉葛 芍藥 桔梗 甘(等分) 加四君等分尤可
(瘡疹方) 〇小柴胡湯治壯熱昏睡狀類瘡疹未能辨認者(方見上傷寒)

二

解毒 全 〇消毒飲治毒氣壅遏壯熱心煩瘡疹雖出未能匀透
牛(炒六兩) 荊(一兩) 防風 升(各一兩半) 甘(炙二兩) 水煎大便利勿服(傳加犀末尤妙)
(醫鑑) 〇瘡疱將出或已出更服亦妙 牛(一兩炒熟) 荊穗(二) 水煎
傳 〇犀角地黃湯瘡疹出太盛者以此解之(盖出太盛或鼻衄下血方見傷寒)
(醫鑑) 〇安斑散調理瘡疹未發已發皆可服之
升 白芍 香 羌(各二兩) 參 桔 枳 甘(各半兩) 加紫草少許 葱一莖

〇(回) 神功散治痘出毒氣甚盛不分地界或吐瀉七日以前諸證
可服解毒(凡七日以前為裏實不可投溫燥之劑八日以後為裏虛不可投寒涼之劑能伐生氣也)
耆(生三兩) 牛(二兩) 白芍 生地 紫草 前(各二兩) 參(一兩半) 紅(一兩) 甘(四分)
水煎熱甚加芩連(各一分) 未退再加大黃 吐者毒盛也此湯
主之 腹痛亦毒盛也主之 有驚加蟬(一箇去頭足) 顆粒淡黑
者有寒兼之加桂(一分) 面紅不退地界不分倍前 泄瀉者
火盛而奔越也加升麻升提之不可用止瀉之藥 解其
毒則自止 三四日色慘不明用此湯治無退也
(試効方) 〇鼠粘子湯痘已出稠密身熱急与之防後青乾黑陷
牛(炒香) 地骨(各二分) 翹(二分半) 紫 芩 甘(各一分半) 歸 香(各一分) 右
傳 〇初出時胸前稠密急宜服消毒飲加山査酒芩紫草減食加參
〇又曰痘瘡稠密甚人參敗毒散犀角地黃湯

三

壯熱 傳 〇加味犀角飲治毒氣壅遏壯熱心煩瘡疹雖出未能匀透
口舌生瘡不能吮乳
牛(炒三兩) 荊 桔 門(各五分) 風 升(各七分半) 犀(三分) 甘(炙一兩) 水煎 大便利不宜服
(醫鑑) 〇人參麥門冬散治發熱煩渴 門(一兩) 參 术 朴 陳 甘(炙各半兩) 右

直 ○大連翹湯治瘡疹壯熱小便不通 翹・瞿・荊・通・車
赤芍・歸・風・柴・滑・蟬・甘・梔・芩 各半錢 加紫草 水煎
經驗 ○四妙湯治豆瘡欲出壯熱不思飲食 紫・升・糯 各一兩 甘生 石
四 平治 傳 ○大法活血調氣安表和中輕清消毒溫涼之劑兼而治之
此平治之法也 溫 芪・歸・木・蒡 涼 葛・桔・前・葦 佐之以白芍
芎・枳・桔・羌・通・紫草之屬則可以調適矣
五 不快 ○活血散治痘出不快 白芍為末溫水下 止痛消調尤驗
海藏 四肢出不快加防風 一方用赤芍
○紫草木香湯治瘡出不快及大便自利
紫・木・朮・苓 各一 甘 半 糯米 一百粒 水煎
○四聖散 紫・通 各一 枳 麩炒 甘 各半 水煎
直 ○紫草木通湯治痘出不快 紫・通・參・苓・糯米 各等分 甘
減半 水煎 糯米用粳米 大便利去紫加木香
○快斑散 前方無糯苓 有蟬 去翼足 白芍 各等分
傳 ○加味四聖散治出不快及變陷倒靨小便赤澁餘熱不除
紫草・通・芪 炒 木・芎・甘・參 各等分 蟬 十八 去翼足 水煎 大便
秘加枳 大便如常加糯米 百粒 性解毒
直 ○絲瓜湯發瘡疹最妙 絲瓜 連皮燒存性 為末百沸湯調下
六 嚴寒 傳 ○天時嚴寒為寒所折不能起發宜散寒溫表紅斑初見宜
五積散正氣散參蘇飲 三方並見傷寒 調解散木香散
○調解散 青・陳・枳 麩炒 桔 炒 參・半・芎・通・葛 各四分 蘇
甘 各二分 右加姜 三片 棗 一枚 一方加紫・糯・得効加歸・紫 等分
七 炎暑 ○炎暑隆盛煩渴昏迷瘡出不快宜辰砂五苓散 方見傷寒 煎
生地黃門冬調服 身熱甚者小柴加生地 煩渴而便實
者白虎加人參湯 方見傷寒
八 傷脾 ○脈涼藥損傷脾胃或胃虛吐利當溫中益氣宜理中湯 方見傷寒
吐利甚者加附或異功散木香散肉豆蔻丸
○肉豆蔻丸 木・縮・白龍骨・訶 各半兩 赤石脂・枯礬 各七錢半 蔻
半兩 麵煨 為末麩糊丸煎異功散送下
九 一半紅點 ○成血疱一半尚是紅點此毒氣發越不透必不能食大便
如常者宜半溫裏半助養之劑用四聖散加減及紫草木
香湯絲瓜湯陳氏萬全散

○恍保萬全散治痘出不紅潤　参・風・蟬各等分　右毎服四錢
入薄荷三葉水煎　熱而実者加升麻

十

壓

○外実之人皮膚厚肉腠密毒氣難以発泄因出不快宜消毒飲透肌散好大便秘消毒飲加大黄梔子瘡出大稠犀角地黄湯解毒防風湯血氣不足十奇散咽嗌不利如聖湯加苛枳口中氣熱咽痛口舌生瘡宜甘露飲子　方見口病

○透肌散　紫草・緑升麻　甘草各一　煎服或与消毒飲同煎妙九

○如聖湯　桔梗二　甘草一　一方加牛蒡子各一　水煎時々服之

十一

白黒

○初出之時色白者當大補氣血参・朮・芪・芎・木香・甘・丁香酒帰・鳥升葛　如大便泄加訶・蔻又云炉灰色白浄者作寒。○白氣虚補氣為主

○紫黒色者斉湧者煩躁者作熱看黒属血熱涼血為主

○中黒陥而外白起浮遅者則相兼而治

十二

黒陥

○黒陥二種因氣虚而毒氣不能尽出酒炒芪・紫草・参等

○黒陥甚者用無病児糞焼存性蜜水調服　一人猫猪犬糞臘月焼灰蜜湯調服

小児薬証直訣

○退陥散治瘡疹倒靨黒陥　人牙焼存性　入麝少許温酒調下

経験

○穿山甲散治痘不発雖黒陥氣絶亦能發紅色
穿山甲焼存性為末入麝當門子少許一歳半分三歳一錢温酒調下

得

○民望方治瘡疹漸黒而陥大便不固乳母同服
参・朮・白苓・香・蔻各半兩　甘二分半　姜棗　手足厥冷加炮附

總録

○通神散治小児瘡痘黒陥伏黒陥
雄黄通明者水飛　麝當門子各半分七　同研温酒調下

○又方　蚕炒　蟬各三枚　為麁末水煎微熱服立出

得

○奇方治瘡疹出透腹痛甚或黒靨者乳母亦服
蟬退二十五个去足翼洗為末毎服一錢熱水調下腹痛立止

○又方乾山楂子為末湯點服立見出透紅活

本論

○痘發搐黒陥　桃膠煎湯飲之或水熬成膏酒化服大効

林

○周天散治痘黒陥腹脹直視喘急発搐
蟬五分　地龍一兩去土　為末毎服半分大人一分乳香湯調連進三服

十三

身痛

傳

○瘡發身痛不為外寒所折則肉腠厚密宜分而治之始紅點方見為寒所折而肉体有熱宜参蘇飲軽者消毒飲或葛根升麻加芍薬湯肉腠密者宜活血散均氣散

十四
○葛根升麻加芍薬湯 升麻葛根湯倍芍薬是也
○匀氣散 朮、白苓、青、芷、陳、烏、参 各半 甘 各三 木 一分 香 半 水煎
虫八味 順氣加 木香
為末酒調亦可
瘡痒 ○血氣不足多痒宜十補托裏散及木香散加丁桂胃主肌
肉尤宜四君子湯加芎歸木紫草或不能忌口因食毒物
作痒者二物湯百花膏或四君子湯加解毒薬
○二物湯 蟬 洗浄二 十一枚 甘 各一 両 為末水煎時々服之
○百花膏 石蜜 不拘多少略以湯和時々以鵝翎刷之瘡痂亦易落無痕
痒塌 ○実則脉有力氣壮虚則脉無力気怯虚痒実表之剤加涼
血薬実痒如大便不通者以大黄芩下其結毒気怯軽 九
者用淡蜜水調滑石末以鵝翎刷瘡上潤之
十五
乾湿 ○瘡乾者宜退火止用軽清之剤荊芥升葛之類
○瘡湿者肌表間有湿氣宜瀉湿芷風之類蓋風薬能勝湿也
十六
二便 ○大便下黄黒色其毒氣盛不可多与熱剤若大小便一有秘
結則腸胃壅遏脉結氣滞毒氣無従発泄目閉声唖肌肉黧
黒不旋踵而変失陥入者加味四聖散

○又云大便秘結内煩外熱者小柴胡加枳殻或小服四順清涼飲子
○小便赤渋者大連翹湯甘露飲
十七
形氣 ○瘡已出而聲不変者形病也瘡未出而聲変者氣病也宜補
肺散加生芪 瘡出而聲不出者形氣俱病也 形病身温者宜
解毒防風湯大便閉者宜當帰丸 形氣俱病稟賦素弱者
宜預服十奇散倍帰少加木香煎服
○補肺散 膠 一ヌ半 炒成珠 牛 炒三 分 馬兜鈴 半ヌ 甘 二分 杏 三粒 去 糯 一ヌ 炒
加生芪 半ヌ 右分二服水煎食後時々与之
○解毒防風湯 風 毒 一ヌ 地骨、生芪、芍、荊、牛 炒各 枳 五 半ヌ 水煎 為末温水調服亦可
○當帰丸 帰 半 両 連 一ヌ 炒 太 二ヌ 半 甘 一両 各 右以當帰熬成膏以下三味為末以膏和丸如胡椒大三歳以下児十丸食前清米飲下 以利為度
○十奇散 即托裏十補散 又名十宣散 芪、参、帰 各二 銭 朴、桔、芎、风、芷、甘 各一 ヌ
桂 三分 為末温酒調下水煎亦可
十八
三陽 ○太陽痘悪寒身熱小便赤渋出不快宜荊芥甘草防風湯
○荊芥甘草防風湯 荊、芎、牛、風、甘 各等 六分 水煎食前温服
○少陽痘乍寒乍熱出不快宜連翹防風湯

五九

○連翹防風湯 翹、風、瞿、荊、通、車、歸、紫、赤芍、白滑、蟬、芩、紫草茸各三分 甘 水煎 大小便自利者不宜用

○陽明病身熱目赤大便閉塞瘡遍肌肉出不快宜升麻葛根湯加紫草

三陰

○太陰病自利四肢逆冷宜附子理中湯方見傷寒加炮附子 木香散上

○木香散 木、腹、參、桂、青、赤苓、前、訶煨去核 半、丁、甘各三分

右作一服加生姜三片 棗一枚 水煎

○少陰病瘡黑陷口舌燥宜四物湯加紫草、紅花

○厥陰病舌卷卵縮時發厥逆宜異功散

○異功散 木、歸酒洗 桂、朮麸炒 苓、陳、朴、參、蔻麪煨

丁、半、附炮各三分 右加生姜三片 大棗一枚 水煎

六十

不足

○肺氣不足自汗聲不出瘡頂陷塌不綻肥十奇散自汗倍黃芪聲不出倍桔

○心血不足灰白色根窠不紅不光澤芎歸湯加芍、紫、紅良驗

○芎歸湯 歸、芎各二錢半 水煎

六一

脚色

○將成就脚色淡者宜助血歸芎酒芍之類或少加紅花

○脚色紫者屬熱用涼藥解其毒升麻葛根湯炒芩、連代

連翹之類甚者必用犀角盖犀角大解痘毒

六二

咽痛

○咽喉痛者如聖散鼠粘子湯二方並見前

六三

餘毒

○白朮散痘已靨身熱不退清神生津除煩止渴方見吐瀉

○補中益氣湯結痂而犯風寒惡寒發熱本方加葛方見脾胃

○生地黃散治痘疹後寒熱往來煩燥悶亂

生地、歸、地骨、參、甘各錢 赤芍各等分 水煎

六四

口舌

○加味犀角消毒飲治毒氣壅遏口舌生瘡不能吮乳

牛炒三兩 甘一兩 風、升各七錢半 荊、桔、門各五錢 犀三錢 水煎

○射干湯治痘疹後身熱大便硬口舌生瘡咽喉腫痛

牛炒一兩 升、甘、射干各三錢半 水煎

○五福化毒丹治瘡疹餘毒上攻口齒 參、玄參、甘、黛

牙硝 桔過各半兩 桔、苓各一兩 麝、腦各半錢 為末煉蜜丸每兩作十二

丸一歲兒一丸分作四服薄荷湯化下 一方無腦子有金銀箔

○一方口舌生瘡 蜜漬黃栢汁飲之

○疹後口舌瘡多不救心氣絕也熱生瘡升麻湯加桔

塗脚心

又連、芩、栢為末水調塗脚心明早口苦即効

六五

入眼 傳 ○痘瘡入眼宜決明散撥雲散蛤粉散

○決明散 草決明、赤芍、天花粉、甘草等分 為末食後茶清調下

○撥雲散 羌、風、紫、甘各等分 為末水煎食後臨臥服茶清或菊花苗煎湯調皆可 忌藏塩鮓醬酒湿麪炙煿炊氣及一切発風動火之物

○蛤粉散 穀精草、海蛤粉各等分 為末用猪猪肝二兩以竹刀批開摻藥在內捲了外以青箭箬包裹麻線札縛米泔煮熟入小口瓶內薰眼候溫取食之日一服不過十日遂退

聖惠 ○柴胡散治痘瘡入眼疼痛壯熱煩渴

柴芩 梔 赤芍 升 門 甘各 玄參各一兩 入竹葉二七片水煎

香 ○蟬菊散治斑瘡入眼或病後生翳障 蟬 白菊花各等分 右每服二錢水一盞入蜜少許煎乳食後與之屡驗

小兒藥證 ○疹後毒氣攻眼或生翳膜赤脉四物湯加荊穗煎服

醫林 ○出痘不快兩目昏翳 蟬蛻水煎服之妙

金 ○治斑瘡入眼 蒺藜炒 甘炙 羌 風各等分 為末水下

○治斑瘡入眼百日已外難治 朱砂六分 輕粉四分 為末用水二三點調左眼病滴右耳右眼病滴左耳兩眼滴兩耳

六六

痘癩 ○痘癩者毒氣不得出流於髀樞則発而脚手腕膝臏肘処或頭項胸腹赤腫宜消毒飲或五香連翹散解之未成膿者小柴胡加減 重者或面赤大便秘或渴嗽膨脹尿赤涩 十六味流氣飲加大黄 氣血虚而自利者加熟附 禀受怯弱瘡後面青不能飲食身体倦怠無熱證者十奇散加枳桔 消毒飲十奇散並見前 五香連翹散十六味流氣飲並見瘡瘍 小柴胡見傷寒

六七

便膿 ○毒氣入大腸則便膿血或下腸垢或大便秘結宜犀角地黄湯身熱煩渴黄連解毒湯 熱盛小承氣湯 下痢者黄連解毒湯駐車丸 犀角地黄湯黄連解毒湯小承氣湯並見傷寒 駐車丸見痢

六八

再作 ○若痘疹後再作瘡疹者此餘毒未尽也宜解利之 氣虚者未可解利

六九

中地風 ○痘疹愈後忽遍身青或黑手足厥冷口噤涎喘如鋸者名中地風蓋瘡疹方愈榮衛尚弱而暴感時令寒暑風雨地氣毒氣襲虚而入致之宜消風散二分入蟬蛻末二分三服酒生姜薄荷汁数點湯調二三服立醒或少汗而解或再出瘾疹而愈 消風散見中風

廿一 孕痘 傳 ○孕婦身發痘瘡宜罩胎散若胎動不安宜獨聖散安胎
飲 身熱甚參蘇飲 瘡稠密十奇散倍芎藭當歸減桂
加香附烏藥 如胎已五月則半夏桂心之屬俱不必禁
玉 罩胎散 御藥院 ○罩胎散 赤茯苓 朮 歸身 白芍 赤芍 柴 葛 參 桔 除
芩 瓜 陳 荊 枳 紫草 膠 糯米 芷 芎 甘 縮
六 大熱加爵金 各三分 右作一服乾柿蒂七個野苧根七寸胡瓜蒂一箇
用銀器煎以荷葉鮮定煎去柤荷葉蓋覆空心溫服
○獨聖散用連殼縮砂慢火炒去殼為末熱酒調下胎動
則服之後覺胎熱則安 參
○安胎散 腹 酒洗極淨焙乾 再用烏豆汁洗 參 陳 朮 白芍 歸 芎 香
附米 童便浸 縮 糯 芩 甘 各半分 燈草七莖 糯一撮 煎 食前溫服

廿二 水痘 ○有水痘身正痘不同易出易靨不宜濕 濕或濕之亦不
為害但不能結痂則爛成瘡
金 ○麥煎散治水痘 麻 去節 大 根 知 葶 炒 羌 參 各二分 地骨 炒
滑 甘 各半分 右每服半錢水一盞小麥七粒煎服

廿三 瘡爛 傳 ○瘡出太盛表虛難靨以致膿水粘衣著席溼痛不能 轉
側宜白龍散敗草散等附之
○白龍散 黃牛糞 日乾火煅成灰取心中白者 為末帛裹撲之
○敗草散 蓋屋及墻背上遠年腐草洗淨焙乾為末
帛裹撲之及鋪床席上佳
惠 ○或以蕎麥麩撲席簟上可 得効 或用蕎麥粉
易簡 ○又方 五倍 芷 等分 為末乾撲膿水即收如乾瘢清油調塗
○一方前藥加栢連 等分 井花水調稠塗
聖惠 ○又方 蛎 三兩 土瓜根 一兩 為末白蜜調面及瘡瘢 塗
本綱 ○痘瘡溼爛 黑大豆研傅之 又枇杷葉煎湯洗之

廿三 不收 ○痘疹不收 象牙屑 銅銚炒黃紅色為末 每夜七八分或一錢白水下

廿四 不落痂 ○沙糖新汲水調服白湯調亦可日二

廿五 瘢黯 聖惠 ○治瘡愈而毒氣未全散故痂落瘢猶黯或凸凹肉起
蔟 豉 各一兩 梔 二兩 搗醋漿調塗每夜塗之來日以漿水洗之
○又胡粉一兩 臙粉一分 相和鍊豬脂和塗瘢上同上法
○又黃蘗 二兩 剉 水二升煎取一升去滓摩拭瘡瘢上
○又小豆末以雞子白調如稀餳塗之

有賀道竹
継父祖之
業而有深
志于醫術
自去秋寓
居予書林

早起夜寐
勤勵不已
予喜其篤
志以家傳
之一帙授
之庶幾勉

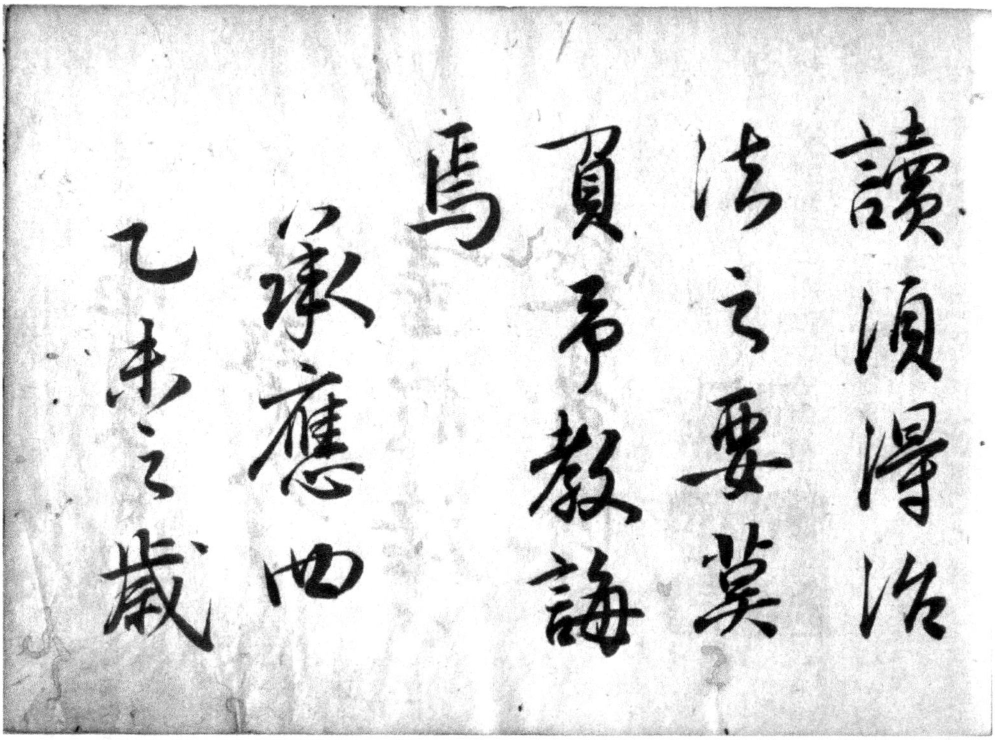

讀須得治
法之要莫
負予教誨
焉
承應也
乙未之歲

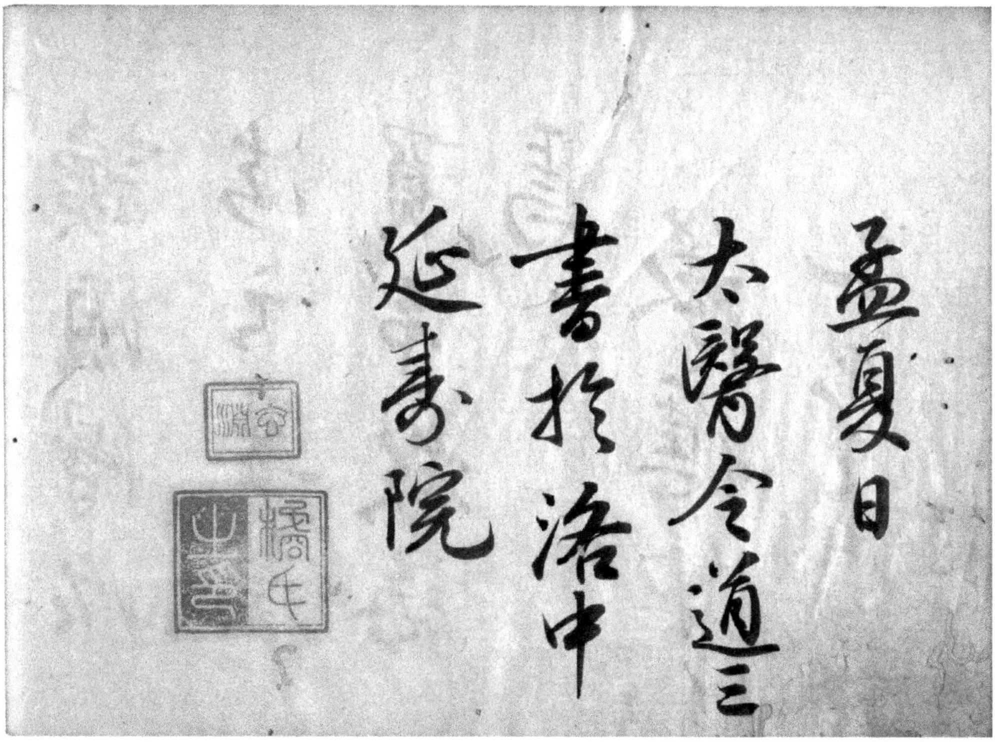

孟夏日
太醫令道三
書於洛中
延壽院

。敗毒散治初熱壯盛等症 升 葛 蘓 芎 羌 風 荊 前
苛 桔 枳 牛 蟬 查 地皮 甘 又方去葛加紫 右姜葱
熱甚加紫苓 亥加薷 冬加麻 浮加猪沢
。蘓解散治痘初壯熱頭痛或腰痛肢痛作脹一切熱毒
甚者 蘓 葛 風 荊 芷 蟬 紫 升 牛 通 甘 右灯葱
。清地退火湯治痘不退熱而出名火裡苗急用此以退其
熱則後無青黑乾陥之患 紫一不半 地皮一不 地膚九分 紫用糯米一撮製過
葛各八分 牛炒七分 麹六分 斂五分 通三分 蟬二分 右姜煎
。紫草透肌湯治痘熱而出不快及頂陥者 紫一不 牛 風 荊
蒡各八分 升 木各五分 甘三分 右姜煎 如紫色肢痛加蟬一不
。化毒湯治痘已出未愈熱毒鮮毒清熱涼血毒一鮮不
致黑陥血一涼不致紅紫 紫 升 蟬 地皮 苓酒炒 甘 又加通
。涼血解毒湯治痘出未曾退熱紅不分地或痘苗乾枯黑
陥急用此可起脹貫漿 紫一不 生地 紫各八分 牡七分 牛四分 糯米
赤芍 風 荊 連 通各三分 紅 天 甘各二分 右姜一片 灯二十根 糯一撮
。內托散治痘不起発根窠不紅灰白色咬牙寒戰等症
参 蓍 芎 斂 風 芷 桔 芍 朴 木 桂 甘 右姜棗 色紅
紫者去桂木加紫蟬 色淡白者去風芷加糯米 一覧去芍芋加紫增 参木 內托散 上 虛症痘

。保元湯 蓍三不 参 甘各一不 或加桂以助参蓍之力 右姜棗
。升天散治痘或灰白或紅紫黑陥乾枯或清水不成漿八
九十日皆可服 蓍 査各八分 参六分 朮土炒 斂 芎酒洗 陳各五分 甘三分
滿羊藿二分多則痒 山甲土炒黄 木各二分 桂三厘此引陰陽之薬引經則能成膿多則痒 右姜棗
。回漿散治痘不収漿結靨 何首 芍 芪 参 朮 苓 甘 姜煎
。荊芥解毒湯治痘夾疹 荊 風 酒芩 酒梔 玄参 牛 升 右
。涼血地黄湯治室女出痘遇經不止熱入血室 斂 芎 芍
生地 朮 升 連 参 梔 玄参 甘 右
。玄参地黄湯 玄参 生地 牡 梔各一 芩半 芍一不 升 甘各五分 右加
炒蒲黄半不 煎
。蘓葛湯初熱未見點発表之薬 蘓 葛 甘各二不 芍二不半
陳 砂各五分 右葱姜
。加味升麻湯治小児麻疹表薬或隣家已有疹証預服
升 玄参 紫苓各五不 葛 赤芍各四不 独 甘各三不 右
炙後白大根汁妙 一子科

竜骨散　療因損娠下悪血不止

牛角䚡灸焦二分半　竜餃　芐各二分　地楡　膠　芎　姜各一分半

蒲一分二朱半　艾一分　右為末食前用米飲調下

散

一方　治産後血崩如湧両眼瞑合四肢厥冷

不省人事脈沉代危急　参二朱　茋　餃　朮　附

甘各二分　山漆三分　右

艮　腰　項	中　肩　尻	坤　外踝
離　膝　肋	乾　面　目　背	震　牙　口
坎　肚　脚　肘	兌　手　膊	巽　頭　口　乳

両　光鳥　三　竜犬　二　蛇猪　三　馬鼡　二　羊牛　三　猿虎

三刻七八分毎日後也亦十六日而及右

一刻者八十四分是曰刻法　一時者八刻七八分是曰

辰法

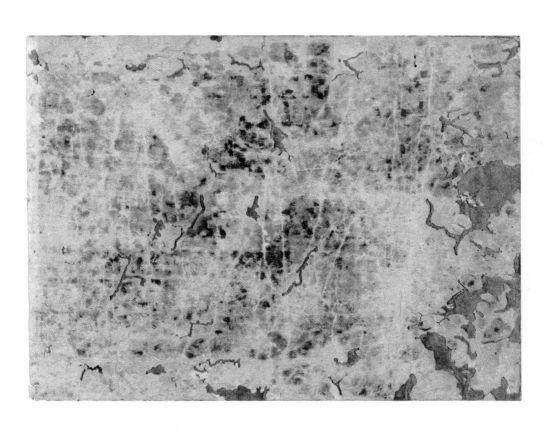

15